Google nooit gebroken hart

Emma Garcia

Google nooit gebroken hart

Uitgeverij Luitingh-Sijthoff

Uitgeverij Luitingh-Sijthoff en drukkerij Bariet vinden het belangrijk om op milieuvriendelijke en verantwoorde wijze met natuurlijke bronnen om te gaan.

ISBN 978 90 218 0706 5
NUR 302

www.lsamsterdam.nl
www.boekenwereld.com
www.watleesjij.nu

Voor mijn drie Leeuwen, vol liefde en dankbaarheid.

'Kijk, daar is een stukje blauwe hemel.'

Maureen Tucker

'*Illegitimi non carborundum*.'
'Laat je niet door de klootzakken op de kop zitten.'

John Tucker

Proloog: deel 1

Drie maanden nadat ik met Rob Waters naar bed was geweest, vroeg hij me ten huwelijk. Het leek wel zo'n stomende romance waarover je leest in tijdschriften bij de kapper. Vijf jaar en twee uitgestelde bruiloften later heb ik geaccepteerd dat onze relatie eigenlijk op een waakvlammetje staat te sudderen. Maar over twee maanden zullen we elkaar dan eindelijk echt het jawoord geven. Dit keer is alles geregeld: de Blauwe Zaal in Burnby Castle, dicht bij zijn ouders, de fotograaf en de Rolls-Royce. Rob toonde zich heel betrokken, wat erg prettig was; de kletskoppen met aardbeien waren zijn keuze.

We houden het informeel. Hij draagt een marineblauw pak van Hugo Boss met een lichtroze overhemd – dezelfde tint roze als de rozenboeketten. Mijn jurk is eenvoudig met precies genoeg chantillykant. Ik heb de vorige twee nogal overdadige jurken via eBay verkocht.

We moeten nog ringen kopen, van platina, zodat ze bij de verlovingsringen passen. Grappig, sinds hij me die diamanten ring heeft gegeven, heb ik hem nooit meer afgedaan, zelfs niet de eerste keer dat hij de bruiloft wilde uitstellen (hij was bang voor kerken) en ook niet de tweede keer (hij had het er moeilijk mee dat hij vijfendertig was geworden). Ik denk dat ik nou eenmaal van Rob Waters houd. Ik houd van hem, en niet om de voor de hand liggende redenen – zoals het feit dat hij er onvoorstelbaar goed uitziet en bulkt van het geld. Ik houd van de ordelijkheid van zijn lichaam: zijn getuite lippen en blonde krullen. Ik houd van zijn manier van lopen en van hoe hij opgekruld slaapt. Ik houd ervan dat hij rimpeltjes in zijn neus krijgt en snuift als hij zich ergens op concentreert. Ik ben ervan gaan houden dat hij me 'konijntje' noemt. Ik vind het niet eens erg dat hij 'Wie is mijn vieze konijntje?' roept als we vrijen. Dan zeg ik gewoon: 'Dat ben ik.'

Hij komt zo terug van de sportschool en ik ben bezig met het avondeten – zijn favoriete maal: zalm met wilde rijst en witlofsalade. Ik loop heen en weer door de keuken en merk dat ik aan het neuriën ben. Wat heb ik een geluk dat ik in dit schitterende appartement midden in het centrum van Londen woon. Ik ben (vrij) jong, verliefd en sta op het punt te gaan trouwen. Ik heb alles wat ik wil.

De deur slaat dicht. Hij is vroeg thuis. Ik ga boven aan de trap staan. Hij kijkt omhoog en hij is zo mooi dat mijn hart in gejubel uitbarst.

'Hoi,' zeg ik met een glimlach. 'Het eten is bijna klaar.'

'Hoi Viv,' zegt hij, en ik hoor aan zijn stem dat er iets mis is. Ik ga naar de woonkamer en wacht op hem. Waarschijnlijk heeft hij een zware dag gehad op het werk. Hij komt binnen en blijft staan, met een blik in zijn blauwe ogen die mijn bloed doet stollen. Die blik heb ik eerder gezien – twee keer eerder. Zijn ogen speuren mijn gezicht af terwijl hij langzaam, verdrietig zijn hoofd schudt.

'O nee,' fluister ik terwijl ik me op de designbank laat zakken.

'Ik kan het niet, Viv,' zegt hij en mijn hart breekt als een te dun laagje ijs waarop iemand gaat staan.

Proloog: deel II

Gebrokenharten-online.com –
Zelfhulp voor verliefden

Rob Waters en ik hebben een 'adempauze' ingelast om erachter te komen wat we willen. Of eigenlijk: zodat hij erachter kan komen dat hij zich geen raad weet zonder mij. Het was mijn beslissing om ergens anders te gaan wonen, omdat het soms aardiger is om hard te zijn. Net zoals je een mooie maar verwilderde rozenstruik moet snoeien. Dat doe je alleen om iets mooiers te laten bloeien, en voor ons zal er ook iets moois bloeien als hij beseft wat hij is kwijtgeraakt en bij me aanbelt omdat hij me terug wil.

Dus ja, nee, voor de duidelijkheid.... We zijn niet uit elkaar, we nemen een adempauze – dat is iets heel anders.

Natuurlijk was ik er kapot van toen hij onze bruiloft afzegde... alweer (hij heeft het gevoel dat hij zich nog niet volledig heeft ontplooid, spiritueel gezien) en wilde ik niet weg. Maar ik kon toch ook niet blijven wachten, als een spin in mijn bruidsjurkenweb?

Diezelfde avond ging ik naar boven en pakte ik rustig mijn spullen. Hij vroeg me niet te gaan, maar dit keer voelde het alsof er iets kapotgegaan was tussen ons. Ik liet de jurk en de sluier aan de deur van de kledingkast hangen.

Nu heb ik mijn eigen plek, een huurappartementje in het noorden van Londen. Het is best mooi; je zou het snoezig kunnen noemen. Ik was opgelucht toen ze eindelijk de bank naar binnen kregen (nadat ze de poten eraf hadden gehaald en een uur lang hadden staan trekken en sjorren). Gek, in Robs huis leek die bank heel klein.

Iedere ochtend als ik wakker word zeg ik tegen mezelf dat hij elk moment op de stoep kan staan om me te vertellen dat hij een grote vergissing heeft gemaakt, dat hij met me wil trouwen en dat alles weer goed is.

Eigenlijk heeft hij sinds mijn vertrek geen contact meer met me opgenomen (op een sms'je na, waarin hij vroeg waar de ijshockeyscheenbeschermers waren) en ik heb een vreemde gewoonte opgevat. Ik ben begonnen mensen met liefdesverdriet te bestuderen. Op een obsessieve manier. Ik verzamel informatie over de verbroken relaties van anderen en googel woorden als 'liefdesverdriet', 'oude vrijster' en 'gedumpt', om te zien wat er in de buitenwereld allemaal speelt op dit gebied. Ik ben natuurlijk niet gedumpt, maar ik vind het gewoon interessant. Ik kan je vertellen dat er een hoop ellende online staat. Verder ben ik zelfhulpboeken gaan verzamelen. Ik breng hele avonden in boekhandels door, op de afdeling persoonlijke ontwikkeling. Er zijn allerlei strategieën om jezelf te helpen. Wisten al die verdrietige mensen op internet dat maar!

Toen ontstond het plan om dit alles te verzamelen op een website. Ik denk dat het een hoopvolle en vrolijke site kan worden, grappig zelfs, een soort onlinetijdschrift over relaties. Een plaats waar zelfhulp en liefdesverdriet bij elkaar komen, als dat tenminste ergens op slaat. Misschien met voorbeelden uit de praktijk, tips, een Lieve Lita-forum – wellicht zelfs een datingpagina. Ik heb een collega die misschien wel een website voor me wil maken.

Ja, dus dat is waar ik de afgelopen weken, sinds ik weg ben bij Rob, mee bezig ben geweest. Je kunt het zien als een project waarop ik me kan storten, zodat ik niet alleen maar om hem zit te treuren.

En toch is dat wat ik iedere vrije minuut doe: treuren om hem. Ik vraag me voortdurend, iedere seconde af wat hij aan het doen is. Maar ik heb geen liefdesverdriet – zoals ik al zei nemen wij alleen tijdelijk afstand van elkaar. En dat is wat ik iedere avond tegen mezelf zeg als ik zijn t-shirt onder mijn kussen vandaan haal, tegen mijn gezicht druk en de laatste muskusachtige flarden van zijn geur opsnuif.

I

Gevallen uit de praktijk

'Ik herinner me nog dat hij die ochtend per se wilde vrijen. Nader-
hand ging ik gewoon naar mijn werk. Om ongeveer halfnegen stuur-
de hij een sms'je: "Ik ga ergens anders wonen." Dat was alles. Toen ik
thuiskwam was hij vertrokken. Wat ik het ergst vond was dat hij al-
les in het geheim had gedaan, achter mijn rug om.
Hij had al het bestek meegenomen. Na twee jaar samenwonen liet
hij niet eens een lepeltje achter om mee in mijn thee te kunnen roeren.'

Debbie, 28, Glamorgan

Het is maandagavond en ik zit bij Prinses Lucy in Battersea. We
hebben het internet afgezocht naar verhalen over verbroken
relaties voor de website.

'Op mijn werk was er eens een vrouw...' zeg ik.

'Hmm?' antwoordt Lucy zonder op te kijken.

'... die haar verloofde in bed vond met hun buurmeisje van
achttien.'

'Au!'

'Vanaf dat moment hing ze steeds rond bij zijn huis. Echt iedere avond.'

'Waarom?'

'Om hem te kunnen zien.'

'Dat noemen ze stalken.'

'En ze plakte oneindig veel anonieme briefjes op zijn deur.'

'Wat zielig.'

'Wat een overgave, hè? Stel je voor... iedere avond.' Ik denk
er wel eens over om naar Robs huis te gaan en ook zoiets te

doen, maar hij woont in een heel drukke straat en ik ken alle buren omdat ik daar zelf vijf jaar heb gewoond.

Ik pak mijn mobieltje om te zien of er misschien een sms'je is binnengekomen.

'Bel hem gewoon op,' zegt Lucy.

'Dat kan niet. Zoals ik je al uitlegde, wacht ik tot hij mij belt.'

'Dus jullie stonden op het punt te gaan trouwen, en nu kun je niet eens meer met hem praten wanneer jij dat wilt?'

'Ik kan hem toch niet bellen! Ik ben degene die is weggegaan. Wat moet ik zeggen? "Hoi, heb je me al gemist? Zal ik terugkomen? Zullen we gaan trouwen?"'

'En als hij niet belt?'

'Hij belt heus wel. Dat kan niet lang meer duren. De eerste week had hij nodig om het tot zich door te laten dringen, de tweede om te genieten van zijn vrijheid, naar de sportschool te gaan, rugby te kijken en zo, en de derde week om in te zien dat hij niet zonder mij kan. Zo werkt dat. Hij kan ieder moment bellen.' Ik kijk haar strak aan; het is van het grootste belang dat ze deze theorie accepteert.

'Oké.' Lucy haalt haar schouders op en drinkt haar glas leeg. Het mijne was tien minuten geleden al leeg. Plotseling verlang ik naar een sigaret; het is een nogal intensieve avond geweest met al die verhalen over gebroken harten. Ik ben zo blij dat ik zelf niet in de steek gelaten ben.

Lucy pakt de glazen. 'Wil je nog een glaasje?' Ze loopt kaarsrecht en volkomen in balans naar de keuken. Ik laat mijn blik over de glimmende oppervlakken en het vlekkeloze witte tapijt van Lucy's flat gaan. Ik heb ooit ergens gelezen dat de staat waarin het huis van een vrouw verkeert een weerspiegeling is van haar gemoedstoestand. Als dat waar is, dan moet Lucy mentaal wel extreem gezond zijn. Maar ze was altijd al heel ordelijk. Op de universiteit had ze haar kamer in het studentenhuis zorgvuldig ingericht. De kleuren waren precies op elkaar afgestemd en ze had een nieuwe kleurentelevisie, tafzijden gordijnen en geurkaarsen gekocht. In mijn kamer, naast die van haar, had ik een nieuwe toilettas en dat vond ik al heel chic. Ik wist niet hoe ik het had toen ze op mijn deur klopte, zich aan me voorstelde en perfect articulerend vroeg: 'Mag ik je een gin-tonic aanbieden?' Niets kon haar ooit uit het veld slaan. Ik noemde haar 'Prinses Lucy' en zo stelde ze zichzelf ook voor op het eerstejaarsfeest, alsof het een soort eretitel was: 'Hoi, ik ben Prinses Lucy en dit is mijn vriendinnetje Vivienne.'

Hoe dan ook, ze heeft veel bereikt en dat verdient ze ook. Ze werkt er keihard voor, volgens eigen zeggen. Ik denk aan mijn nieuwe huis. Nog niet alles is uitgepakt, maar ik weet nu al dat het, ook als ik helemaal ben ingericht, een sombere bedoening zal zijn. Weet je waarom? Omdat het een appartement van een alleenstaande vrouw is. Voor de goede orde, ik heb niets tegen alleenstaande vrouwen, ik ben alleen niet een van hen. Ik woon weliswaar alleen, maar ik ben nog wel verloofd. Ik heb een relatie. Ik wrijf over de huid van mijn ringvinger; hij voelt naakt zonder de verlovingsring.

God, wat voel ik me ellendig.

Een hele maand zonder Rob. Ik bedoel, ik weet dat we maar tijdelijk uit elkaar zijn, maar ik had niet gedacht dat het zo zou voelen. Hij doet alsof ik niet meer besta... alsof ik dood ben.

Ik leg mijn voeten op de salontafel naast een keurig stapeltje glossy's. Mijn oog valt op het meisje op de cover, met haar wapperende haren en karamelkleurige lippen. 'Vrouwen die alles hebben' staat er over haar borsten geschreven. Ik sla de bladzijden om tot ik bij het artikel ben. De vrouw die alles heeft draagt schoenen met hoge hakken en heeft een kapsel dat er duur uitziet. Daar zit ze, in haar kantoor, ze houdt haar pen vast op een manier die gezag uitstraalt. Op de volgende foto ligt ze languit op een bank in een satijnen pyjama – waarschijnlijk heeft ze sinds het begin van de jaren tachtig geen croissant meer gegeten. Daar zit ze gehurkt op haar privéstrand en omhelst ze drie prachtige kinderen (hoewel, wacht eens even, is een van die kinderen scheel?).

Ze heeft inderdaad alles. Ze woont in een mooi huis, is directeur van een beursgenoteerd bedrijf, gelukkig getrouwd en heeft ook nog tijd om taarten te bakken. Zij is niet het soort vrouw dat zit te wachten op een telefoontje van een ex-verloofde. Ik begin aan de korte test onder aan de pagina.

Ben jij die vrouw die alles heeft?
Leeftijd: tweeëndertig – en zoals we weten is je leeftijd, net als je kledingmaat, gewoon maar een cijfer.
Relatie: tijdelijk uit elkaar.
Welk cijfer zou je je relatie geven op een schaal van één tot vijf, waarbij vijf 'perfect' betekent? n.v.t.
Welk cijfer zou je je carrière geven op een schaal van één tot vijf, waarbij vijf 'zeer bevredigend' betekent? Ook nvt – wat ik doe om in mijn levensonderhoud te voorzien is niet echt een 'carrière'.
Hoe zou je de vriendschappen met de belangrijkste personen in je leven omschrijven? Hmm, belangrijkste personen... Lucy en Max, zou ik zeggen. Mijn oudste vrienden. Ik vink 'goed' aan en verander het dan in 'uitstekend', voor het geval Lucy het ziet.

Je moet je scores optellen en de beschrijving zoeken die het best bij je past. De uitkomst van mijn test is dat ik moet uitzoeken wat mijn prioriteiten zijn en dat ik me 'levensdoelen' moet stellen. Natuurlijk! Die heb ik nodig, levensdoelen.

Uiteraard wordt mijn identiteit niet bepaald door het feit of ik wel of geen relatie heb, maar als ik eerlijk ben moet ik bekennen dat Rob mijn grootste levensdoel is: trouwen met Rob, kinderen krijgen met Rob... Maar eigenlijk zou ik ook 'carrière maken' als doel moeten hebben. Ik kan heus wel iets, en het leek me altijd een goed idee om inkoper te worden bij Barnes & Worth, het warenhuis waar ik werk, voordat ik met zwangerschapsverlof zou gaan.

Ik ben productmanager damesgeschenken en als zodanig breng ik mijn dagen door met het opstellen van lijstjes met cadeau-ideeën, om mensen te helpen die iets zoeken voor hun ongetrouwde tante of voor hun schoonmoeder.

Setjes bestaande uit 'zomerregen'-badschuim en -bodylotion (waarbij je een gratis toilettasje met regendruppeltjes erop krijgt), inklapbare paraplu's in vrolijke kleurtjes, manicuresetjes, massageborstels, zachtleren handschoenen, gewatteerde make-uptasjes, sleutelhangers in de vorm van een dier met ingebouwd lampje, modieuze hoedjes, doe-het-zelfpakketten om kruiden te kweken, kleine jampotjes in luxeverpakking. Je kent het wel.

Ik staar naar de zwijgende telefoon. Rob is deze maand jarig. Moet ik bellen om hem te feliciteren? Na hoeveel tijd vergeet je de verjaardag van je vriend? Dat moet ik eens onderzoeken; dat is precies het soort informatie dat je op mijn website zou moeten kunnen vinden.

Vorig jaar had ik voor zijn verjaardag een verrassingsreisje naar Rome georganiseerd. Het was heel romantisch, behalve dat hij zei dat hij liever geen verrassingsreisjes meer wilde krijgen omdat hij zich 'bedonderd' voelde. Maar ik moet niet blijven mijmeren over het verleden – de grimmige realiteit, dat is wat ik nodig heb. Alles eens op een rijtje zetten. Ik pak een van Lucy's kranten.

'Vooraanstaand arts: vrouwen die wachten met kinderen krijgen riskeren onvruchtbaarheid.'

Ik bestudeer de foto van een vrouw in een mantelpakje die verdrietig een paar gebreide schoentjes tegen haar gezicht houdt. Het bijschrift luidt: 'Halverwege de dertig neemt de vruchtbaarheid pijlsnel af.' O, nu voel ik me pas echt ellendig. Ik staar naar de vrouw met de schoentjes, die te lang heeft gewacht. Ze lijkt op mij. Waarom publiceren ze dit soort verhalen? Waarom, terwijl ze weten dat er een kans is dat vrouwen van in de dertig het onder ogen krijgen? Wat verwachten ze van ons? Dat we de straat op rennen, de eerste de beste man die zonder hulp overeind kan blijven staan bij de lurven grijpen en ons met kind laten schoppen voordat die mooie luchtballon van de vruchtbaarheid wegvliegt en de ladder voorgoed omhoogtrekt? Ik gooi de krant op de grond.

Nou ja, ik ben nog niet halverwege de dertig. Ik heb nog jaren te gaan voordat die steile daling inzet, en tegen die tijd ben ik weer samen met Rob.

Lucy komt terug met champagne – let wel, echte champagne, geen bubbeltjeswijn. Ze kan het zich veroorloven, want ze heeft een chique topbaan in een chic bedrijf aan Berkeley Square. Gek eigenlijk, ik weet alles over haar seksleven maar bijna niets over hoe ze haar geld verdient. Ze heeft het me een keer uitgebreid uitgelegd. Een heel verhaal over aandelen, opties, de beurs, bulls, bears en risicoanalyses. Ik geloof dat ze heel belangrijk is. Ik sla de verleidelijke bubbels achterover.

'Ik zat zo te denken,' zeg ik, 'dat we een soort pagina met contactadvertenties op de site kunnen maken waarop mensen worden gerecenseerd door hun exen. Je weet wel, zoals er op Amazon boeken worden gerecenseerd, zodat je kunt zien wat andere mensen ergens van vinden voordat je iets koopt. Dat kan best grappig worden.'

'Maar al je exen vinden je een monster.'

'Niet allemaal... toch?'

'Je hebt Rooie Roger homo gemaakt, weet je nog?'

'Je kunt niet iemand homo maken, Lucy. Het gaat niet om een sekte.'

'Die jongen van de wegenwacht dan, met wie je naar bed ging nadat hij je Mini had gerepareerd. Die zei dat je zijn leven had verwoest.'

Ik staar haar aan. 'Weet je, je zou een Lieve Lita moeten worden, met jouw talent om recht voor zijn raap te zijn.'

'Hmm, ja... "Vraag het aan Lucy". Dat klinkt goed,' zegt ze dromerig.

Ik pak de telefoon op en zet hem uit en weer aan, voor het geval er een storing is.

'Waarom bel je Rob nou niet gewoon? Ik snap niet waar je zo bang voor bent.'

'Ik ben nergens bang voor.'

'Kom op. Verlos jezelf, en mij, van dit lijden.'

'Goed dan.' Er is één ding dat ik echt niet wil doen, en dat is

Rob bellen. Ik heb hem niet meer gesproken sinds mijn vertrek. Ik weet zeker dat volgens de regels van de 'tijdelijke scheiding' hij míj moet bellen omdat ik degene ben die is vertrokken. Ik bedoel, je kunt niet iemand verlaten en hem dan de godganse dag bellen. Lucy kijkt me dreigend aan. Misschien kan ik doen alsof ik hem bel.

'En alsjeblieft niet zo'n neptelefoontje waarbij je alleen maar de hele tijd "hmm-hmm" zegt.'

Ik zoek zijn nummer op en druk op 'bellen'. Ik laat haar het angstaanjagende schermpje zien – 'belt Rob' – en houd de telefoon tegen mijn oor, terwijl ik haar strak aan blijf kijken. Hoezo bang – ha! Hij gaat over; mijn hart gaat tekeer als een woestijnrat in een doosje.

'Met Rob Waters.'

Ik verbreek de verbinding en gooi de telefoon weg alsof ik me eraan gebrand heb.

'Goed gedaan,' zegt Lucy.

De telefoon gaat. We kijken allebei naar de plek waar hij neerkwam. Ik graai ernaar.

'Het is Rob,' zeg ik.

'Je meent het,' zegt ze, terwijl ze haar ogen onaantrekkelijk openspert.

Ik druk snel met mijn vinger op de juiste knop.

'Met Vivienne Summers.'

'Hoi, met Rob... Heb jij me net gebeld?' Het doet pijn om zijn mooie stem te horen.

'Nee, niet dat ik weet,' zeg ik luchtig.

'Ik zag je nummer op mijn scherm.'

'Oké, oké... ik heb je wel gebeld, maar het was een vergissing.'

'O. En? Hoe gaat het met je, Viv? Alles goed?'

'Prima. Heel, eh, gezond en druk, weet je... En met jou?'

'Uitstekend.' Het is even stil en ik hoor dat de tafel wordt afgeruimd.

'Ben je aan het eten?' vraag ik.

'Ga jij zaterdag?' zegt hij op hetzelfde moment.

'Zaterdag? Zaterdag, eh...' Ja, goed zo! Doe alsof je niet weet dat Jane en Hugo dan trouwen. Doe alsof het je niets kan schelen dat deze zaterdag een van de mogelijke data was voor onze grote dag.

'Hugo's bruiloft?' zegt hij.

'O ja. Ik zal er zijn.'

'Ik ook. Volgens mij wordt het een gigantisch feest.' Hij doet ook alsof het hem niets kan schelen, maar ik hoor aan zijn stem dat hij ernaar uitkijkt me weer te zien. We zullen samen in één ruimte zijn. Ik zal ervoor zorgen dat ik er oogverblindend uitzie. Volgens mij is dat het zetje dat hij nodig heeft: als hij me ziet, zal hij me smeken of ik hem terug wil nemen. En dan wordt deze maand zonder elkaar volkomen onbelangrijk. Op een dag zullen we bij een knappend haardvuur om deze periode lachen.

'Eigenlijk wilde ik je nog bellen over zaterdag,' zegt hij.

'Echt waar?' Hij gaat vragen of ik met hem wil gaan. Natuurlijk zeg ik nee; ik wil niet te gretig lijken.

'Ja, ik wilde je vertellen dat ik niet alleen kom... ik neem iemand mee.'

Er blijft iets steken in mijn keel. 'Iemand? O. Wie?' vraag ik met een raar hoog stemmetje.

'Een vriendin van me.' De verontschuldigende toon in zijn stem voelt als een messteek in mijn hart.

Het duurt even voordat ik weer gewoon kan ademen.

'Wat voor vriendin?'

'Hoe bedoel je, wat voor?'

'Zomaar een vriendin of jé vriendin, ik bedoel, een vriendin met wie je naar bed gaat?' Lucy beweegt haar hand langs haar keel ten teken dat ik het gesprek moet afkappen. Ik keer me van haar af.

'Eh... wat doet dat ertoe?'

'O, ik zou het niet weten. Doet zij ertoe? Waar heb je haar ontmoet? Wannéér heb je haar ontmoet? Jezus Rob, ik ben nog maar een maand bij je weg!'

'Kom op, Viv, niet boos worden...'

'Boos? Wie is hier boos? Ik niet!'

'Ik kan nu eigenlijk niet praten. Ik wilde je alleen laten weten dat ik iemand meeneem.'

'Ik ook. Ik neem ook iemand mee – geen vriendin uiteraard. O, nee. Dus... ik ben blij dat je het hebt gezegd. Ik wilde je net zeggen dat je, je weet wel, dat je voorbereid moet zijn. Ik weet niet hoe het voor je zal zijn als je me met iemand anders ziet...'

'Mooi. Geweldig, dan zie ik je zaterdag.'

'Tot dan!' Ik moet ophangen voordat hij dat doet. Ik druk snel op 'Verbinding verbreken'.

'Dag Viv,' hoor ik hem zeggen terwijl ik instort.

2

Recenseer je ex

Datum: 2 juli 08:03
Van: C. Heslop
Aan: Vivienne Summers
Onderwerp: Re: Recenseer je ex

Vivienne was geweldig. Ik zou haar zonder meer aanraden voor een date. Ze is ook aantrekkelijk – ik geef haar een 8, waarschijnlijk meer als ze wat moeite doet. Ze is erg vastberaden – sommigen zouden het misschien koppig noemen – en dat werd voor mij een probleem. Ze is impulsief, wat heel leuk kan zijn maar ook vermoeiend, en ik vond haar af en toe te afhankelijk.

Charlie Heslop, 36, Londen

Mag ik er even op wijzen dat deze knul, deze Charlie Heslop, een keer in mijn portiek heeft geslapen omdat hij wilde weten hoe laat ik thuiskom – en dan ben ík te afhankelijk? Bah. Delete. Delete. Dan maar geen 'Recenseer je ex' op de site. Lucy had gelijk.

Maar mijn hoofd staat nu niet naar de website, of naar wat dan ook, want...

Rob heeft een vriendin.

Ik heb het hardop gezegd, ik heb het opgeschreven en onderstreept, maar het wil maar niet tot me doordringen.

Mijn gedachten blijven maar malen. Wie is ze? Ken ik haar? Waar heeft hij haar leren kennen? Had hij al iets met haar voordat ik bij hem wegging? Hoe dik zijn haar dijen? En dan begint het weer van voren af aan... en zo gaan de uren voorbij en blijkt het tot mijn verbazing opeens woensdagochtend te zijn.

Je kunt niet zomaar je ex-verloofde bellen, zeggen dat je zaterdag iemand meeneemt en denken dat dat geen probleem is. Het voelt als een dolksteek in de rug. Ik zit gevangen in een helse draaikolk van wanhoop. Ik functioneer niet. Ik slaap niet. Op mijn werk ben ik een zombie.

Werk! Ik kijk naar de klok aan de muur. Het is kwart over zeven.

O nee. Ik kan het niet opbrengen om vandaag naar mijn werk te gaan. Ik geloof dat ik ziek begin te worden. Mijn keel voelt eigenlijk een beetje rauw en mijn maag is wat van streek. Het lijkt me verstandig om in mijn pyjama te blijven en wat door mijn huis te ijsberen. Ik loop een paar rondjes om de salontafel, over de warme vlekken zonlicht op het goedkope laminaat. Ik ga zitten op de armleuning van de bank en staar uit het raam over de daken, terwijl ik Rob voor me zie, met die... duivelin. Ik zie hoe ze zich door de Karnasutra heen werken, lachend om mijn stommiteiten, hoe ze vuilniszakken vullen met de laatste sporen van mijn bestaan... mijn douchegel, de halflege doosjes haarverf, souffléschaaltjes met aangebrande restjes. Beneden op straat beginnen de eerste forenzen aan de ochtendmars naar het station.

O god, ik moet naar mijn werk; er is vandaag een belangrijke vergadering waar ik bij móét zijn.

In de slaapkamer trek ik kleren uit de kast en laat ze op de grond vallen. Mijn Rob heeft een *vriendin*. 'Ik wilde je vertellen dat ik niet alleen kom.' Dat waren letterlijk zijn woorden, de woorden die mij de afgrond in duwden. Ik stap in een zwart jurkje en krijg met moeite de rits op mijn rug dicht. Het kan gewoon niet waar zijn. Ik zat maar te wachten op een telefoontje van hem, en al die tijd was hij met iemand anders. Ik bedoel, het is nog maar een maand geleden. Heeft hij me dan helemaal niet gemist? Had hij niet één keertje kunnen bellen? Ik doe het zoemende licht van de badkamer aan en poets mijn tanden. Waarschijnlijk wordt hij op dit moment wakker met haar... wordt hij in óns bed wakker met haar. Als ik daaraan denk voel ik een soort waanzin opkomen. Ik spuug en spoel snel en begin weer te ijsberen.

Alles in deze flat is verkeerd en vreemd en eng. Ik wil Rob. Ik wil ons – nou ja, zíjn – mooie, dure appartement, ons ochtendritueel. Hij heeft nu waarschijnlijk zijn schaaltje fruit en zijn Rice Krispies al op en is aan het hardlopen. Ik ken het oude blauwe T-shirt dat hij aanheeft zo goed, ik weet hoe het tegen zijn borst plakt. Daarna gaat hij douchen – en ik weet precies hoe. Eerst maakt hij zijn haar nat, waarbij het water zijn blonde krullen donker kleurt. Ik kijk graag naar hem terwijl ik me klaarmaak. We gaan altijd samen de deur uit... We gingen altijd samen de deur uit. Dat kleine kusje op de wang dat hij me gaf als hij de metro uit stapte. Wie kust hij nu op de wang? Haar. Hij kust haar.

Ik loop in ongeveer vijf stappen van de badkamer naar de slaapkamer en ga op het bed zitten om de gespen van mijn zwarte sandalen vast te maken. Ik heb dit bed nog maar een maand geleden gekocht. Ik weet nog dat ik had besloten dat het geen geldverspilling was omdat Rob en ik er toch een nodig hadden voor in de logeerkamer. Toen Lucy langskwam ging ze erop zitten en wipte ze een paar keer op en neer.

'Denk eens aan alle spannende seks die je hier zult hebben,' zei ze.

'Als Rob langskomt, bedoel je?'

'Eh, nee, ik zei spánnende seks.'

'Wij hébben spannende seks,' zei ik diep gekrenkt.

'Wanneer? Die keer dat jullie het licht aan hadden gelaten?' lachte ze, en ik duwde haar naar achteren.

Wat is Lucy toch een kreng! Zuchtend borstel ik mijn haar. En wat ben ik toch een stumper – een ongelooflijke stumper – dat ik de hele tijd heb gedacht dat hij me zou missen. Ik zie voor me hoe hij een meisje mee naar huis neemt, de sleutel omdraait, de deur opendoet. Vol bewondering bekijkt ze de kamer die ik heb ingericht. Ze gaat liggen op de lakens die ik heb uitgezocht. De pijn brandt. Hij is van mij, míjn verloofde, mijn veilige toekomst. Mijn leven met hem is het enige leven dat ik ken. Onze lotsbestemmingen zijn met elkaar verstrengeld – dat heeft hij nota bene zelf gezegd. Ik heb niet eens geprobeerd me los te wrikken, maar hij is al ontsnapt, hij is vrij en hij stort zich zonder dralen in het volgende avontuur, en hij staat alleen even stil om een handgranaat mijn leven in te gooien.

O god, ik voel een paniekaanval opkomen. Ik probeer rustig te ademen terwijl ik in mijn make-uptasje naar de getinte moisturizer zoek. Ik doe eyeliner en lippenstift op, maar om eerlijk te zijn is mijn gezicht zo gezwollen van het huilen, dat er weinig mee te beginnen is.

En hoe zit het met Bob en Marie? Robs ouders zijn dol op me. Marie breit ieder jaar voor Kerstmis een nieuwe muts en wanten voor me. Betekent dit dat ik nooit meer slokjes zoete witte wijn zal kunnen drinken in hun serre, uit hun mooiste kristallen glazen? En de golflessen die Bob me heeft beloofd? En wat als Marie al is begonnen met breien? Ik loop terug naar de woonkamer. Zal ik Bob en Marie ooit nog zien? Ik beschouwde hen als de grootouders van mijn kinderen – lief en geduldig, grijs en met een bril, zoals grootouders uit een verhalenboek. Zij waren het enige normale en stabiele in mijn leven. Nu zijn ze er niet meer. Dat idee is onverdraaglijk. Ik laat me vallen op de kussentjes op de bank en huil om het verlies.

Na een tijdje begint mijn linkerbeen te slapen. Ik sta op en kijk op de klok. Het is halfacht. Ik kijk naar de enorme Franse spiegel die ik zo mooi vond toen ik hier introk. Nu vind ik het een dom ding. Rob zou hem lelijk vinden. Hij is te zwaar om te hangen. Ik vond het wel artistiek, zoals hij tegen de muur geleund stond, maar hij vervormt – mijn dijen zijn heus niet breder dan mijn schouders, dat heb ik onderzocht. Ik sta er nu voor en kijk lang naar mezelf: een vrouw met bruin haar, gezwollen ogen en een saai jurkje. Ik trek mijn buik in, sper mijn ogen open, maak mijn pony wat luchtiger en veeg de uitgelopen eyeliner weg. Ik trek mijn schouders naar achteren maar zak meteen weer terug in mijn gebruikelijke houding. Er is geen ontkomen aan: ik zie eruit zoals ik me voel, als een wrak. Ik heb hulp nodig. Gelukkig zit Lucy's nummer onder een sneltoets.

'Met Lucy.'

'Hoi, met mij.'

'Viv, het komt nu niet zo goed uit.' Ze klinkt alsof ze haar adem inhoudt.

'Ik hang zo weer op. Ik wil alleen maar weten – hoe zou je mij omschrijven. Ben ik mooi?'

'Ja.'

'Op wat voor manier? Sexy mooi? Meisjesachtig mooi? Chic mooi?'

'Sexy mooi,' zegt ze met een diepe zucht.

'Hmm. Sexy als een femme fatale of subtiel sexy?'

'Wat heb je het liefst?' Nu hijgt ze.

'Nou... idealiter geloof ik dat ik op een natuurlijke manier sexy wil zijn, alsof ik er geen moeite voor doe.'

'Dat ben je ook.'

'Maar ik doe er juist heel veel moeite voor.'

'Het interesseert me geen bal, Viv! Er ligt een man tussen mijn lakens en ik wil je stem niet meer horen.' Ze hangt op.

Niet te geloven. Wat een egoïst! Lucy kan inderdaad wel eens egoïstisch zijn... en hard. Ik bedoel, ze weet dat ik liefdesverdriet heb. En wie is trouwens die man tussen haar lakens? Ik wist niet eens dat ze een vriend had. Onbegrijpelijk dat ze me dat niet heeft verteld. Ze is niet alleen hard en egoïstisch, ze houdt ook dingen voor me achter.

Ik loop naar de keuken en kijk wat om me heen. Ik overweeg koffie te zetten. De glanzende roze keukenkastjes zien er nu zo belachelijk uit vergeleken met de handgemaakte, notenhouten keuken van Rob. Hoe heb ik het in mijn hoofd gehaald om dit appartement te huren? Ik doe de ijskast open en kijk erin. Zuchten helpt. Wat doen mensen in dit soort situaties?

Waarschijnlijk gaan ze naar hun ouders om uit te huilen en een kop thee te drinken, maar zo'n regeling heb ik niet. Officieel zou je kunnen zeggen dat mijn moeder een nomade is. Ze werd zwanger toen ze nog op school zat en heeft me nooit willen vertellen van wie. Toen ze mij kreeg was ze zeventien, en toen ik zeven was besloot ze dat het moederschap niets voor haar was en 'vertrok ze met de zigeuners', zoals opa het verwoordde. Maar ik kan wel even langsgaan bij Nana. Waarom niet? Ik bel haar gewoon. Ik doe de ijskast dicht en pak mijn mobiel.

Hij gaat over. Waar zit ze? Ik plof neer. Ze is vast bezig in de tuin, verwelkte bloemen aan het weghalen in haar linnen hobbezakjurk en met die bizarre schoenen aan die eruitzien als koeienhoeven, onwetend van mijn leed. Ik bel nog een keer. Buiten adem neemt ze op.

'Zeven één acht negen dubbel nul?'

'Nana! Ik probeer je al de hele tijd te bellen. Waar was je?'

'O, gewoon... hier.' Ze klinkt vreemd, ongemakkelijk, als een kind dat een leugen vertelt.

'Hij heeft iemand anders, Nana,' snotter ik terwijl ik word overmand door verdriet.

'Wie, lieverd?'

'Rob. Mijn Rob.' Stilte. 'Weet je nog, we zouden gaan trouwen?'

'Ik dacht dat je het had uitgemaakt.'

'Dat is ook zo, maar nu heeft hij een nieuwe vriendin! Ik had niet verwacht dat hij nu al een nieuwe vriendin zou hebben!' Mijn neus loopt vol en ik hoor mijn schrille stem snerpen. Er klinkt gekletter van een metalen emmer die op een tegelvloer valt 'Nana? Gaat het?' Ik hoor gesmoord gegiechel. 'Nana?'

'Ja, lieverd, niets aan de hand. Reggie is hier en stootte de champagne-emmer omver.'

'Champagne-emmer?'

'Ja. Reg, raap die emmer op, het ijs glijdt alle kanten op!'

'Zit hij op dit uur van de ochtend bij jou champagne te drinken?'

'Ja, lieverd.' Ze klinkt blij.

'Het is nog niet eens acht uur.'

'We hebben gerookte zalm. We zitten aan een champagne-brunch!'

'Een brunch? Brunchen doe je om elf uur.'

'Echt waar? Nou, een champagneontbijt dan.'

Het mes wordt nog eens rondgedraaid. Iedereen op de wereld heeft plezier, behalve ik.

'Oké, Nana, dan laat ik je maar met rust. We willen natuurlijk niet dat mijn verdriet jouw ontbijt verstoort, toch?'

'Goed, lieverd. Bel je later terug?'

'Misschien.'

'Dag, snoezepoes.'

Ik hang op. Snoezepoes? Champagnebrunch? Dit komt allemaal door 'Reggie van hiernaast'. Hij hangt daar altijd rond, vooral sinds opa dood is. Hij neemt verdomme zelfs de telefoon op! Mijn god! Het laatste wat ik nodig heb is een smoorverliefde Nana. Het is toch al te zot dat zij een beter liefdesleven heeft dan ik. Ze is zeventig!

Ik gooi de telefoon in mijn tas. Ik moet nu echt weg, maar ik aarzel en vraag me af of ik een jas aan moet doen. Ik loop de gang op, ga twee keer terug voor mijn sleutels en portemonnee en loop dan eindelijk de trap met de stinkende loper af.

Mijn gedachten gillen door mijn hoofd, met uitroeptekens. Het is een mooie dag, geloof ik. Een mooie dag voor een klassieke bruiloft! De bruiloft van Jane en Hugo! Nog drie dagen! Wat moet ik doen? Ik kan niet gaan! Maar ik kan ook niet níét gaan! Ik heb al gezegd dat ik zou komen!

Ik spring de bus in, nog net voordat de chauffeur de deuren dichtdoet, en leun tegen het bagagerek terwijl we door de straten van Londen denderen. Mijn plan was om in mijn oude, blauwe cocktailjurk op de bruiloft te verschijnen en naderhand met Rob te vertrekken. Nu is alles anders. Ik heb drie dagen om een supersexy jurk te vinden, vijf kilo af te vallen en een nieuw vriendje aan de haak te slaan. Hopeloos. Ik concentreer me op de etalages van de winkels die voorbij flitsen op onze slingerende rit richting de stad, en beeld me in dat ik de jurken die ik zie aanheb. Ik vergelijk mezelf iedere keer met mijn volmaakte rivale – steeds met een negatieve uitkomst – tot de bus bij mijn halte stopt.

Ik voeg me in de stroom van werkenden en steek Marylebone Road over naar Baker Street. Bij iedere vrouw die ik voorbijloop vraag ik me af of zíj het is? Ik steek de straat over en laat me door de draaideuren het gebouw van Barnes & Worth in zwiepen.

Ik stap in de bomvolle lift en de deuren glijden dicht. Het lichtpijltje wijst naar boven en verdwijnt als de deuren weer opengaan en een lange man met peper-en-zoutkleurig haar zich naar binnen wringt. Ik zet een stap naar achteren om zijn reusachtige, gepoetste schoenen te vermijden. De pijl licht op. Daar gaan we. Nee, toch niet. De deur gaat weer open voor een schuldbewuste vrouw in een te strak truitje. Ze glipt voorzichtig een hoek in waar ze op haar tenen blijft staan. Oké, nu gaan we echt. Pijltje. Goed zo.

Godallemachtig! De deur gaat open en ik zie onszelf in de spiegeltegels tegenover de lift, een sardineblikje volgepropt met mensen. Een knul met weerzinwekkende wetlookgel in zijn haar probeert in de lift te stappen. Nu gaan de deuren niet meer dicht. Het duurt eindeloos voordat hij doorheeft dat dat door hem komt en hij uitstapt. De deuren gaan dicht en weer open doordat de sukkel nog een keer op het knopje heeft gedrukt.

'Er kan niemand meer bij! Blijf van die knop af!' gil ik vanachter de peper-en-zoutman. Een rimpeling van opwinding gaat door de lift terwijl de deuren sluiten en we omhoog worden gehesen. De eiachtige geur van een scheet mengt zich met aftershave. Ik bestudeer de roosschilfers op de kraag van de peper-en-zoutman en voel ogen in mijn rug prikken. Ik kijk om en verwacht een glimlach of zelfs een lovende opmerking, maar alle ogen doen hun best mij niet aan te kijken. Iedereen is stil en kijkt lichtelijk verbaasd, als geschrokken vee.

Het kan me niet schelen. Ik weet niet hoe, maar ik zweer dat ik tegen de tijd dat ik hier vandaag vertrek een jurk en een plan heb. Ik zweer het, ik zweer het, ik zweer het.

3

Lessen uit het verleden

Maancake: Kan iemand mij helpen? Mijn vriend is bij me weg en ik voel me klote.

Straatkat: Wat rot voor je, Maancake. Het zal beter worden. Vorig jaar ben ik op een heel nare manier gedumpt en ik weet hoe je je voelt. Het enige wat ik kan zeggen is: leef van dag tot dag.

Zonnestraaltje: Laat nooit de letter B op allebei je billen tatoeeren.

Maancake: BB? Zijn initialen?

Zonnestraaltje: Hij heet Bob (op dat moment leek het me wel grappig).

Straatkat: Geef je liefde voor hém op, maar geef de liefde niet op.

Zonnestraaltje: En vernietig alle video's waarop je seks met hem hebt.

Straatkat: Je komt er echt wel overheen en op een dag zul je zoveel gelukkiger zijn.

Maancake: Dank jullie wel allemaal, ik ga er maar van uit dat ik op een dag weer hoop zal hebben.

Koola: Stelletje idioten.

Mijn kantoor is op de dertiende verdieping. Ik zeg 'kantoor', maar 'werkplek' is een betere term. We worden omsloten door met vilt beklede scheidingswandjes, als koeien in een melkschuur. Ik kan over de wandjes heen het hele kantoor zien. Het is heel, heel grijs en ik krijg hoofdpijn van het gezoem van de tl-lampen. Ik weet zeker dat we hier lijden aan het bekende sick-buildingsyndroom. Ik plof neer op mijn bureaustoel en probeer de knoop in mijn maag te negeren.

Vanochtend hebben we een zogenoemde 'lessen uit het verleden'-bijeenkomst. We kijken naar eerdere productiefouten om te zien wat we ervan kunnen leren. Mijn assistente Christie had opdracht gekregen een lijst op te stellen van producten die niet goed liepen en een verslag te maken van de resultaten van ons panelonderzoek. Ze smeekte me of zij de presentatie mocht houden voor De Tang, hoofd inkoop en onze bazin. Het is een beetje alsof je een donzige puppy in een kooi stopt met een rottweiler, maar ik ging akkoord – ik had er zelf toch geen tijd voor.

Ik kijk naar Christie, die parmantig naar haar bureau loopt, haar platinablonde haar in een strak knotje, haar huid verstikt door een doffe laag getinte foundation. Met haar rode pumps en blauwe mantelpakje lijkt ze wel een stewardess. Blijkbaar is dit Christies opvatting van kantoorkleding.

'Goedemorgen!' zegt ze zangerig. 'Weet je al van de bezuinigingen?'

'Welke bezuinigingen?' Ik probeer mijn stokoude computer aan de praat te krijgen.

'De broekriem moet worden aangehaald. Inkrimpen, korten, dat soort zaken.'

'Wie zegt dat?'

'Paul hoorde het op de radio.'

'O, dat ze maatregelen nemen om de recessie het hoofd te bieden?' Ik probeer te klinken als een deskundige. 'Ik zou me maar geen zorgen maken. Tijdens een recessie kopen mensen juist meer zinloze cadeautjes, dus we krijgen het alleen maar drukker.'

'Aha!' zegt ze tevreden.

De broekriem aanhalen? Dat klinkt niet goed. Ik ben niet bepaald dol op mijn werk, en op sommige dagen baal ik er zelfs flink van, maar het is tamelijk creatief en ik verdien er mijn brood mee. Ik zou niet graag op straat komen te staan.

'Ben je er klaar voor?' vraag ik.

'Nou, ik heb naar de verkoopcijfers van vorig jaar gekeken en per maand de drie slechtst presterende producten eruit gepikt.'

'Heel goed.' Ik zet de monitor aan en uit.

'O, en ik heb de reacties van het klantenpanel, dus die kunnen we analyseren.'

'Weet je dan wat jíj erover gaat zeggen?'

'Wat ik waarover ga zeggen?'

'Wat jij van de producten vindt?'

'O, daar heb ik niet over nagedacht.'

'Daar zal De Tang zeker naar vragen.'

Ik bekijk mijn e-mails. Niets van Rob. Ik vraag me af of hij nu mailtjes stuurt naar zijn nieuwe vriendin en voel een steek. Ik probeer me te vermannen en mijn aandacht bij het werk te houden. Ik bekijk de lijst die Christie heeft opgesteld en maak in mijn hoofd notities. Nerveuze energie kolkt door mijn buik en ik ben zo gespannen als een snaar. Deze vergadering mag niet te lang duren. Ik moet op zoek naar een jurk. Het ontwerp en de prijs kunnen me niet schelen, als hij maar oogverblindend mooi is – zo'n wonderjurk die dikke dijen verhult en borsten accentueert... Dus ik hoop maar dat Christie alles goed heeft voorbereid. Ik sta op.

'Zullen we gaan?'

Ze pakt haar papieren en blocnote en klikklakt naast mij door de gang naar de vergaderzaal.

We gaan zitten aan de grote ovale tafel. De venijnige airconditioner bezorgt me kippenvel in mijn mouwloze jurk. De Tang komt binnen en laat met een klap een stapel papieren op tafel vallen. Haar halfronde brilletje rust laag op haar korte haakneus en met kille ogen kijkt ze eroverheen.

'Goedemorgen, Vivienne.' Ze knikt naar mij en vervolgens naar Christie. 'Christine.'

'Morgen,' antwoorden we tegelijk, als schoolmeisjes.

'Voordat we beginnen, Vivienne, wil ik even zeggen dat ik mijn tijd graag van tevoren indeel, dus ik had prijs gesteld op een mailtje met de agenda en alle productlijnen die we vandaag gaan bespreken.'

Ik had Christie gevraagd om dat te doen; zij zou alles regelen voor deze vergadering. De huid van mijn nek begint onaangenaam te prikken.

'Hier is een geprinte agenda.' Ik schuif mijn exemplaar naar haar toe. 'Sorry dat we die niet hebben gemaild – we waren gisteravond nog bezig met de resultaten van de focusgroep en de agenda was daarvan afhankelijk.' Waar haal ik die leugens vandaan?

'Oké, dat is tenminste... iets.' De Tang bestudeert het papier met opgetrokken wenkbrauwen. 'Goed, punt één: Christines presentatie van slechtlopende producten.' Ze perst haar lippen samen tot een strakke streep en richt haar harde, amberkleurige ogen op Christie.

Die staat op en begint trillend van een verkreukeld velletje papier te lezen. 'De reden dat we vandaag deze vergadering, die naar mijn mening heel erg belangrijk is, moeten houden, is dat we kunnen kijken naar producten die niet zo goed hebben verkocht, kunnen analyseren waarom ze niet zo goed verkochten en kunnen nadenken over hoe we slechtlopende producten voortaan kunnen vermijden.'

De Tang mompelt iets als 'mijn god' en schenkt een glas water in.

Moet ik nieuwe schoenen kopen bij die jurk? Misschien kan ik vandaag een lange lunchpauze houden en naar Oxford Street gaan. Wat zou Robs 'iemand' aantrekken?

De Tang kijkt naar beneden en schudt haar hoofd.

Christie houdt een badmuts met bijpassend washandje op en leest opgewekt de opmerkingen van het panel voor: '"Het is te ouderwets"... "Mijn Nana had zo'n badmuts en die is al tien jaar dood"... "Dit zou ik nooit kopen"... "Ik heb een hekel aan badmutsen"... "Zoiets verwacht ik in een goedkope outletwinkel, niet bij Barnes & Worth".'

O mijn god. Wat is dit? Ze leest de letterlijke reacties op in plaats van een bondige samenvatting te geven. Ze zet zichzelf volkomen voor schut! Ze heeft al zo veel presentaties bijgewoond, heeft ze daar dan helemaal niets van geleerd? Ik dacht dat ze dit wel zou kunnen. Ik vermoord haar later wel, nu moet ik de boel redden. Hoe kan ik dat doen zonder haar te vernederen? Onder de tafel druk ik mijn nagels in mijn handpalmen.

"'Niks aan. Welke kleur moet dat voorstellen?'" gaat Christie opgewekt verder.

De Tang drukt een gemanicuurde vinger in haar wang en richt hem dan als een pistool. 'En stop maar. Het is mij een raadsel waarom jullie dit panelonderzoek niet hebben gehouden voordat we vijfduizend van deze "sets" bestelden.' Met duim en wijsvinger pakt ze de badmuts op alsof het een vieze onderbroek is, en ze gooit hem naar Christie.

'Zeg eens, Christine, zou jij dit kopen?'

Christie lacht. 'Natuurlijk niet!'

'Wie heeft dit dan in godsnaam verzonnen en wie heeft het groene licht gegeven?' schreeuwt De Tang.

Er valt een stilte — zo eentje die je hoort wanneer een dure kristallen vaas van een tafel valt, vlak voordat hij uit elkaar spat. Christie kijkt me aan en haar enorme ogen vullen zich met tranen.

Ik sta op en pak de badmuts. 'Laat me het idee achter deze lijn uitleggen. De muts en het washandje waren onderdeel van de "bathing beauties"-lijn en we hebben gekozen voor de stijl van filmsterren uit de jaren vijftig. De drie andere producten — een pedicureset, badschuim en bodylotion, handzeep en -crème — deden het uitzonderlijk goed. In de ontwerpfase gaven de klantenpanels positieve feedback op de lijn als geheel, maar nu denk ik dat we beter hadden kunnen kiezen voor een soort haartulband en een felgekleurde spons. Ik ben degene die het heeft verzonnen en eh... jij bent degene die het groene licht heeft gegeven.'

Zo sleept de ochtend zich voort, tot de lunchpauze. Ik probeer Christie in bescherming te nemen, maar de man die de prullenbakken leegt had het beter gedaan. Dit zijn onze lessen uit het verleden:

1. Zorg ervoor dat alle producten in een lijn even sterk zijn.
2. De klanten moeten het gevoel hebben dat ze een kwaliteitsproduct kopen.
3. Christie wordt ontslagen.

Zwijgend verzamelen we de gewraakte producten. De ellende straalt van Christie af. Ik knik naar De Tang en we lopen naar de deur. Maar De Tang roept me terug.
'Vivienne, kan ik je even spreken?'
'Natuurlijk.' Christie aarzelt bij de deur.
'Jij kunt gaan, Christine.' Met een arm vol rinkelende armbanden wuift De Tang haar weg. De deur valt dicht en we gaan weer aan de tafel zitten.
'Vivienne, ik zal er niet omheen draaien. Ik heb opdracht gekregen om te bezuinigen en ik moet een paar mensen van deze afdeling ontslaan. Iedereen kan daarvoor in aanmerking komen...' Ze kijkt me indringend aan '...Maar om eerlijk te zijn vind ik dat je assistente Christine niet voldoet.'
'Christie.'
'Wat?'
'Haar naam... ze heet Christie, niet Christine.'
'Ook goed. Ik ga haar ontslaan.'
'O. Kan dat, ik bedoel, zomaar?'
'Ja, dat kan.' Er verschijnt een bedroefde glimlach op haar gezicht, alsof ze zwaar gebukt gaat onder deze verantwoordelijkheid. Dan veegt ze haar papieren bij elkaar en staat op, waarbij zich een verstikkende wolk parfum verspreidt.

'En als ik haar beter opleid? Waarschijnlijk heeft ze nog niet genoeg ervaring. Misschien heb ik haar te weinig verantwoordelijkheden gegeven.'

'Vivienne, het is heel lief van je dat je haar verdedigt, maar als je wilt opklimmen naar een hogere managementfunctie, zul je aan dit soort dingen moeten wennen.'

'Ja... Ik voel me alleen verantwoordelijk. Dit was haar eerste presentatie. En zou het niet goedkoper zijn om Christie te houden dan om een nieuwe assistent aan te nemen en op te leiden?'

Ze lacht. 'We gaan geen vervanger zoeken.'

'O... nou, eh... ik vind het niet eerlijk.' Ik knijp mijn handen samen en voel mijn oren gloeien.

'Goed dan, geef haar een mondelinge waarschuwing. Ze krijgt nog een kans. Eén kans; de volgende keer staat ze op straat.'

De Tang staat op en ik zie haar eigenaardige schoeisel: ze draagt snotkleurige sandalen met roze sokken. Ze houdt de deur open. 'En wanneer krijgen wij de lessen uit het verleden op papier?'

'Eh, even denken... vrijdag?'

'Morgen. Ik heb om negen uur een vergadering met alle inkopers.'

Ik blijf alleen achter en luister naar het geratel van de airconditioner; ik heb het gevoel dat ik stuurloos op hoge golven op zee drijf. Het voelt goed zolang je je concentreert op de ervaring van het drijven, maar als je om je heen kijkt zie je dreigende bergen water die op het punt staan je te verpletteren. Ik zal door moeten werken om dat stomme verslag te maken. Vandaag had ik op zoek willen gaan naar een jurk. Ik schrijf GOD- VERDOMME op mijn blocnote en ga naar Christie.

Ze zit aan haar bureau, haar hoofd gebogen, rode vlekken in haar nek. Voor haar liggen een berg slecht verkopende producten en haar aantekeningen van de vergadering. Ik zie dat ze boven aan de pagina heeft geschreven: 'Verknal het niet', tweemaal onderstreept. Ik ga stilletjes naast haar zitten.

'Jezus, wat was dat erg,' zegt ze.

'Hmm, het had beter gekund.'

'Ik had er echt hard aan gewerkt.'

'Ik weet het.'

'Het was niet de bedoeling dat ik die commentaren oplas, hè?'

'Weet je wat het is, inkopers kijken neer op de klant. Haar gezicht vertrok helemaal bij die opmerking over die oma.'

'O god, wat zei ze?'

'Ik moet je een mondelinge waarschuwing geven.' Christie wil iets zeggen, maar dan vertrekt haar mond. 'Hé, trek het je niet te veel aan.'

'Een mondelinge waarschuwing. En wat... hoe doe je dat dan?' kermt ze.

'Dat weet ik niet, misschien hoef ik alleen maar te zeggen: "Je bent gewaarschuwd," of zoiets.'

Ze schudt haar hoofd. 'Ik had niet moeten beginnen met de badmuts. Niemand houdt van badmutsen.'

Ik pak de badmuts van de stapel en zet hem op. 'Ik wel.' Er verschijnt een flauwe glimlach op haar gezicht. 'Je bent gewaarschuwd,' zeg ik, zwaaiend met mijn vinger.

'O god.' Ze slaat haar handen voor haar gezicht en begint te huilen.

Ik trek de muts af. 'Kom op, Christie, niet huilen. Je kent De Tang toch?' Ik klop haar op de rug. 'Christie, je bent goed in je werk.' Opeens laat ze een verstikte jammerkreet horen en bij de financiële administratie kijken een paar gezichten onze kant op. 'Christie, kom op, het is mijn fout. Ik had tegen je moeten zeggen dat je die commentaren niet moest voorlezen.'

'Is dat zo?'

'Ja.'

'Nou, waarom heb je dat dan niet gedaan?' Ze staart me aan. De tranen glinsteren op haar wangen.

'Ik ben het vergeten.'

'Dat is dan heel fijn.'

'Nou ja, ik had niet verwacht dat je dat zou doen.'

Ze kijkt me alleen maar aan met die grote, waterige ogen, en als ik zie dat haar dikke laag foundation begint uit te lopen, voel ik me heel schuldig en ellendig. Waarom heb ik haar presentatie niet van tevoren nagekeken? Misschien omdat ik dacht dat ze het wel aankon, maar eigenlijk was ik bezig met andere zaken. Ik was met mijn gedachten bij websites en relaties en zaterdag en de bruiloft en mijn Rob met een ander. En voordat ik het weet, vertel ik Christie het hele verhaal. Ze is volkomen overrompeld, want we hebben het nog nooit over ons leven buiten het werk gehad, afgezien van antwoorden op standaardvragen als: 'Goed weekend gehad?'

'Waar haal je nou zo snel een jurk vandaan? Wanneer ga je die kopen?' vraagt ze, en ik krijg een nieuwe adrenalinestoot die maakt dat ik achtjes wil gaan rennen.

'Geen idee. Vandaag in ieder geval niet. Ik moet het verslag schrijven.'

'O nee!' roept ze zo hard dat ik ervan schrik. 'Je moet gaan winkelen!'

'Ja,' piep ik. Tjonge, wat is ze opeens betrokken bij mijn problemen.

'Zal ik het verslag maken? Ach, nee, ik ben heel slecht in verslagen, dat wordt niets.'

'Het geeft niet, Christie. Het zal me op de een of andere manier wel lukken.'

'Nee, ik weet het al! Mijn vriend Nigel is modeontwerper – nou ja, hij zit op de modeacademie, maar hij is heel getalenteerd. Misschien mag je een van zijn samples lenen. Dat heb ik ook wel eens gedaan – je weet wel, op momenten dat ik een jurk nodig had waar iedereen steil van achteroversloeg.'

'O ja?' Wanneer had zij zo'n jurk nodig? Een fractie van een seconde ben ik nieuwsgierig, maar dan herinner ik me dat Christies ideeën over stijl zo avant-gardistisch zijn dat ze vaak wordt uitgelachen. Zoals die keer dat ze witte beenwarmers met een soort vachtje droeg en iedereen die haar zag begon te blaten.

41

'Dat is lief van je, maar ik denk niet dat modeontwerpers jurken maken in mijn maat.'

'Welke maat heb je? 44?'

'40!' protesteer ik. Haar ogen flitsen naar mijn heupen. 'Oké, 42 in sommige winkels.'

'Ik zou het kunnen vragen. De laatste jurk die ik van hem heb geleend was prachtig, echt een uniek exemplaar. Als hij iets heeft, kan hij het vanmiddag langsbrengen. Hij zit hier dichtbij, op St. Martins College. Zal ik het vragen? Misschien is dat het antwoord op al je gebeden.' Een jurk is niet het antwoord op mijn gebeden. Maar aan de andere kant zou het wel heel fijn zijn als ik niet in paniek de winkelstraten hoef af te struinen om in stinkende paskamertjes met verlichting vanboven alle jurken te passen die ik tegenkwam...

'Oké, Christie. Het is het proberen waard.' Ik kijk naar haar verwachtingsvolle gezicht. 'Dank je wel.'

'Geen probleem.' Ze glimlacht. 'Viv, dankzij jou voel ik me veel beter.'

'Mooi!'

'Als ik je zo over jouw leven hoor, kan ik mijn eigen problemen relativeren.' Ze staat op en strijkt haar rok glad.

'Gelukkig maar.' Ik knipper vriendelijk met mijn ogen.

'Ik ga lunchen. Wil je ook iets?' Ik schud mijn hoofd en volg haar met mijn blik. Dan pak ik haar aantekeningen en begin aan het verslag. Een uur later heb ik alleen nog maar de eerste paragraaf geschreven. Ik kan me niet concentreren. Als zeemeeuwen duiken er voortdurend afschuwelijke, angstaanjagende gedachten op me neer. Ik pak mijn blocnote en sla de vele vellen met aantekeningen over de website om, tot ik bij een lege bladzijde kom. Ik noteer een titel en zet er een streep onder.

Te doen (voor de bruiloft)
1. jurk – kopen
2. schoenen – kopen

3. haar – iets aan doen
4. lichaam – ???

Niet bepaald een zinvolle lijst. Verdomme, normaal gesproken zou ik dit heerlijk vinden – al die voorbereidingen en al dat geregel maken deel uit van de pret. Maar ik heb maar tweeënhalve dag en er staat zoveel op het spel. Ik weet dat ik als een bezetene aan het winkelen zou moeten zijn in Oxford Street, maar ik voel me als verlamd, alsof ik al verslagen ben. Hij heeft iemand anders. Wat kan ik daaraan doen? Er is geen jurk die daar iets aan kan veranderen. En het gevolg van die gedachten is dat ik word overmand door wanhoop en verander in een starend, jammerend wrak.

En dat mag niet.

Ik kijk uit het raam naar het heiige blauw. Het is echt een mooie dag; een dag die zich lang en eenzaam uitstrekt. Het onvoltooide verslag blinkt op mijn scherm, maar ik voel een onbeheersbare drang om naar buiten te gaan. En ik wil niet alleen zijn.

Wie heeft er op een zonnige woensdagmiddag niets beters te doen dan met mij in een pub hangen?

Max komt met grote passen de gelagkamer van de Crown binnen, gekleed in een spijkerbroek en een t-shirt en – ondanks de hitte – zijn oude zwarte motorlaarzen. Hij schuift zijn enorme zonnebril met rood montuur op zijn voorhoofd, waardoor het lijkt of hij een extra paar ogen heeft, en knippert om te wennen aan het donker. Ik wuif naar hem vanaf mijn hoektafeltje.

'Ben je een vleermuis of zo, dat je hier in het donker zit? Het is heerlijk weer,' zegt hij.

'Kijk, dat vind ik altijd zo irritant. Bij het eerste straaltje zon roept iedereen meteen: "Wat een heerlijk weer! Wat een heerlijk weer!" en rennen ze met z'n allen naar het park om dingen te doen die ze normaal nooit doen, zodat ze waarschijnlijk hun

43

botten breken. Ik zit altijd in de pub. Ik ben normaal. Jij bent degene die is veranderd.'

Hij kijkt me een paar tellen aan. 'Het is erger dan ik dacht,' zegt hij. 'Wat wil je drinken? Een glas maagdenbloed?'

'Doe mij maar een witte wijn, alsjeblieft. Groot. En geen chips, anders eet ik ze allemaal op.' Ik kijk naar hem terwijl hij over de bar geleund met het barmeisje kletst. Ze zwiept haar haar naar achteren en lacht terwijl ze zijn biertje tapt. Hij loopt terug naar mijn tafeltje met de drankjes en een restje van een glimlach.

'En, vertel eens?' Hij trekt een barkruk bij.

'Was je geen meesterwerk aan het schilderen of zo?'

'Voor jou heb ik het nooit te druk.'

'Ik snap niet hoe jij je brood verdient als je meteen naar de pub rent zodra iemand met zijn vingers knipt.'

'Jeetje, je hebt gelijk, ik moet gaan!' Hij neemt een slok bier en ik proef de witte wijn. Hij maakt een zakje met uitgebakken zwoerdjes open. Ik kijk toe terwijl hij ze een voor een in zijn mond stopt, er krakend op kauwt en luid slikt. 'Wat is er? Houd je niet van biggenvet?'

'Varkensvet.'

'Wil je er een?'

'Nee.'

Hij zet het zakje aan zijn mond om het laatste restje naar binnen te gieten en vouwt het zakje zorgvuldig tot een klein pakketje dat in de asbak past. Daarna pulkt hij met zijn tong stukjes uit zijn kiezen. 'Nou, dit is nog eens gezellig,' zeg ik.

'Wat is er met je aan de hand?' vraagt hij.

'O, wat zou er kunnen zijn... Misschien het feit dat ik zaterdag in mijn eentje naar een bruiloft moet waar ik mijn ex-verloofde en zijn nieuwe vriendin onder ogen moet komen.'

Hij neemt een flinke slok bier. 'Ga dan niet.'

'Ik moet wel, Max. Anders dan jij kom ik mijn beloften na.'

Hij fronst, trekt dan zijn wenkbrauwen op en staart naar buiten. 'Dan ga ik met je mee.'

'Jij?' Ik moet lachen. 'De drank is gratis, dus jij bent binnen de kortste keren bezopen. Dat wordt een bende.'

'Ik heb voor zaterdag nog geen plannen.'

'Zoals bij dat deftige diner waar je je kont liet zien.'

'Ik heb een pak... ergens.'

'Het pak dat je droeg bij de diploma-uitreiking op school?'

'Nee. Waarom? Wat was daar mis mee?'

'Dat je dat nog moet vragen.'

Hij glimlacht en ik zie zijn afgebroken voortand. Waarom laat hij daar niet iets aan doen? Tandartsen verrichten tegenwoordig wonderen.

'Nou, ik wil alleen maar zeggen: als Daniel Craig zaterdag niet kan, wil ik best voor hem invallen.'

En in mijn wanhoop speel ik even met de gedachte om met hem te gaan. Max, mijn dierbare vriend, die er best goed uit kan zien als je kunt voorkomen dat hij sportschoenen aantrekt of een oranje stropdas omdoet, of beide. Ik kan niet doen alsof hij mijn vriendje is, want Rob kent hem, maar ik kan ook niet in mijn eentje komen opdagen.

Het is een idee. Dan behoud ik in ieder geval mijn waardigheid. Single, niet wanhopig op zoek naar een nieuwe relatie, en vooral: niet alleen.

'Welke kleur heeft dat pak?' Als het niet zwart, blauw of grijs is, mag hij niet mee.

'Marineblauw, met streepjes.'

'Krijtstreepjes of brede banen?' Ik knijp mijn ogen samen.

'Waar zie je me voor aan, Viv? Het is een mooi pak en het staat me geweldig.'

'En je zou het niet vervelend vinden om met me mee te gaan?'

'Nee, ik zou het niet vervelend vinden om met je mee te gaan,' zegt hij op overdreven geduldige toon.

'Oké, ik zal Jane vragen of ze het goedvindt.'

'Ze is vast meteen weg van me! Is ze single?'

'Het is haar bruiloft! Kan ik ervan op aan dat je het niet vergeet?' Ik kijk hem streng aan.

'Ja hoor.'

'Ik wil dat je bij mij in de buurt blijft, goed? Dus geen geflirt met de bruidsmeisjes. En als Rob naar me toe komt maak je je uit de voeten.'

'Begrepen.' Hij salueert.

'Dank je wel, Max.' Ik klop op zijn knie. 'Ik ben je echt heel dankbaar.'

'Geen dank,' zegt hij met een malle grijns. Ik drink mijn laatste slokje wijn op en als ik mijn glas neerzet, zit hij nog steeds te glimlachen en te staren.

'Wat?'

'Niets.' Hij kijkt weg en even is het stil.

'Goed... ik moet terug naar kantoor.' Ik sta op en geef hem een zoen op zijn stoppelige wang. 'Dank je wel dat je met me wilde afspreken.'

'Ik verheug me op zaterdag,' roept hij als ik het zonlicht in loop.

Als ik het kantoorgebouw weer binnenkom, voel ik me iets beter. Misschien komt het door de wijn of doordat Max met me meegaat naar de bruiloft. Dat is niet niks, het betekent dat ik niet in mijn eentje naar die bruiloft hoef. Een stap voorwaarts. Mooi. Alles lijkt nu iets minder rampzalig.

Als ik uit de lift stap zie ik Christie op onze werkplek en achter haar, aan de archiefkast, hangt een jurk. Hij is wit met roze, en de rok bestaat helemaal uit veren. Christie kijkt op van de niet-werkgerelateerde website op haar scherm.

'Je hebt Nigel net gemist,' zegt ze, maar ik kijk niet naar haar, ik kan mijn ogen niet van de jurk afhouden.

'Heeft hij die gemaakt?' Ik sta nu zo dichtbij dat ik de frivole witte veren van de rok kan aanraken. Het lijfje is gemaakt van heel bleekroze zijde.

'Ja. Geniaal, niet? Je mag hem lenen, maar als er een vlek op komt of zo, dan moet je hem kopen.'

Ik pak het hangertje en houd de jurk tegen mijn lichaam. Ik

heb nog nooit zoiets gezien. Alleen van het vasthouden word ik al emotioneel. Hij is zo mooi gemaakt, tot in de kleinste details. De spaghettibandjes zijn van satijn en op de rug zit een hele rij piepkleine knoopjes. Ik voel een golf van opwinding.

'Hoe duur is hij?'

'Duizend.'

'Duizend... pond?' Ze knikt. 'Aha. Wauw.' Als ik heel voorzichtig ben moet het goed gaan. Ik bedoel, het is een trouwerij, geen houseparty.

'Maar het is ook zo'n mooie jurk,' zegt Christie. 'Moet je zien.' Ze gaat naar Nigels website en klikt op een filmpje van een van zijn modeshows. Een mannequin huppelt met de jurk over de catwalk, op bruine schoenen met brede hoge hakken. De veren wiegen prachtig. Ze ziet er hip, spannend en op een natuurlijke manier sexy uit. Ik ben verkocht. 'Het is een schitterende jurk. En nog niemand heeft hem gezien.' Christie draait haar stoel zodat ze naar me kan kijken terwijl ik de jurk voor me houd.

'Denk je dat hij me staat?'

'Neem hem maar mee naar huis om hem te passen,' zegt ze. Ik hang de jurk op en zie voor me hoe ik daarin op de bruiloft verschijn. Kan ik zo'n jurk wel hebben?

'Het is zonder meer een opvallende jurk.'

'Vivienne, opvallender kan niet,' zegt Christie plechtig. Ze kijkt me aan en we knikken tegelijk.

Met de jurk aan sta ik thuis voor de spiegel, na drie glazen pinot, en ik praat tegen mezelf.

'Hoi. O, hoi. Wat een prachtige jurk. Deze? O, dank je. Een bevriende modeontwerper heeft hem voor me gemaakt.'

Ik maak een klein dansje en zing mee met Paloma Faith die uit mijn iPod klinkt. De wuivende, ritselende veren geven me een heerlijk gevoel. Het lijfje is... laten we zeggen, zeer nauwsluitend, maar op een goede manier vind ik. De enige schoenen met hoge hakken die ik heb, zijn van zwarte suède, maar ze passen er toch goed bij, als contrast. 'Hoi, Rob.' Ik zet een stap naar de spiegel. De subtiele zwarte eyeliner geeft me een uitdagende uitstraling. 'Hoe gaat het met je? Met mij? Heel goed... bel je me?' Ik loop langs de spiegel en weer terug, zwiepend met mijn haar.

Ja, dit is 'm. Dit is dé jurk, een mythische jurk! Ooit zal ik onze kinderen erover vertellen.

Het begint te schemeren en het wordt donkerder in de kamer, maar de witte veren hebben een magische gloed in het spiegelglas. Op de iPod klinkt nu Ronan Keating, een van Robs favorieten, een nummer waarop we een keer hebben gevreeën. Ik spreek de tekst hardop uit.

'*When you say nothing at all.*' Als je helemaal niets zegt. Ik kijk naar mijn glanzende ogen. Er glijdt één traan over mijn wang. 'Ik kan maar niet geloven dat ik hem echt kwijt ben,' fluister ik.

Ik neem een slokje wijn en als een pijl schiet er een gedachte door mijn hoofd.

Dingen die kwijt zijn kunnen worden teruggevonden. Er gloeit een klein vonkje hoop. Feit is dat ik hem zaterdag zal zien. We zullen oog in oog met elkaar staan. Ook al neemt hij iemand mee, we kunnen toch met elkaar praten? Het is nog niet te laat, dat kán gewoon niet. Nu brandt er een klein vlammetje. Ik kijk naar de schitterende jurk en roep het beeld van Rob op in mijn hoofd. Zijn mond valt open als hij een glimp van me opvangt en hij probeert me beter in het vizier te krijgen. En dan, zonder zich iets aan te trekken van haar gesputter, rukt hij zich los en rent naar me toe. Ik klamp me aan dat beeld vast als aan wrakhout.

Het zal een fluitje van een cent zijn. Plotseling kijk ik ernaar uit.

Over een paar dagen heb ik mijn man terug.

4

Tips om er op je best uit te zien

'Doe een dikke laag make-up op, gebruik zelfbruiner en toupeer je haar tot een enorme bos.'

Marnie, 28, Cheadle

'Drink veel water en zorg dat je genoeg slaapt.'

Freya, 42, Brighton

'Koop kleren die passen. Je bent geen tienerjongen, dus waarom draag je een slobberige spijkerbroek?'

Sue, 33, Lyme Regis

'Als ik een paar dagen weinig eet, zie ik er beter uit... maar voel ik me verschrikkelijk, dus dat moet je niet doen. Je moet juist meer eten, vooral dingen die je lekker vindt, dan ben je gelukkig en daardoor zie je er fantastisch uit.'

Ruby, 30, Denham

'Als ik er goed uit wil zien, draag ik hoge hakken. Die zeggen: "Klikklak, het kan me niet schelen, klikklak, ik ben er helemaal overheen."'

Rebecca, 25, Teddington

'Wees gewoon jezelf.'

Je moeder

Ik heb hier veel tijdschriften over gelezen, en als ik het goed begrijp kun je zonder operatie het volgende aan je uiterlijk doen: afvallen, je tanden bleken, bruin worden, jezelf goed verzorgen, de duurste designerkleding dragen die je je kunt voorstellen en naar de kapper gaan. Afvallen en tanden bleken lukt niet meer – geen tijd. Bruiningsspray zou mooi zijn maar kan ook niet, want misschien geeft de kleur af op de jurk. Maar al die andere dingen doe ik wel. Dus God sta me bij.

Het is donderdagmiddag halfvijf. Ik vertrek vroeg van kantoor voor mijn afspraak bij David Hedley. Ik ben er nog nooit geweest, maar het schijnt de beste kapper van Londen te zijn. In een van Christies tijdschriften staat dat alle modellen daarheen gaan, en ook dat David Hedley zelf zijn borstels maakt, dus ik mag eigenlijk van geluk spreken dat het me is gelukt een afspraak te maken. Toen ik het uitlegde van de bruiloft en van Rob en zijn nieuwe vriendin, besloten ze mij ertussen te proppen. En morgen rond lunchtijd heb ik een afspraak bij de schoonheidssalon van Selfridges om mijn benen en bikinilijn te laten harsen. Ze zeiden dat ze mijn wenkbrauwen voor niets zouden doen.

Tot zover gaat het goed. Ik loop gewoon de afdeling af zonder dat iemand het doorheeft. Waarom doet de lift er een eeuwigheid over als ik probeer stiekem eerder weg te gaan? Antwoord: omdat de lift zowel De Tang, mijn bazin, als De Wrat, háár bazin, bevat.

'Goedemiddag, Viv,' zegt De Wrat.

'Ik moet even iets doen in het kopieerhok,' leg ik ongevraagd uit.

'Mooi,' zegt ze, en ik zie dat De Tang met haar ogen rolt.

Ik heb een verkrampte grijns op mijn gezicht. De liftdeuren sluiten zich en dan ben ik op weg naar het haarparadijs.

De salon is een en al industrieel staal en gegoten beton, met sierlijke antieke spiegels en pluchen stoelen. Een graatmagere receptioniste, gekleed in een limoengroene legging, geeft mij een kaart met dranken en vraagt me op een fluwelen bank op mijn styliste Mandy te wachten. Ik voel de nerveuze spanning door mijn lichaam trekken terwijl ik door een dure portfolio met kapsels blader. Had ik maar het lef – of het gezicht – om een ondeugend kort kapsel te nemen en mijn haar te laten blonderen. Wel of geen pony? Laagjes?

'Hoi. Ben jij Viv?' Een plompe vrouw met uitgroei bij de haarwortels houdt een schort voor me op. Ik hoop dat dit Mandy niet is, want zo te zien kan ze zelf wel een goede wasbeurt gebruiken.

'Ja.' Ik glimlach.

'Hoi, ik ben Mandy. Ik ga je haar doen.'

'Fijn.' Ze doet mij het schort om en ik volg haar naar een spiegel, waar ze met mijn haar begint te spelen. Ze duwt het naar voren, tilt het op en laat het vallen.

'Oké, wat gaan we doen?' vraagt ze. Het probleem is dat ik er een hekel aan heb als kappers dat vragen. Ik wil dat zij weten wat bij me past, dat ze naar me kijken, wijzen en iets zeggen als: 'Zachte laagjes en deze lengte behouden.' Alhoewel, dat nou juist liever niet, want dat is wat ík altijd zeg. Ook nu probeer ik het te zeggen, maar ze heeft al mijn haar in mijn gezicht geduwd en mijn kin ligt op mijn borst. Ik wijs mezelf er nog eens op dat dit de beste kapper van Londen is. 'Wat heb je veel haar!' Ik probeer mijn hoofd op te tillen. 'Ontzettend veel haar.' Ze buigt mijn hoofd eerst naar de ene en dan naar de andere kant. 'Heel dik haar.' Ik begin het gevoel te krijgen dat ik niet zo veel haar zou moeten hebben, alsof er een maximum bestaat of zo.

Eindelijk slaag ik erin om te vragen: 'Wat vind jij dat ik moet doen?'

'Wil je het op deze lengte houden?' vraagt ze, en ik knik. Ze zuigt lucht naar binnen door haar tanden. 'Kijk, het is hier heel zwaar....' Ze drukt tegen de zijkanten van mijn hoofd. 'Het is heel zwaar en daardoor hangt het te veel. Er zit helemaal geen beweging in. Het is plat.'

'Oké.' Ik wist niet dat ik bewegend haar hoor te hebben.

'We kunnen het bovenop uitdunnen, de lengte zo laten en

een paar donkere plukjes aanbrengen om het wat levendiger te maken,' zegt ze, en inmiddels ben ik zo opgelucht te horen dat er iets aan mijn kapsel gedaan kan worden, dat ik er onmiddellijk mee instem. Ze snelt weg om de kleur te mengen en opeens word ik een beetje somber. Ik weet zeker dat Robs vriendin niet zulk onhandelbaar haar heeft. Dat haar haar babyzacht is en glanst als zijde en naar bosvruchten ruikt. O, waarom heb ik toch zulk dik haar? Ik heb mijn vader nooit ontmoet, maar ik heb het vast aan hem te danken. Net als ik mijn moeder aan het vervloeken ben omdat ze zich zo nodig te grazen moest laten nemen door een harige beer met een bos touw op zijn schedel, krijg ik een sms'je van Lucy.

Zin om wat te drinken?

Ja, maar zit bij de kapper.

Oké. Bel me als je klaar bent.

Dat is een goed plan. Dan kan ik meteen pronken met mijn nieuwe kapsel. Mandy komt terug en vraagt of ik wat wil drinken. Ik krijg een witte wijn en kijk toe terwijl ze snel mijn hoofd bedekt met stukjes folie. Eigenlijk doet ze het zo slecht nog niet, deze Mandy. Ik bedoel, je moet wel goed zijn als je hier werkt. Ik kijk om me heen. Overal rijk uitziende, blonde cliënten die onder handen worden genomen. Ik begin een beetje te ontspannen.

'Vragen mensen je altijd of je vakantieplannen hebt, Mandy?' zeg ik.

'Nee,' antwoordt ze.

'O. Ik vroeg me alleen af of dat cliché waar is, je weet wel, dat mensen met hun kapper over hun vakantie praten.'

'Nee.' Ze fronst alsof ik gek ben.

Waarschijnlijk is ze te geconcentreerd om te kletsen; ze is natuurlijk heel erg professioneel. Ze duwt een droogkap naar me toe en zet hem aan. Hij draait om mijn zilveren hoofd heen als ringen om een planeet. 'We laten de verf zijn werk doen en over een paar minuten ben ik terug. Wil je nog iets hebben?'

Ik krijg meer wijn. Ik bestudeer mijn gezicht en vraag me af of het magerder is geworden. Sinds maandag heb ik maar heel weinig gegeten, en als ik mijn hoofd opzij draai zie ik volgens mij een jukbeen uitsteken. Ik pak een tijdschrift en lees over een vrouw wier borstimplantaten zijn geknapt, totdat iemand met een naambordje waar DANIEL op staat me naar de wastafel brengt voor een heerlijke hoofdmassage.

Later komt Mandy terug en begint ze te knippen. Natte plukken vallen op de grond. Als de uitdunningsschaar in de buurt van mijn oor komt, hoor ik hem door mijn haar gaan. Ik vraag me af of ze er niet te veel af haalt aan de bovenkant, maar ik vertrouw haar. Fotomodellen laten hier hun haar doen.

'En? Wat vind je van de kleur?' vraagt ze. Eigenlijk zie ik geen verschil, maar dat komt waarschijnlijk doordat het nog nat is.

'Heel mooi. Heel subtiel.'

Ze glimlacht en haalt een föhn en een enorme ronde borstel tevoorschijn. Tijdens het föhnen begint mijn haar stoom af te geven. Ze doet spray op de plukjes rondom mijn gezicht en brengt ze met haar vingers in model. Dan laat ze me de achterkant zien. Ik knik, ook al vrees ik dat mijn nieuwe kapsel nogal veel op een helm lijkt. Ik wil haar niet kwetsen. Ze veegt de haren van mijn kleding en loopt voor me uit naar de magere receptioniste, die opgewekt de betaling afhandelt. 'Dat is dan tweehonderd pond, alstublieft.'

Ik slik en geef haar mijn creditcard. Ik kijk op de rekening. Vijftien pond is voor de wijn. Maar het was het waard. Het is de beste kapper van Londen. Mijn haar ziet er vast geweldig uit als ik het thuis een beetje in de war maak.

'Je haar zit heel mooi. Ben je tevreden?' vraagt de receptioniste als ik mijn pincode intoets.

'O, ja! Het is prachtig. Echt prachtig. Ik vind het prachtig,' zeg ik, en om de een of andere reden begin ik te lachen. Ik zwaai even, loop half struikelend naar buiten en maak me uit de voeten, op weg naar Lucy.

Het voelt zorgwekkend winderig rondom mijn oren. Kijken

de mensen me raar aan? Kijken ze naar mijn haar? Dat meisje daar verderop bij de metro-ingang volgens mij wel. Gelukkig zit Lucy om de hoek; ik zal haar mening vragen en op de wc wat aan mijn haar doen. De bar waar we hebben afgesproken is onze vaste borrelstek. Het is een ondergrondse wijnkelder met uitstekende wijn en goede tapas. Ik loop stampend de wenteltrap af en zie Lucy aan een van de hoektafeltjes zitten met een fles en twee glazen.

'Wat vind je ervan?' vraag ik, terwijl ik het haar aan de zijkant wat opduw.

'Heb je het laten doen?' Ze knijpt haar ogen tot spleetjes terwijl ik tegenover haar ga zitten.

'Eh, ja. Dit kapsel heeft me drie uur gekost.'

'Ik zie inderdaad dat het bovenop wat korter is.' Ze komt uit haar stoel om mijn kruin te bekijken. 'O! Veel korter.'

'Wat? Echt waar?' Ik breng mijn hand naar mijn hoofd en voel een paar akelig borstelige plukjes. 'Ziet het er goed uit?'

'Het staat leuk.'

'Leuk? Ik heb niets aan leuk! Ik heb zojuist tweehonderd pond uitgegeven.'

'Heb je tweehonderd pond uitgegeven aan je haar?' vraagt ze vol ongeloof.

'Er zitten heel veel lowlights in.'

'Heb je tweehonderd pond uitgegeven om je haar een beetje donkerder te laten maken?'

'Ja Lucy, inderdaad.' Ik schenk een glas wijn in en werp een blik op Lucy's zijdeachtige haar – zo zijdeachtig dat haar oren erdoorheen steken. Hoe zou zij het ooit kunnen begrijpen, de schat?

'O... nou... het is jouw keuze. Is die jarentachtigstijl dan weer in?'

Ik pak de tapaskaart. 'Arme Lucy. Je hoeft niet jaloers te zijn op mijn schoonheid.'

'Maar je bent zóóó mooi,' zegt ze op een aanstellerige toon.

'Ik weet het, het is een zware last,' zeg ik. Ze heft haar glas en we klinken. 'Ik zal je vertellen over de jurk...'

We drinken de fles leeg, bestellen er nog een en bespreken elk detail van komende zaterdag. Hoe ik me moet gedragen als ik hem tegenkom. Wat ik moet doen als hij met me wil praten. Dat ik beleefd moet zijn tegen zijn vriendin. En dan neem ik een taxi naar huis en sms Lucy dat ze zo'n goede vriendin is. Ze sms't terug: 'Jij ook, lieverd.' En ik besef dat ik niet heb gevraagd naar de man tussen haar lakens.

Het is vrijdag, ik heb veel wijn gedronken, ik voel me brak en ik ben te laat voor mijn werk – dat komt heel slecht uit want ik heb vandaag een lange lunchpauze nodig voor mijn ontharingsfeestje.

Mijn haar ziet er deze ochtend een beetje uit als een Tina Turner-pruik. De bovenste laagjes zijn zo kort dat ik niet eens een staartje kan maken. De kapster moet zich aan de achterkant, waar ik het niet kon zien, flink hebben uitgeleefd met de uitdunningsschaar. En lowlights? Over de nieuwe kleren van de keizer gesproken. Ik druk mijn tranen weg terwijl ik probeer met spray mijn haar in model te brengen. De achterkant blijft koppig overeind staan. Ik zie eruit als een zieke kaketoe en ik heb geen tijd meer.

In de bus kijk ik in mijn agenda om te zien of er iets op mijn werk is wat ik vergeten ben. Ik kijk naar zaterdag, waar ik een groot hart heb getekend. De dag dat ik mijn man terugkrijg! Maar het is natuurlijk ook de bruiloft van Jane. Ik weet niet zeker of we haar nog veel zullen zien als ze eenmaal getrouwd is met Hugo. Hij verliest haar nu al geen moment uit het oog. Als je met haar probeert te praten, over wat dan ook, streelt hij haar arm of blaast kleine kusjes in haar haar. Heel irritant. Hij is klein en stevig, zij is dun en fijngebouwd – alsof een dwergnijlpaard in een pak met een elfje trouwt. Nou ja, smaken verschillen zullen we maar zeggen. Er staan geen werkgerelateerde zaken in de agenda, behalve dat ik een nieuwe collectie moet samenstellen voor Kerstmis.

Even steekt een onprettige gedachte de kop op: Kerstmis

zonder Rob. Maar ik onderdruk die gedachte meteen. Misschien zijn we tegen die tijd wel getrouwd. Tot aan mijn halte mijmer ik over trouwen in de winter – een en al wit bont, rode rozen en kaarsen.

Dan volgt er een saaie ochtend op kantoor. Ik kan niet eens normaal nadenken door mijn kater en de zenuwen over morgen, laat staan dat ik me met serieuze werkzaamheden kan bezighouden. Christie noemde mijn nieuwe haar 'spannend'. Ik heb alle losse elastiekjes op mijn bureau toegevoegd aan de bal waarmee ik een jaar geleden ben begonnen en ik heb de kracht van de paperclipmagneet getest. Ik heb een paar leveranciers gemaild, patience gespeeld, en nu is het tijd voor... tromgeroffel... de Schoonheidssalon.

In Selfridges neem ik de lift naar de bovenste verdieping. Als ik uitstap sta ik in een futuristische kliniek, wit, groen en blinkend. Hier zie je alleen maar mooie mensen. Voordat ik het aura kan verpesten, word ik een behandelkamer in geleid en krijg ik een papieren onderbroek aan. Dan verschijnt er een oogverblindend zwart meisje.

'Laten we beginnen met de Brazilian wax, goed?' Ze lacht haar parelwitte tanden bloot. Ik onthaar nooit mijn bikinilijn, behalve als ik een bikini aan moet, wat zelden voorkomt. Maar de korting en de gratis behandeling van mijn wenkbrauwen lonkten. Bovendien, stel je voor dat Rob en ik morgen weer bij elkaar komen en dat het een tot het ander leidt en we samen in bed belanden... Nou, dan staat hem een fijne verrassing te wachten. Ik bedoel, hij vond altijd al dat ik iets aan die woeste bos haar moest doen.

'Brazilian? Is dat die waarbij er alleen maar een streepje overblijft?'

'Alles eraf, ook van onderen, met alleen een klein streepje of vormpje bovenaan.'

Van onderen? Bedoelt ze die plukjes die aan de onderkant uit je zwempak piepen... of iets anders?

'Alles van onderen eraf?' Dat klinkt wel erg extreem.

'Yep.'

'Vindt men dat mooi?' vraag ik, plotseling zenuwachtig.

'Lieverd, ik heb daaronder helemaal niets. Mijn vriend wordt er wild van! Hij loopt de hele dag achter me aan.' Ik beeld me in dat Rob achter mij aan loopt en me smeekt hem terug te nemen.

'Doe maar,' zeg ik.

'Trek je knieën op en laat je benen naar opzij vallen,' zegt ze. Ik moet zeggen dat wat volgt een beetje prikt. Op een gegeven moment zit ze met een pincet tussen mijn benen, voor de laatste haartjes. Wat er overblijft van mijn bos schaamhaar is een perfect gevormd hartje. Daarna zijn de benen en wenkbrauwen een fluitje van een cent. Mijn huid bonst en is rood en gezwollen.

'Je hebt veel haar,' zegt ze terwijl ze de boel opruimt.

'Niet meer,' mompel ik en ik hobbel het kamertje uit om te betalen.

Telkens als ik die middag naar de wc ga, vergeet ik het weer. Ik ben blij als het eindelijk vijf uur is en ik snel naar de drogist kan om aloë vera te kopen.

Zodra ik thuis ben bel ik Max.

'Hallo.'

'Hoi, met mij. Alles geregeld voor morgen?'

'Wat is er morgen?'

'De bruiloft!'

'Wacht even schat, ik heb je geen aanzoek gedaan.'

'Max! Geen geintjes. Janes bruiloft waar we samen heen gaan.'

'Oké.'

'Je was het vergeten, hè?'

'Nee.'

'Dus je hebt je pak?'

'Ja hoor.'

'Oké, ik wil dat je het morgenochtend aantrekt en wacht tot ik je met de taxi kom halen. Ik ben om twaalf uur bij je.'

'Oké. Wat doe jij aan?'

'Een jurk. Hoezo?'

'Nou, het lijkt me een leuk idee als we bij elkaar passen.'

'Bij elkaar passen?'

'Je weet wel, dat ik bijvoorbeeld een bloem opdoe die dezelfde kleur heeft als jouw jurk, om te laten zien dat we bij elkaar horen.'

'We horen niet bij elkaar. Rob en ik worden weer een stel.'

'Oké. Begrepen.'

'Goed... tot morgen dan?'

'Tenzij ik vannacht doodga.'

'Dag, Max.'

Ik verbreek de verbinding en luister een paar seconden naar de sirenes en het verkeer buiten. De hele flat is stil en roerloos. Ik hang de jurk aan de deur van de kledingkast en zet de schoenen eronder. Dan maak ik een lijstje van dingen die nog moeten gebeuren en leg dat op mijn toilettafel. Het lukt me om vroeg naar bed te gaan, maar ik kan de slaap niet vatten en uiteindelijk lees ik tot middernacht in mijn zelfhulpboeken. 'Luister naar het gebrul van je innerlijke leeuw!' In mij zit een piepklein jong katje.

Miauw.

5

Wat we al niet doen voor de liefde

*'Ik heb een keer een tafeltje twee trappen af naar het park gedragen.
Ik had een compleet Thais banket gemaakt en alles uitgestald, met
kussens om op te liggen en koude witte wijn. Ik wachtte, dronk de
wijn, voerde de rijst aan de duiven. Het werd donker en ik viel in
slaap. Hij kwam niet opdagen. Iemand stal mijn kussens.'*

Maria, 34, Battersea

*'Mijn vriend Andy en ik hebben een kleine bakkerij in de stad. We
maken kleine cakejes met de letters van het alfabet erop. Op een dag
rangschikte ik de cakejes in de etalage zo dat er stond "Andy, wil je
met me trouwen?". Ik dacht dat hij het niet had gezien, maar toen ik
later nog eens keek, zag ik dat hij met cakejes had geantwoord.
Er stond: "Wanneer je wilt".'*

Rachel, 30, Liverpool

Ik word wakker van gehamer. Het is acht uur. Zonlicht valt in
felle stralen door de luxaflex – een volmaakte dag voor een bruiloft. Ik trek de zijkant van het rolgordijn een stukje naar me toe
en kijk met toegeknepen ogen naar de straat. Twee mannen met
kleurrijke pruiken rollen vaten naar de kant van de weg.

Waarschijnlijk is er vandaag een feest in een van de bars aan de
hoofdstraat. Ik trek mijn zijden kimono aan. In de badkamer bekijk ik mezelf aandachtig: mijn ogen zien er vermoeid uit, en niet
op een manier die zegt dat ik de hele nacht heb gefeest. Ik klop
wat verkoelende ooggel op mijn huid. Volgens de verpakking
vermindert die de zwelling en trekt hij fijne rimpeltjes glad. Een

mirakel! En dat voor maar 2,49 pond. Mijn hart maakt een sprongetje als ik de jurk zie hangen bij de spiegel, met de schoenen er netjes onder. Ik voel me als een gladiator die nerveus zijn wapenuitrusting inspecteert, behalve dat ik geen idee heb wie mijn tegenstander is.

In een flits zie ik haar voor me, opgekruld naast Rob, slapend in postcoïtale gelukzaligheid, zonder zorgen die rimpels zouden kunnen achterlaten op haar volmaakte voorhoofd. Bij deze gedachte trekt mijn maag samen. O god! Ik richt al mijn aandacht op het zetten van een stevige kop koffie. Ik zet het espressopotje op het fornuis en neem tijdens het wachten mijn lijstje door.

8.30   In bad met badschuim van Jo Malone
9.00   Bodylotion
9.30   Nagels – Twilight-nagellak van Hard Candy
10.00   Make-up – sexy
10.30   Haar – schoon, glanzend, artistiek rommelig
11.00   Aankleden
11.30   Taxi rijdt voor
11.40   Max ophalen
12.00   Aankomst bij de kerk, ruim op tijd
1.00   Bruiloft!

In de kantlijn heb ik bloemetjes getekend, met steeltjes en bladeren. Christie heeft me ooit verteld dat bloemen tekenen betekent dat je wilt trouwen en kinderen krijgen. Verrassend hoe goed die dingen altijd kloppen! De espressopot sist als ik de koffie inschenk. Ik krijg geen hap door mijn keel. Het voelt alsof ik op de sportdag van school de 100 meter horden moet lopen.

Ik trek de rolgordijnen van de balkondeuren omhoog. Op straat staan politieagenten rustig te kletsen, gekleed in overhemden met korte mouwen en kogelvrije vesten. Het embleem op hun helmen glanst in de zon. Een man steekt de straat over en loopt naar hen toe. Hij is zo akelig knap dat hij bijna lelijk is. Ze wijzen naar een vrachtwagen die verderop geparkeerd staat. Blijkbaar zijn ze een logistiek probleem met een leverantie voor een van de restaurants aan het oplossen. Ik ga naar de badkamer om het bad vol te laten lopen.

Oké, het is halftwaalf en er is geen taxi. Ik bel op.

'Kins Cars,' zegt een verveelde stem.

'Hallo, met Vivienne Summers. Ik heb een taxi gereserveerd voor halftwaalf, maar hij is er nog niet.'

'Momentje, mevrouw.'

Door de lijn klinkt keihard iets wat lijkt op 'Greensleeves' gespeeld op een kazoo.

'Mevrouw, ik heb met de chauffeur gesproken en hij zegt dat hij er over vijf minuten is.'

'Oké, ik hoop dat het niet later wordt. Ik moet namelijk naar een bruiloft.'

'Ja, vijf minuten, mevrouw.'

Oké, het is kwart voor twaalf. Geen probleem, niets aan de hand, hij komt zo. Ik zal eens uit het raam kijken; waarschijnlijk staat hij al te wachten. Vreemd genoeg lopen er heel veel mannen rond. Ik ga weer naar de spiegel om mijn eyeliner te inspecteren. Normaal gesproken gebruik ik niet zoveel zwart. Het ziet er goed uit, maar is het niet meer iets voor een uitgaansavond dan voor een bruiloft? Met veel geweld ben ik mijn haar de baas geworden en nu kan het ermee door. Maar de jurk ziet er geweldig uit: hip en sexy.

Shit, het is vijf voor twaalf! Waar blijft die klotetaxi? Ik bel nog een keer.

'Kins Cars,' zegt de stem die eigenlijk niet lastiggevallen wil worden.

'Weer met Vivienne Summers. Waar is mijn taxi? Het is inmiddels twaalf uur!'

'Momentje, mevrouw.'

Het volgende nummer van 'Het beste op de kazoo' is 'La Cucaracha'.

'Mevrouw, het spijt me, uw taxi zit vast in het verkeer. Hij is er over een halfuur.'

'Nee! Daar heb ik niets aan! Ik heb nu een taxi nodig!'

'Mevrouw, het spijt me echt, het lukt niet eerder dan over een halfuur.'

Ik krijg geen adem meer. 'O mijn god! Wat heeft het voor zin om te reserveren als jullie gewoon maar verschijnen wanneer het jullie uitkomt? Ik moet naar een bruiloft en ik heb een reservering gemaakt voor halftwaalf!' Plotseling luister ik naar een kazooversie van 'Nobody Does It Better'.

'O god, o god, o god.' Radeloos loop ik heen en weer door het appartement. Dan pak ik mijn handtasje en ren met wapperende veren naar buiten.

'Laat er alsjeblieft een taxi zijn! Laat er alsjeblieft een taxi zijn!' Als ik aan het einde van de straat ben, zie ik dat de hele hoofdweg is afgezet en wordt geblokkeerd door praalwagens. Een steelband speelt Madonna's 'Like a Virgin'. Een adonis in een soort tuigje danst over de stoep. Ik grijp hem bij een van zijn rondzwiepende riemen. 'Sorry, maar wat is er aan de hand?'

Hij kronkelt met zijn lichaam en tuit zijn lippen. 'Gay Pride, schat!'

Ik kijk naar links en naar rechts. Overal praalwagens, zo ver ik kan zien, allemaal met een ander thema. Er zijn spandoeken met teksten als HOMO, KATHOLIEK EN TROTS en TROTSE OUDERS VAN HOMO'S. De wagen voor me, die met de steelband, is omgetoverd tot een rieten mand vol homo's verkleed als fruit. Twee enorme kersen zijn aan de bovenkant met elkaar verbonden door een groen steeltje; de bananen in gele tanga's houden een vlag vast waarop staat FUNKY FRUIT. In normale omstandigheden zou ik het prachtig vinden, maar waarom mijn buurt? Waarom nu? Het is tien over twaalf! Ik bel Max.

'Hoi, ik ben klaar. Sta je beneden?' vraagt hij.

'Nee, verdomme! Ik zit vast in een Gay Pride-optocht en er is geen taxi te vinden!'

'O shit.'

'We komen te laat! Ik weet niet wat ik moet doen.'

'Oké, oké. Oké. Viv, ik weet al wat we doen. Waar ben je?'

'Bij mijn huis. Op de hoofdweg.'

'Als je nou eens door het steegje loopt? Is die straat open?' Zo hard vloekend als ik kan loop ik door het steegje, mijn hoofd gebogen, mobieltje tegen mijn oor. Als ik aan het einde ben kijk ik de straat in.

'Daar staan ook politieauto's.'

'Loop naar het volgende steegje en wacht bij dat leuke eettentje, oké? Dat is een doodlopend straatje, dus daar komen ze niet. Ik kom je halen.'

'Zo ver kom je nooit met een taxi.'

'Wacht daar op me. Ik kom eraan.'

Mijn hart bonkt. Ik draai me om en ren terug door het steegje, stotend tegen bierflesjes en slalommend om vuilnisbakken. Ik voel mijn hoge hakken wegzakken in de spleten tussen de keien en stel me voor dat het vuil van de straat omhoogkruipt en aan mijn mooie, kwetsbare jurk blijft kleven. Het volgende steegje is nog erger. Er ligt een stapel dozen waar iets of iemand in woont. Ik loop er schichtig langs en probeer niet in te ademen. Ik sla de hoek om en loop haastig naar het eettentje.

Het ligt aan een kruispunt. De straten links van mij zijn afgezet en verlaten vanwege de parade. Ik kijk naar mijn telefoon en er is een minuut voorbijgegaan. Als ik weer kijk zijn het tien minuten.

'Verdomme! Wat een teringzooi!' Ik voel een laagje zweet op mijn huid en er wellen tranen op. Dan hoor ik het gebrom van een motor. Ik draai me om en zie een motor met twee insectachtige koplampen met hoge snelheid de hoek om komen. De berijder is gekleed in zwart leer en draagt een integraalhelm. Hij steekt zijn arm op, maakt een bocht en stopt voor mijn neus. Max zet met een grijns zijn helm af. Erger dan dit kan het niet worden. Hij wil dat ik achterop stap. O nee, het wordt wél erger: hij wil dat ik achterop stap en een hélm opzet! Ik schud mijn hoofd.

'O nee... ik denk er niet aan.'

'Hoezo? Je hebt geen keus.'

Hij stapt af, maakt het koffertje open, haalt er een kanariege-le, open helm en een enorm leren jack uit en reikt ze mij aan. Ik deins terug. Hij stapt weer op, start de motor en roept over het ritmische geproest van de motor heen: 'Het is halfeen!'

Jammerend duw ik de helm over mijn haar en maak ik het riempje onder mijn kin vast. De helm zit zo strak om mijn hoofd dat mijn gezicht een samengeperst achterwerk lijkt. Moeizaam trek ik het zware jack aan. Het reikt bijna tot mijn knieën en de stalen kommen bij de schouders en ellebogen drukken in mijn blote huid. Er lopen zweetdruppels over mijn rug. Ik klim op de motor en zet mijn pumps op de voetsteunen. Op het moment dat ik mijn jurk glad wil strijken, spuit de motor ervandoor en waait de verenrok om me heen. Max geeft plankgas en haalt een bus in. Ik zit wiebelig op mijn plaats en klamp me vast aan zijn met leren franjes getooide schouders. Als ik langs zijn hoofd naar voren wil kijken, slaat een windvlaag met stof en insecten me vol in het gezicht. Ik voel iets kriebelen in mijn rechteroog. Ik zoek dekking achter zijn rug en klem mijn armen om zijn borst alsof ik me vasthoud aan een boomstam in een snelstromende rivier. Die rothelm is vast bedoeld voor een kind, want hij om-knelt mijn hoofd als een bankschroef. Maar door de geur van olie en benzine heen ruik ik een kruidig parfum – misschien is hij voor een vrouw met een heel leeg hoofd. Mijn kapsel is ge-ruïneerd en de wind blaast de jurk over de achterkant van de motor, dus god mag weten wat daar voor verwoestingen wor-den aangericht. We stoppen bij een verkeerslicht en hij zet een voet op de grond. Ik zie zijn schoenen en stel opgelucht vast dat ze mooi en schoon zijn – gelukkig heeft hij zijn best gedaan. Hij doet zijn klep omhoog, draait zich half om en klopt op mijn bo-venbeen.

'Alles in orde?'

'Nee!'

Even zie ik van heel dichtbij een van zijn groen gespikkelde ogen en het profiel van zijn grote neus, maar dan springt de motor zo plotseling naar voren dat ik bijna op straat achterblijf. Ik druk me tegen Max aan om niet te vallen, tot we eindelijk op kleine weggetjes rijden en de motor vaart mindert. Daar is de kerk! Hij is gigantisch, bijna een kathedraal. Er komt net een klassieke Jaguar aangereden, die voor het portaal stopt. We rijden slippend de oprit op en de motor kucht als Max hem een versnelling lager zet. Een paar in het grijs gestoken bruidsjonkers die nerveus bij de deur staan kijken onze kant op. Ik klim met moeite van de motor en wrik de helm los terwijl Max de motor uitzet. Het orgel begint te spelen en het portier van de jaguar gaat open. Jancs vader stapt uit. Hij lijkt griezelig veel op Hugo. Max trekt rustig zijn motorkleding uit. Ik ontdoe me van het zware jack en ben helemaal vochtig en verfomfaaid. Als ik de jurk probeer glad te strijken zie ik een bruine schroeiplek in de veren bij de zoom, waar de jurk de hete uitlaatpijp heeft geraakt.

'O shit. Max, moet je mijn jurk zien!'

'Wat dan?'

'Hij is helemaal verbrand door die rotmotor van jou.'

Op dat moment stapt de bruid uit de jaguar. Ze ziet eruit als een mooi poppetje, in een rechte, fonkelende jurk met een sleep die achter haar aan golft als ze loopt. De wind speelt met haar sluier en haar drie bruidsmeisjes, in smaakvol uit de toon vallende zwart-witte jurken, lopen naar haar toe om hem recht te trekken. Ze heeft een dicht boeket rozen in haar hand, samengebonden met een zilveren lint. Max legt zijn hand tegen mijn onderrug en duwt me zachtjes naar de kerk.

'Doe je mond dicht, zo meteen slik je een vlieg in.'

'Nee, alle vliegen zitten in mijn ogen door die rotmotor van jou!'

We glimlachen naar de jonkers. Ik pak een liturgie en ga naar binnen. Ik heb het gevoel dat ik van top tot teen onder de viezigheid zit. Alle aanwezigen draaien zich vol verwachting om als wij het gangpad op lopen. Max wuift even en zegt geluidloos 'hallo'. We glippen de eerste de beste bank in. 'Wees blij dat we er zijn,' sist hij door zijn tanden. Ik geef een stomp tegen zijn been. Ik probeer mijn jurk een beetje te fatsoeneren en strijk met een vinger onder mijn oog; als ik hem bekijk is hij zwart van de eyeliner. Terwijl ik me afvraag of ik nog naar de wc kan om me op te knappen voordat ik me onder de mensen moet begeven, begint de organist aan de 'Bruiloftsmars'. We staan op als de bruid binnenkomt en door het gangpad naar voren schrijdt.

Ze draait haar hoofd van links naar rechts en glimlacht naar haar vrienden. De glittertjes op haar jurk fonkelen en knipogen in het zonlicht. Ik inspecteer Max. Zijn een meter vijfentachtig lange lichaam is gekleed in een donkerblauw pak met een heel subtiel krijtstreepje, een wit overhemd en een smalle, roze stropdas. Zijn gewoonlijk zo slordige haar is naar achteren gekamd en zijn krullen rusten op zijn kraag. Hij heeft zich ook geschoren en hij ziet er... heel goed uit. Ik glimlach in mezelf en voel een vlaag van genegenheid. Maar meteen daarna trekt mijn maag zich samen als ik op zoek ga naar Rob. Ik zie hem niet. Waarschijnlijk was hij ruim op tijd en zit hij ergens vooraan.

Ik wuif mezelf koelte toe met de liturgie en we heffen de hymne 'To Be a Pilgrim' aan. Ik kijk even naar links en in de rij naast me staat de knapste vrouw die ik ooit heb gezien. Ze ziet eruit als een staaf karamel. Haar glanzende haar, net iets dieper goudbruin dan haar huid, zit in een nonchalante paardenstaart. Haar eenvoudige maar dure, rechte jurk is toffeekleurig en zit als gegoten om haar sierlijke, slanke lichaam. Haar stijlvolle zwarte schoenen met open hiel voegen precies de juiste mate van sensualiteit toe. Opeens voel ik me als een man in vrouwenkleren. Blijkbaar voelt ze dat ik haar bestudeer en ze kijkt me aan met een adembenemend stralende glimlach. Haar katachtige ogen zijn prachtig helderblauw en ze heeft nauwelijks make-up op. Ze gaat iets anders staan en in een flits zie ik de man naast haar. Mijn hart staat stil van schrik. Vervuld van trots en uit volle borst zingend staat daar mijn Rob.

Ik probeer rustig te blijven ademen en door te gaan met zingen, maar nu ik weet dat hij er is, hoor ik alleen nog maar zíjn stem.

'No foes shall stay his might; though he with giants fight...'

Ik voel me slap en door een mengeling van paniek en verdriet breekt het koude zweet me uit. Ik kijk omlaag naar mijn verschroeide zoom, die naast haar gladde been heen en weer zwaait. Over een paar tellen ziet Rob mij ook en zal hij me voorstellen aan deze schoonheid, en dan zal ik moeten glimlachen met mijn uitgelopen make-up en helmkapsel. Ik kan het niet. Ik moet hier weg. Ik draai me om naar Max, onderbreek zijn luide bariton en fluister: 'Ik wil weg.'

'Wat?'

'Lopen... daarheen... We gaan hier weg.'

Hij kijkt geschrokken om zich heen, alsof iets zijn been heeft vastgegrepen. Dan ziet hij het meisje en gaapt haar aan, tot ik hem een por in zijn ribben geef en sis: 'Rob staat daar. Dat is zijn vriendin!'

Ik leun tegen Max aan met mijn rug naar Rob, maar het is alsof ik een beer probeer weg te duwen. Een vrouw voor ons met een haardecoratie van veren draait zich om; de hymne is bijna ten einde, de organist begint aan het afsluitende loopje. Ik stomp Max zo hard als ik kan.

'Lopen! Lopen!'

Dan voel ik een hand op mijn schouder. Ik weet dat het Rob is. Ontsnappen is onmogelijk. O god, o god, o god... Ik barst abrupt in lachen uit, alsof Max en ik een hilarisch onderonsje hebben, dan draai ik me om, veeg zogenaamd mijn ogen droog en zeg: 'O!', alsof ik aan het bijkomen ben van de slappe lach. Rob staat in een bundel zonlicht. Zijn gouden krullen glanzen, zijn volmaakte mond glimlacht kalm en uit zijn blauwe ogen spreekt genegenheid.

'Hallo, Vivienne.'

'Rob, hoi!' antwoord ik iets te hysterisch, zodat de vrouw met de veren op haar hoofd boos achteromkijkt.

'Hoe gaat het met je?' fluistert hij.

'Heel goed!'

Het meisje kijkt heen en weer van hem naar mij. Hij pakt haar hand en ziet dat ik het zie.

'Dit is Sam.' Hij lijkt wel een kat die mij een dood vogeltje brengt. Kijk eens wat ik hier heb!

'Dag, Sam.' Ik glimlach. Zij glimlacht ook, maar fronst haar voorhoofd als Rob mij aan haar voorstelt.

Gelukkig begint de organist aan het intro van 'Lord of All Hopefulness' en blijft de pijnlijke toelichting me bespaard. Ik voel dat ze me opneemt en ik krimp ineen. Ze gaat dichter tegen Rob aan staan. Het scheelt weinig of ze hebben seks terwijl ze daar in hun gezamenlijke gezangboek staan te staren. Ik sta als aan de grond genageld, niet in staat om te zingen, mijn gedachten tollen in het rond. Ik kan nauwelijks ademhalen en de rest van de dienst durf ik niet naar links te kijken. Was het maar voorbij!

Als de bruid en bruidegom als echtpaar door het gangpad lopen, lijkt het of ze in slowmotion bewegen. Jane glimlacht op het moment dat ze langs me loopt en het is alsof ik op een zinkend schip zit en zij in de laatste reddingsboot weg roeit. Ik leun zwaar op Max en opeens geeft hij mee; we belanden op het gangpad en struikelen het vriendelijke licht van de julimiddag in, alsof we uit de bek van een walvis tuimelen.

Snikkend hap ik naar adem en ik duw Max voor me uit. We lopen de hoek om waar ik een koele muur vind om tegenaan te leunen, uit het zicht. Ik leg een hand voor mijn ogen.

'O jezus! O mijn god!'

'Volgens mij hoor je dat soort dingen te zeggen als je ín de kerk bent.'

'Het gaat niet. Ik dacht echt dat het wel zou gaan... maar ik kan het niet.'

Ik probeer rustig te ademen en luister naar de spreeuwen in

de bomen achter ons en het geroezemoes van de bruiloftsgasten. Losse opmerkingen als 'Prachtig!' en 'Ja, nou hè?' zingen rond. Mijn ogen worden vochtig. Een traan valt op het stoffige plaveisel – wat een paar mieren in paniek doet vluchten – en wordt daar opgezogen. Max schuift kleine hoopjes grind met zijn schoenpunt heen en weer. Ik kijk op en scherm mijn ogen af met mijn hand.

'Wat moet ik nou?'

Hij glimlacht en reikt me zijn hand. 'Kom, mijn snotterige vriendin. Laten we naar die pub daar gaan.'

De Lachende Monnik is een schuilplaats voor eenzame mannen met lelijke truien. Een paar van hen kijken lichtelijk verbaasd op als we gearmd naar binnen lopen en aan de bar gaan zitten. Op een televisiescherm zijn paardenrennen te zien, zonder geluid. De jichtige, ongelukkige barman kijkt ons verwachtingsvol aan, maar neemt niet de moeite iets te zeggen.

'Mag ik twee grote tequila's met cola?' vraag ik.

'En twee whisky met een glas bier erbij,' voegt Max eraan toe.

De barman zet de drankjes neer, zonder ijs en in smoezelige glazen. Hij pakt het briefje van twintig aan en geeft mij wat wisselgeld terug; alles zonder een woord te zeggen.

Ik klok de whisky naar binnen en de warmte spat uiteen in mijn maag.

Max neemt kleine slokjes van zijn drankje, met toegeknepen ogen.

'Was het zo erg om hem weer te zien?'

Ik denk na over die vraag. 'Erg' dekt de lading niet eens. Die Sam is een regelrechte ramp. Ik kijk naar mezelf; mijn wonderjurk ziet er nu eerder uit als een verkleedjurk dan als een hypermodieus kledingstuk.

'Max, hoe zie ik eruit?'

Hij slaat zijn laatste slok whisky achterover en bestudeert me uitgebreid. 'Je ziet eruit als... een heerlijk hapje kokosijs.'

'Zie je wel, dat is niet wat ik wilde uitstralen.'

'Oké... een mooie marshmallow dan.'

'Laat maar.'

'Nee, echt Viv, je ziet er prachtig uit.'

'Heb je Robs vriendin gezien?'

'Ja, die zag er best leuk uit.'

'Ze is oogverblindend mooi. Het is wel duidelijk dat hij verliefd is.' Ik schrik van mijn eigen woorden en mijn ogen vullen zich met tranen. Ik neem een grote slok tequila.

'Dat heeft hij dan snel gedaan.'

'Wat zou jij doen in zijn plaats, met zo'n vrouw?'

'Zo geweldig is ze nou ook weer niet, Viv.'

Er ontsnapt een luide snik uit mijn mond en mijn neus loopt vol. Ik snuif, drink mijn glas leeg en zet het met een klap op de bar. 'Jezus, wat ben ik dom! Hoe kon ik nou denken dat ik hem met een mooie jurk en een dikke laag make-up vanzelf wel terug zou krijgen. En het ís niet eens een mooie jurk! Naast haar zie ik eruit als een vette elf.'

Een man in een gebreid hemdje kijkt op van zijn krant. Ik weet dat ik hardop aan het grienen ben en dat ik al meer rumoer maak dan ze in de Lachende Monnik kunnen verdragen, maar het kan me niet schelen. Max bestelt nog twee grote tequila's met cola. Door het raam zie ik de kerk en een fotograaf die haastig heen en weer loopt om de groep te positioneren voor de foto. Een paar vrouwen met hoeden op lopen al over het gras naar het hotel voor de champagnereceptie.

'Viv, waar heb je het over... "vette elf"? Ik moet soms zo om je lachen.'

'Ik weet het niet... ik wil hem gewoon terug.' Diep ongelukkig leg ik mijn hoofd op de bar. Max slaat zijn arm om mijn schouders en praat in mijn oor alsof hij een peptalk houdt tegen een bokser.

'Nou, als dat echt zo is – en God mag weten waarom – kun je hem zo terugkrijgen. Die meid is geen partij voor jou. Jij bent tof en sexy, zij is... nou ja, plastic en zakelijk. Misschien is ze knap, maar jij... jij bent écht.'

Ik blijf met mijn hoofd op de bar liggen. Hij stoot tegen mijn elleboog. 'Kom op Viv, ze kan niet aan je tippen.'

'Echt?'

'Echt. We doen nog één rondje en dan zullen we ze eens wat laten zien!'

Tegen de tijd dat we de pub uit lopen, hebben we ons aan alle aanwezigen voorgesteld en hen op de hoogte gebracht van de situatie. Ze waren het er allemaal over eens dat ik heel erg aantrekkelijk ben en één man – ik geloof dat hij Norman heette – zei dat hij zich niet kon voorstellen dat er iemand leuker was dan ik. Opgebeurd door deze vleiende woorden begeven we ons naar de receptie.

6

Bruiloftsetiquette

1. *Niet ruziemaken*
2. *Geen bestek stelen*
3. *Geen spontane speech geven*
4. *Geen seks op de wc*
5. *Niet 'boe' roepen*
6. *Geen hysterische aanvallen*
7. *Niet paaldansen en niet line- of breakdancen*
8. *Niet gevaarlijk dronken worden*
9. *Niet zingen zonder toestemming*
10. *Niet praten, sms'en of twitteren tijdens de speeches*
11. *Geen lelijke foto's van de bruid op Facebook zetten*
12. *Geen huisdieren*
13. *Geen kinderen (tenzij er een springkasteel aanwezig is)*
14. *Geen volwassenen in het springkasteel*

'Ben je er klaar voor?' vraagt Max, terwijl hij met beide handen de deurknoppen van de receptiezaal vastpakt.

'Nou en of!' gil ik, en hij gooit de deuren open. Jammer genoeg staan we bij de verkeerde deur. Een behulpzame serveerster wijst ons de juiste ingang, die zich om de hoek bevindt. We mengen ons ongezien tussen de gasten.

Max pakt twee halfvolle glazen champagne van een dienblad dat voorbijkomt, gooit er een achterover en vervangt de lege flûte door een volle. Ik doe hetzelfde. Ik voel me zoveel beter! Ik kijk om me heen naar de kletsende gasten, maar kan Rob niet vinden. Het hotel is ouderwets statig, met lambrisering en gordijnen van brokaat. De champagnereceptie vindt plaats in de grote ontvangsthal, waar de muren zijn behangen met portretten van achttiende-eeuwse vips zonder wenkbrauwen en met starende ogen. In het midden van de hal verrijst een *Gone with the Wind*-achtige trap. Plotseling verschijnt boven aan die trap een man in een kilt met een doedelzak. Hij begint te spelen en daalt langzaam af. Achter hem lopen Jane en Hugo en, o mijn god, Hugo draagt een kilt! De flesgroene geruite rok reikt tot net boven zijn blubberige knieën, en de dikke witte sokken daaronder zijn aan de bovenkant afgezet met een koord en veren. Zijn kuiten zijn zo bol als de poten van een vleugel. Jane heeft haar sluier afgedaan en draagt een fonkelende tiara. Ze glimlachen en komen onder enthousiast gefluit en applaus naar beneden.

Max roept: 'Is hij Schots? Ik wist niet dat hij een Schot was!'

Ze schrijden als beroemdheden tussen de juichende gasten door, compleet met klikkende fotograaf, en verdwijnen door de enorme dubbele deur aan de zijkant. Ik zet een stap naar achteren en leun tegen een radiator met een decoratief dekje. Ik ben een beetje duizelig; die hakken zijn te hoog. Het zijn 'zitschoenen', zoals Lucy ze noemt. De eenzame doedelzakspeler verschijnt weer in de deuropening, beëindigt zijn melodie met een valse pieptoon en roept: 'Dames en heren, mag ik u verzoeken naar de eetzaal te gaan voor het diner?'

Max steekt zijn arm door de mijne en loopt kwiek naar de eetzaal. 'Jezus, ja! Ik sterf van de honger.' Hij sleept me mee over het tapijt met rozenmotief en het lijkt of de vloer overhelt. Een van de joviale broers van Hugo staat in een te krap pak bij het bord met de tafelschikking; we geven hem onze namen en hij begeleidt ons naar onze tafel. Max schudt hem geestdriftig de hand en zegt: 'Je zult wel heel trots zijn.'

De ronde tafels zijn in een halve cirkel geplaatst zodat iedereen goed zicht heeft op de tafel vooraan. De onze staat aan de buitenrand en even voel ik me gekwetst – ik dacht dat Jane en ik goed bevriend waren. Maar we hebben elkaar leren kennen doordat Hugo en Rob samen rugby spelen, dus Rob gaat natuurlijk voor. De hele zaal fonkelt in zilver en wit, en aan beide zijden staat een zwaan van ijs te glinsteren. Aan het plafond hangen parelachtige ballonnen met zilveren linten. De witte, linnen tafelkleden liggen vol kleine, zilveren lovertjes, en overal staan miniatuurflesjes bellenblaas en serpentineknallers. Op elke tafel staat een kristallen vaas met bloezende, witte rozen. De couverts zijn prachtig, met sierlijk gevouwen servetten en kleine presentjes in glitterpapier. Met engelenhaar zijn op de rugleuningen van de stoelen sierlijke naamkaartjes in de vorm van een rozenknopje bevestigd. Als ik naar mijn stoel loop, lees ik op twee stoelen aan de tafel tegenover de mijne de namen Rob en Sam. Zij zitten dus recht in mijn blikveld. Ik voel de euforische alcoholroes wegzakken, en er komt iets bitters voor in de plaats. Ik laat me op mijn stoel zakken terwijl mijn maag zich samentrekt en omdraait. Max stelt zich aan iedereen voor. Een vrouw met geitenogen die Dawn heet is helemaal verrukt van hem en barst in lachen uit bij elk woord dat hij zegt. Ondertussen zit haar zuur kijkende man aan zijn servet te frunniken. Ik trek Max aan zijn broekspijp en hij gaat zitten, terwijl hij zijn hilarische anekdote afmaakt: 'Dus ik zei: "Tipperary of de dood!"' De hele tafel, behalve de zuur kijkende echtgenoot, begint te schaterlachen.

Max kijkt mij met stralende ogen aan. 'Wat is er?'

'Houd alsjeblieft op.'

'Waarmee?'

'Met zo hard je best doen om de gangmaker te zijn. En waarom moet je altijd zo Iers doen als je een grap vertelt?'

'Gewoon... dan wordt het grappiger.'

'Eigenlijk niet; het wekt alleen maar de indruk dat je niet helemaal bij bent.'

'Ik ben niet helemaal bij...' roept hij over de tafel, '... met drinken!'

Dawn beloont hem met een wulpse glimlach. Hij richt een serpentineknaller op mij en de zilveren linten belanden op mijn haar en glijden over mijn gezicht. Ik kijk naar de tafel van Rob en merk met een steek van afgunst op dat iedereen daar jong en over het geheel genomen aantrekkelijk is. Hij leunt dicht tegen Sam aan, legt zijn hand teder op die van haar en praat in haar volmaakt gevormde oor. Ze kijkt ondeugend glimlachend omlaag en antwoordt dan iets als: 'Ik ook.'

Max knipt met zijn vingers voor mijn neus. 'En je bent weer terug. Niet die kant op kijken – je hebt de blik van een boze stiefmoeder. Hier, neem nog wat champagne.' Hij schenkt mijn rodewijnglas vol. Het is even stil en ik kijk naar de belletjes die opstijgen en uit elkaar spatten. Dan haalt hij liefdevol een paar serpentines uit mijn haar.

'God, wat ben je mooi. Kennen wij elkaar niet?' Hij grijnst.

'Nee.'

'Weet je het zeker?'

'Ik denk dat ik dat wel zou hebben onthouden,' zeg ik gapend.

'Ja, ik weet het weer. Ben jij niet in 2001 afgestudeerd aan Liverpool University?'

'Zou kunnen.'

'Ik ook! Hebben wij niet een keer...?' Hij maakt stootbewegingen met zijn heupen.

'Nee!' zeg ik bits.

'Zou je het willen?'

'Wat, droogneuken?'

'Nee, je weet wel...' Hij herhaalt de heupbeweging. Ik staar hem even aan.

'Weet je, het klinkt verleidelijk, zeker als je het zo brengt, maar ik heb het een beetje druk.'

Het voorgerecht – zalmmousse – wordt in groten getale aangesleept. Onze serveerster, een plompe tiener met zwarte staartjes die niet bij haar passen, zet de bordjes met een luide klap op tafel. Het bordje voor mijn neus wiebelt, waardoor de garnering van komkommer omvalt. Ik heb honger maar ben tegelijkertijd misselijk. Ik kijk vluchtig naar Rob en onze ogen ontmoeten elkaar! Mijn hart maakt een sprongetje als hij even glimlacht, dan buigt hij opzij om een vraag van een Zweeds uitziend meisje aan zijn linkerzijde te beantwoorden. Sam zit gedwee naast hem, haar handen in haar schoot. Ze straalt aan alle kanten goede manieren en smaak uit. Rob klaagde vaak over mijn gedrag op feestjes – ik schijn te luidruchtig te zijn en te veel te praten. Sam glimlacht beleefd als haar bord voor haar op tafel wordt gesmakt en wacht tot de bruid en bruidegom beginnen te eten voordat ze een hap neemt. Die heeft een goede opvoeding gehad. Daar kan ik niet tegenop. Toen ik opgroeide ging ik als een estafettestokje van de ene volwassene naar de andere; niemand leerde mij iets over etiquette. Ik sla het enorme glas champagne achterover en kan een oprisping niet onderdrukken. Max knijpt in mijn knie terwijl hij mevrouw Geitenoog vertelt over de schoonheid van de klippen van Moher. Ze glibbert op haar stoel van opwinding. Links van mij zit een man die Richard heet en die iets te maken heeft met Granada Television. Hij draait zijn langgerekte gezicht naar mij toe en probeert een gesprek aan te knopen.

'En, Viv, heb jij kinderen?'

In zijn snor glinsteren stukjes zalmmousse. Hij ruikt naar pinguïn.

'Nee, want mijn verloofde is ervandoor gegaan met een ander.' Zijn hoofd beweegt met een ruk naar achteren, alsof hij in zijn neus wordt gebeten. 'Ja, hij ging er gewoon met haar vandoor voordat ik tijd had om... je weet wel, om...'

Richard weet zich geen raad. Hij begint tegen het boeket in het midden van de tafel te praten. 'O, juist. Nou, wij hebben er drie. Onze oudste, Josh, is veertien; hij is gek op muziek.'

Ik kijk met een wazige glimlach om me heen. Jane ziet er prachtig en ontspannen uit. Hugo ziet eruit als een blije eikel, maar als ik naar zijn gezicht kijk, naar de scheerwondjes op zijn gezicht, en naar zijn worstenvingers, voel ik gek genoeg medelijden. Rob voert Sam nu een stukje komkommer van zijn bord. Het voelt alsof hij met zijn botermesje mijn hart doorboort. Als ik mijn hoofd beweeg lijkt het alsof ik op zee zit. Ik glimlach naar Richard, die nog steeds aan het praten is, kennelijk tegen een denkbeeldig vriendje.

'En dan komt Ruby, die nu vier is...'

'Heb je het tegen mij? Weet je, het interesseert me geen moer,' zeg ik met een stralend gezicht.

'Pardon?'

'Je kinderen interesseren me geen moer.' Zijn gezicht vertrekt van afschuw en opeens voel ik me een beetje onzeker en duizelig. Dus pak ik een broodje en smeer er boter op. Richard keert mij de rug toe.

Ik neem een hap van mijn broodje terwijl de bordjes van het voorgerecht worden weggehaald en vervangen door borden met rosbief. Bedachtzaam kauwend bestudeer ik mijn bord. Er ligt een plakje vlees dat eruitziet als de leren tong van een schoen, slappe, gelige lentegroente en een pasteitje dat in een plasje drabbige jus drijft. Ik grijp een serveerster bij de arm.

'Ik ben vegetariër.'

Ze kijkt verbaasd. 'O, dat stond niet op de lijst. Hebt u een vegetarische maaltijd besteld?'

'Nee, maar ik wil er wel een.' Ik geef haar het bord met de rosbief en ga weer verder met mijn broodje. Opeens rammel ik van de honger. Ik heb meer dan een week geen brood gegeten. Eigenlijk heb ik meer dan een week vrijwel niets gegeten. Ik pak Richards broodje.

Max begint me te irriteren met zijn Ierse aanstellerij, dus ik onderbreek hem. 'Weet u, hij woont al zestien jaar in Engeland.'

Max slaat zijn arm stevig om mijn schouders en drukt me tegen zich aan. 'Ah, maar je raakt het nooit kwijt.'

Dawn lacht en Max kijkt naar mij.

'En hoe gaat het met jou?' Hij kijkt naar Richards rug. 'Ik zie dat je erin bent geslaagd je bij iedereen geliefd te maken.'

'Laten we nog wat champagne nemen.'

'Weet je het zeker?' Hij houdt zijn hand op. 'Hoeveel vingers?'

'Elf. Haal nog een glas voor me.'

Als iedereen zijn bord bijna leeg heeft, wordt het mijne voor me neergesmeten. Erop ligt een halve rode paprika, gevuld met rijst en bedekt met een paar druppels champignonsoep. Richard kijkt ernaar met een blik vol walging. Ik prik erin met een mes en vraag me af of ik nog terug kan naar de rosbief als de eenzame doedelzakspeler bij de hoofdtafel verschijnt. Hij tikt met een mes tegen een glas en vraagt om 'stilte voor de vader van de bruid'. Janes vader staat op. Het is ongelooflijk hoezeer hij op Hugo lijkt; meer dan Hugo's eigen vader. Ik kijk naar Hugo's moeder. Zou het kunnen dat zij een verhouding heeft gehad met Janes vader? Want als dat zo is, moet ze dat nu opbiechten om te voorkomen dat Jane een huwelijk aangaat met haar halfbroer. Misschien moet ik het er later maar eens met Jane over hebben, uiteindelijk zal ze me dankbaar zijn.

Janes vader spreekt teder over zijn dochter. Ik schenk mijn glas nog eens vol. Er worden dia's getoond van Jane op een fiets, lachend met grote spleten tussen haar tanden, en ondertussen vertelt hij een vermakelijk verhaal over hoe hij haar leerde fietsen. Dan zien we Jane als tiener met felblauwe eyeliner en een beugel. Janes vader vertelt dat hij haar overal naartoe bracht met de auto. Ik vraag me af of mijn vader van me zou hebben gehouden en of hij wist van mijn bestaan. Ik denk aan mijn opa die mij zijn auto liet besturen terwijl hij de pedalen bediende en schakelde. Plotseling verlang ik ernaar opa nog één keer te zien en ik word een beetje huilerig. Ik zie dat Sam tegen Rob aan kruipt. Zijn armen liggen losjes om haar heen en met zijn hand streelt hij haar heup. Ik sluit mijn ogen en neem een paar flinke slokken champagne. Janes vader vertelt ons hoeveel hij van zijn dochter houdt, hoe trots hij op haar is, en hij waarschuwt Hugo dat ze nooit overstag zal gaan in een discussie. Hij vraagt ons te toosten op ware liefde, en we staan allemaal op. Rob en Sam klinken en kijken elkaar in de ogen. Iedereen gaat weer zitten en ik blijf als enige staan, heen en weer wiegend als een boom in de wind. Er daalt een stilte neer over de zaal. Ik hoor iets barsten in mijn hoofd als ik iedereen naar me zie staren. Rob kijkt me recht aan en op zijn gezicht staat schrik te lezen.

'Ik wil graag iets zeggen!' Ik ben verbaasd mijn eigen luide stem te horen. Ik kijk naar Jane, ze ziet er een beetje bezorgd uit. 'Over ware liefde... Want soms besef je pas...' Max grijpt mijn hand, maar ik trek me los. 'Soms besef je pas te laat dat je de ware liefde hebt gevonden en dan... is hij verdwenen.' Ik kijk naar Rob met een uitdrukking die, naar ik hoop, een diepere betekenis uitstraalt, en ik spreek rechtstreeks tot hem. 'Het is nog niet te laat voor ons.' Sam kijkt alsof ze net een potloodventer is tegengekomen. 'Ik mis je heel erg, Rob.' Er valt een afschuwelijke stilte en dan staat Max opeens naast me, zijn glas geheven.

'Een toost op ware liefde! Het is nooit te laat!' Opgelucht springen de gasten overeind terwijl Rob en ik elkaar strak aankijken. Om ons heen klinken stemmen op.

'Ware liefde! Het is nooit te laat!' Hij staart me een paar seconden diepbedroefd aan en schudt dan langzaam zijn hoofd. Ik laat me op mijn stoel zakken.

Het duurt eeuwen voordat het opgewonden gepraat verstomt. Hugo staat uit alle macht tegen zijn glas te tikken, maar niemand luistert. Overal worden halzen gerekt om een glimp van mij op te vangen. Ik zit roerloos voor me uit te staren. Mijn hoofdhuid prikt en ik voel een warme blos opkomen rondom mijn oren.

Max legt zijn arm om me heen. 'Gaat het?'

Ik haal mijn neus op en veeg met de rug van mijn hand langs mijn ogen. 'Nee.' Ik staar naar Sam; ze zit ijverig ja te knikken naar de man naast haar en als ze mijn blik opvangt, trekt ze een grimas. Plotseling sta ik op; de hele zaal hapt naar adem en valt dan stil. Ze leunt naar achteren met iets van geamuseerde verwachting op haar gezicht. In een stilte waarin je een speld kan horen vallen wacht iedereen tot ik iets ga zeggen.

'Ik... ik ga alleen maar naar de wc.'

Als ik wegloop begint het gegiechel en het gesnuif. Ik probeer mijn hoofd opgeheven te houden te midden van gefluisterde opmerkingen als 'Die jurk!' en 'Belachelijk!' Als de deuren van de zaal achter me dichtvallen, loop ik snotterend en wankelend naar de wc's. Het damestoilet is met marmer betegeld en over de hele lengte van een van de muren loopt een felverlichte spiegel. Ik zie mezelf voorbijlopen, als een vreemde, verfomfaaide ballerina, een pop die in de regen is achtergebleven. Ik kijk naar mijn spiegelbeeld: de zwarte ogen hebben een starende blik, de rode mond springt eruit. Ik breng mijn handen naar mijn haar, trek de puntjes glad en probeer de door de helm platgedrukte bovenkant wat luchtiger te maken. Ik leun met mijn ellebogen op het plankje onder de spiegel en laat mijn voorhoofd op mijn handpalmen rusten. Opeens ben ik volkomen uitgeput. Ik probeer wat met mijn stem te spelen.

'O god. O gooooood.' Het voelt goed dus ik probeer: 'O nee, o neeeee.'

De deur gaat open. Ik til snel mijn hoofd op en doe alsof ik make-up aanbreng. Het is Sam! Ik zie haar in de spiegel terwijl ik nog meer rode lippenstift opdoe.

'Was jij degene die ik net hoorde huilen?' vraagt ze zogenaamd meelevend.

'Nee.'

'O, ik dacht dat ik iemand huilend "o nee" hoorde zeggen, of zoiets.'

'Ik niet,' zeg ik opgewekt.

Ze gaat niet naar de wc; in plaats daarvan gaat ze naast me bij de spiegel staan en doet ze een beetje lipgloss op. Onze gezichten zijn zo verschillend – het hare is honingkleurig en heeft een natuurlijke uitstraling, ik ben doodsbleek en dik opgemaakt, en naast haar ziet mijn hoofd er merkwaardig groot uit. Ik probeer niet te kijken. Ze wast haar handen.

'Dit is altijd lastig, vind je niet? Ik bedoel, je hebt zeep nodig om je handen te wassen, maar het mag niet in de zetting komen,' zegt ze, terwijl ze naar haar volmaakt gebronsde hand staart. Er fonkelt daar iets en ik draai mijn hoofd een stukje om het beter te kunnen zien. Ze spreidt haar vingers een beetje. Ze draagt een glimmende verlovingsring – platina, met een enkele roze diamant. Ik kijk van de ring naar haar gezicht en ze glimlacht. 'Dus... ik geloof dat het toch een beetje te laat is voor jou en Rob, schat.'

Mijn maag trekt samen en zet dan pijnlijk uit. 'Zijn jullie verloofd?' vraag ik schor. Ze spert haar mooie ogen open en knikt. 'Gaan jullie trouwen, jij en Rob?' Het voelt alsof ik een emmer ijswater over me heen krijg. Ik sta als versteend, lippenstift in de hand, mond open van afschuw.

'Ik ben bang van wel.' Ze kijkt in de spiegel, trekt het elastiekje uit haar paardenstaart en zwiept haar zijdeachtige kastanjebruine haar naar één kant, alsof ze in een shampooreclame zit. 'Ik weet wat je denkt. Iedereen zegt dat het wel erg snel is, maar hij bleef maar aandringen, dus we stappen volgende maand in Bali in het huwelijksbootje.' Ze spuit wat parfum achter haar oor en draait zich om, met haar hoofd schuin. 'Dus ik denk dat het voor jou tijd is om hem te vergeten en door te gaan met je leven... dat heeft hij tenslotte ook gedaan.' Ze loopt parmantig naar de deur, draait zich om en zwaait even. 'Ciao!'

Ik staar haar na met openhangende mond. Het bloed in mijn aderen is ijskoud; ik kan het niet bevatten. Rob gaat trouwen? Nog geen twee maanden geleden was hij verloofd met mij. Binnen twee maanden trouwt hij met haar, terwijl hij het met mij na vijf jaar nog niet kon? Hoe kan hij me dat aandoen? Is het niet genoeg dat hij mijn hart heeft gebroken, moet hij het ook nog vermorzelen en erbovenop schijten? Jezus! Ik loop hoofdschuddend te ijsberen, waarbij mijn stilettohakken putjes achterlaten in het beige tapijt, en probeer het allemaal te bevatten. Het kan niet waar zijn, zoiets zou hij nooit doen... Maar die ring! Dit mag ik niet laten gebeuren, ze mág mijn toekomstige echtgenoot niet van me afpakken. Mijn hoofd tolt en ik moet even gaan zitten, maar zelfs als ik zit blijft de duizeligheid. Ik hoor iemand mijn naam roepen, maar het gekke is dat ik het ene moment scherp zie en het volgende moment wazig. Ik knijp mijn ogen tot spleetjes en zie Max voor me staan.

'Aha, dus hier hangen de hippe mensen uit!' Hij laat zich zakken tegen de spiegel en gaat naast me zitten. Hij glimlacht. 'Hoe gaat het?'

Door mijn oogharen kijk ik hem aan. 'Dit is het damestoilet. Wat doe je hier?'

'Gewoon, vrouwen oppikken.'

'O.' Ik grijns maar denk opeens weer aan die trut. 'Ze zijn verloofd. Ze heeft verdomme een ring.'

Hij kijkt naar het tapijt en klopt op mijn been. 'Zal ik een taxi voor ons bellen?'

'Verloofd.' Ik schud mijn hoofd en de ruimte begint te tollen. 'Ze is verloofd met Rob!'

'Ach, dat is alleen maar om over jou heen te komen.' Hij pakt mijn hand en knijpt er even in. 'Dat is zo voorbij. Heb je die kont gezien?'

'Max! Ze heeft ongeveer maat 36.'

'Ja, ze heeft inderdaad nauwelijks tieten.'

Hij kijkt me grijnzend aan en ondanks mezelf barst ik in lachen uit. We zitten op de vloer van de wc te giechelen terwijl de ruimte om me heen nog steeds lijkt te draaien. Moeizaam kom ik overeind en wankelend strek ik mijn hand naar hem uit.

'We nemen er nog een!' Hij glimlacht en plotseling vind ik hem heel knap.

Ik hoop ongezien naar de bar te sluipen, maar als we uit de wc komen belanden we in een kolkende massa uitgelaten vrouwen. Jane staat op de trap en houdt haar boeket omhoog. Het beschaafde geroezemoes en de zachte lachjes van het diner zijn vervangen door iets sinisters; de vrouwen gillen en kraaien terwijl Jane wild met het boeket staat te zwaaien. Een paar mannen drentelen nerveus om de groep heen. De fotograaf manoeuvreert klikkend met zijn camera tussen de vrouwen door.

'Zijn jullie klaar?' schreeuwt Jane.

'Ja!' joelt de meute, en ze proberen zich allemaal naar voren te werken. Ik leun op Max terwijl we ons een weg erdoorheen proberen te banen – en dan zie ik Sam, helemaal achteraan, haar lange, slanke armen in de lucht als een beachvolleybalmeisje. Rob staat lachend achter haar tegen de muur geleund. Er knapt iets in mij. Iets wat tot op de laatste draad versleten is breekt eindelijk. Ik maak me los van Max en begin te rennen. Als ik dat boeket vang zal Rob eindelijk inzien dat ik degene ben met wie hij moet trouwen. Ik moet voorkomen dat zij het in handen krijgt. Zij mag het niet vangen – niet zolang ik leef. Als zij het vangt is alles verloren. Met een schrille kreet gooit Jane het boeket en het zweeft hoog boven de kapsels en de uitgestrekte gemanicuurde vingers, krijgt steeds meer vaart, maakt een sierlijke boog en daalt dan bijna in een rechte lijn naar de plaats waar Sam staat. Ik spring naar voren, span al mijn pezen. Ze is in diepe concentratie en merkt me niet op. Haar vingers raken net de stelen als ik het boeket met mijn handen omklem en boven op haar neerkom. Ze gilt en we vallen op de grond. Ik voel een scherpe pijn in mijn neus als haar benige elleboog op mijn gezicht landt. Er is een korte worsteling als ze probeert de bloemen uit mijn handen te grissen, maar ik krabbel overeind en zwaai al springend met het boeket.

'Ik heb hem! Ik heb hem!' Ik ren een mini-ererondje voor Rob en voel een kriebel in mijn buik als hij grijnst. Ik houd het boeket vast alsof ik de bruid ben en loop met rechte rug naar hem toe.

'Dat deed ik voor jou, weet je,' zeg ik met mijn meest sexy glimlach.

'Wauw, Viv! Heel atletisch.' Hij lacht en geeft me een zakdoek. 'Hier, je druppelt op je trofee.'

Ik kijk naar beneden. Grote rode druppels vallen op de tere witte roosjes. Als ik mijn gezicht aanraak, voel ik dat het bloed uit mijn neus gutst. Ik houd mijn hoofd achterover en knijp in mijn neusbrug met mijn duim en wijsvinger. 'O god, ik heb een bloedneus!' Ik draai me om. De gillende vrouwen zijn stil en staren me verbijsterd aan. 'Eh, hallo! Ik heb een bloedneus.

Kan iemand wat ijs voor me halen?' Ik draai me weer om naar Rob, maar die is Sam aan het knuffelen. Hij lacht en streelt haar. 'Hé, jij daar! Je hebt mijn neus gebroken!' Ze kijkt even over haar schouder, en dan voert Rob haar mee, zijn arm beschermend om haar heen geslagen. Max stapt de lege cirkel in die om mij heen is ontstaan en geeft me een servet.

'Nou, dat ging helemaal volgens plan,' zegt hij zachtjes, en hij begeleidt me naar de deur.

7

Soundtrack voor gebroken harten

1. Verdriet

Goodbye My Lover – James Blunt*
Nothing Compares 2U – Sinead O'Connor
I Can't Make You Love Me – Bonnie Raitt
Ex-Factor – Lauryn Hill
All Out of Love – Air Supply
* Waarschuwing: extreem droevige tekst

2. Wraak

See Ya – Atomic Kitten
I Never Loved You Anyway – The Corrs
Survivor – Destiny's Child
I Will Survive – Gloria Gaynor*
Go Your Own Way – Fleetwood Mac
* Ondersteund door veel rode wijn en een paar
standaarddanspasjes

3. Genezing

Sail On – The Commodores
I Can See Clearly Now – Johnny Nash
1000 Times Goodbye – MegaDeth*
Believe – Cher
Goody Goody – Benny Goodman
* Te vermijden zolang je nog enige wraakgevoelens koestert

Eerst priemt er fel licht mijn ogen, dan klinkt het geluid van een boor. Mijn tong is enorm. Het is snikheet. Als ik probeer te bewegen trekt er een pijnscheut door mijn lichaam. Mijn uitgedroogde brein zoekt wanhopig naar verklaringen. Ik ben uit een treinwrak gehaald; ik ben in elkaar geslagen en voor dood achtergelaten in de woestijn. Ik word me bewust van iets zwaars naast me en voel de warmte van een levend wezen. Als ik mijn hoofd draai om te kijken, verschuift er iets zwaars in mijn schedel. Ik knijp mijn ogen tot spleetjes tegen het licht en ontwaar de contouren van Dave, de kat van Max, naast me in bed. Herinneringen beginnen op hun plek te schuiven, als kaarten die worden uitgedeeld; pijnlijke flashbacks in kleur.

Ik laat mijn hand onder de lakens glijden. Ik heb mijn onderbroek nog aan, en ook een t-shirt van Arsenal. Ik duw mezelf omhoog op één elleboog, mijn hoofd bonkt als een razende. Ik kijk naar Dave. Hij doet me denken aan een sfinx, met de voorpoten onder zich gevouwen. Hij knippert met zijn ogen en het doordringende gespin wordt nog luider. Erwtgroene gordijnen werpen een ziekelijke gloed over de slaapkamer van Max. Nog nooit van mijn leven heb ik zo'n dorst gehad. Naast het bed zie ik een emmer, zakdoekjes, een groot glas sinaasappellimonade en een doosje paracetamol. Ik pak het glas en drink het half leeg. Mijn handen trillen als ik twee pillen uit het folie druk en ze wegslik met de rest van de limonade. Dan ga ik weer liggen en sluit mijn ogen. Dave kneedt de lakens met zijn klauwen; ik geef hem een duw en dat ziet hij als een uitnodiging om zich op te krullen op mijn borst en met zijn plumeau-achtige staart langs mijn neus te zwaaien.

'Rot op, Dave!' Ik duw hem van het bed. Hij klampt zich vast en spartelt wanhopig voordat hij op het grijze tapijt ploft. De kattenharen veroorzaken een niesbui en er belanden bloedkorsten in mijn hand. Alle botten in mijn schedel doen pijn, en ook mijn tanden. Jezus, ik ben echt ziek. Ik ga weer liggen en probeer de pijn en mijn gedachten te onderdrukken, maar ik heb het al gezien, er is geen ontkomen meer aan: de jurk van

1000 pond ligt verkreukeld over een oude leunstoel, bloedspatten op het lijfje, zwarte vegen op de rok, de zoom verschroeid. Op de grond ligt Janes vertrapte, met bloed bevlekte bruidsboeket. Het geheel is net een kostuum uit de film *Brides of Dracula*. De realiteit slaat me hard in het gezicht. Boem! Ik herinner me Robs oogverblindende nieuwe vriendin. Boem! Ik ben opgestaan en heb een speech gehouden. Boem! Boem! Het boeket! Dan een enorme dreun tegen mijn hoofd, waardoor mijn hersenen als een flipperkast beginnen te knipperen... HIJ GAAT TROUWEN! Mijn hart verkrampt.

Ik voel me nietig, wanhopig, verslagen. Ik staar naar een oud spinnenweb dat aan de papieren lampenkap hangt en zoek naar een flintertje decorum, misschien één moment waarop ik mezelf niet volledig voor schut heb gezet, maar... ik vind niets. Ik hoor een wc doorspoelen. Max klopt op de deur en verschijnt dan in de deuropening, gekleed in een spijkerbroek en een vaal T-shirt. Als een stervende draai ik mijn hoofd naar hem toe. Hij glimlacht en gaat op het bed zitten.

'Morgen.'

'Help me,' fluister ik.

'Is het zo erg?'

'Dit zou je een dier nog niet aandoen.'

Hij veegt mijn haar van mijn voorhoofd. Zijn hand voelt koel. 'Wil je iets eten?'

'Bah, nee.' Mijn ogen worden vochtig. Ik kijk naar mijn handen.

'Een droog toastje of zo?'

Langzaam schud ik mijn hoofd. 'De jurk is geruïneerd.' We kijken ernaar.

'Nou, hij zal nog goed van pas komen voor Halloweenfeestjes.'

'En hij gaat trouwen.' Er valt een traan.

'Ja.' Hij gaat naast me liggen, legt mijn hoofd op zijn schouder en zo blijven we een paar lange minuten liggen. Ik ruik waspoeder met dennengeur. De gordijnen bewegen in de tochtstroom die door de kieren van het raam komt. Op straat keft een hond.

'Heb jij me uitgekleed?' vraag ik plotseling.

'Ja... je was in coma.'

'Je hebt mijn beha afgedaan.'

'Ja Viv, ik heb je beha afgedaan.'

'Maar je hebt mijn onderbroek aan gelaten.'

'Nou, die heb ik je weer aangetrokken nadat ik je heb misbruikt.'

'O. Fijn.'

'Wat denk je dat ik heb gedaan? Ik heb je in bed gestopt,' zegt hij lachend.

'Dank je wel.'

'Niets te danken.'

'Ik bedoel, dank je wel voor alles... dat je gisteren op me hebt gepast.'

'Ach, dat stelde niets voor.'

'Ik heb mezelf volledig voor schut gezet,' kreun ik.

'Nee...' Hij denkt even na. 'Oké, ja, maar op een goede manier.'

Ik luister naar Max' sterke hart dat bonst als een vuist op een deur. De papieren lampenkap draait een kwartslag met de klok mee en weer terug. Ik ben verlamd en mijn hulpeloosheid maakt me doodsbang. Ik weet altijd wat ik moet doen – zo zit ik in elkaar. Ik kom in actie. Maar nu ben ik leeg en afhankelijk van iemand anders, van Max.

Ik kijk naar zijn gezicht – ogen gesloten, mond een beetje open, zachtjes snurkend. 'Max!'

Hij schrikt wakker. 'Wat?'

'Laat me niet in de steek.'

'O... nooit.' Hij klopt iets te hard op mijn hoofd.

'Ik bedoel nu. Ik ben kapot... en echt heel erg ziek.' Hij duwt zich op en kijkt fronsend op me neer.

'Luister goed, die vent met zijn neplach is jou niet waard.' Ik wil hem onderbreken, maar hij legt een vinger op mijn mond. 'Welke ongelooflijk gênante dingen je ook hebt gedaan – en laten we eerlijk zijn, dat waren er nogal wat –, in één bil heb je nog steeds meer stijl dan al die andere vrouwen bij elkaar. Zeg het maar.'

'Zeg wat maar?'

'Die vent met zijn neplach is mij niet waard en ik heb in één bil meer stijl dan al die andere vrouwen bij elkaar.'

'Dat ga ik niet zeggen.' Maar ik doe het toch.

'Je bent alleen maar ziek doordat we ons klem hebben gezopen. We gaan gewoon uitgebreid dineren en onze kater wegdrinken in de Eagle.' Mijn maag draait zich om en de sinaasappellimonade komt omhoog. Max gaat weer liggen en tilt mijn hoofd op om het op zijn borst te leggen.

'Het doet nog steeds zoveel pijn. Ik kan niet zomaar zeggen: "Hij is me niet waard." Ik kan het wel denken met mijn hoofd, maar mijn hart... mijn hart bloedt. Welke oplossing heb je daarvoor?'

'Zelfmoord.' Ik draai mijn rug naar hem toe en krul me op als een klein kind. Hij slaat zijn armen om me heen en zegt dicht bij mijn oor: 'Wat ik heb geleerd over gebroken harten – en daar heb ik heel wat ervaring mee...'

'Wie heeft je hart dan gebroken?'

'O, een heleboel vrouwen. De laatste was een meisje in dat café bij het metrostation Ladbroke Grove.'

'Wat gebeurde er dan?'

'Ik zag haar met haar vriend.'

'Je kent haar niet eens,' snuif ik.

'Toch doet het pijn. Je moet je hart vóéden, met muziek en poëzie en kunst.'

'O, daar gaan we weer.'

'Vooral country. Vergeleken bij het leed in die liedjes valt je eigen situatie heel erg mee. Bijvoorbeeld: "Als je me verlaat, loop dan achteruit naar buiten, dan denk ik dat je naar binnen loopt."'

'Volgens mij is dat niet eens een liedje.'

'Jawel hoor. "Van jou houden maakt het zo gemakkelijk om

je te verlaten." Die is goed. "Waarom maak je het zo moeilijk om van je te hou-ou-ouden?"' zingt hij zachtjes.

'Zei je nou dat zelfmoord het enige alternatief is?'

'Nou, het helpt als je bedenkt dat anderen ook hebben geleden. Je staat niet alleen.'

'Heb je wel eens overwogen een carrière te beginnen in het verzinnen van teksten voor wenskaarten?'

'Wat ben je toch een sarcastisch secreet. Moet ik je soms prikkeldraad geven?'

Ik glimlach. Dan denk ik weer aan Rob. Iedere keer dat de gedachte aan hem weer in mijn hoofd opduikt som ik de feiten op, om mezelf ervan te overtuigen dat het niet waar is. Ik kan het gewoon niet accepteren. Die man is van mij. Zijn onderbroeken, zijn kussenslopen zijn stuk voor stuk door mij gekocht. Ik besef dat het een vergissing moet zijn en mijn hart komt tot bedaren. Dan zie ik weer de ring aan Sams elegante vinger voor me. Hij gaat wél trouwen – het is waar en het gaat niet zomaar weg. Max windt een lok van mijn haar om zijn vinger. Ik ga zo liggen dat zijn buik als hoofdkussen dient en kijk naar hem omhoog.

'Hij gaat trouwen op Bali.'

'Eikel.'

'Hij kan niet eens goed tegen de hitte. Toen we op Sicilië waren, ging hij niet één keer mee op een boottochtje omdat hij tussen twaalf en drie moest rusten.'

'En nog een watje ook.'

'Hij is namelijk bang voor huidkanker – zelfs als hij zich insmeert. Hij heeft een heel gevoelige huid...'

Max kijkt me indringend aan.

'Mag ik je portret schilderen.'

Zolang ik Max ken wil hij mijn portret schilderen, maar ik heb steeds geweigerd. Ik had altijd het gevoel dat het alles zou verpesten, dat het gênant zou zijn. Maar nu ik hier lig, volkomen leeg, rijzend en dalend op zijn ademhaling, wil ik ontsnappen aan mezelf en opgaan in zijn wereld – bovendien heb ik niets te verliezen.

'Vooruit dan maar.'

Hij schiet overeind. 'Echt waar?'

'Welja.'

'Wauw! Geweldig... Nu?'

'Oké.'

Hij springt op en rent de kamer uit alsof er brand is. Dan komt hij terug. 'Gaat het? Wil je iets?'

'Thee. Een emmer zoete thee.'

Even later loop ik ook de kamer uit, waarbij ik bewust niet kijk naar wat er over is van mijn jurk en ook de spiegel angstvallig vermijd. Ik loop door het kleine gangetje naar zijn atelier. Er staat een grijze fluwelen leunstoel voor het raam. Ik hoor het getingel van een lepeltje in een theemok. Een maagdelijk doek staat op een ezel te wachten. Tubes acrylverf liggen op een rijtje naast een pot met penselen en verscheurde lappen die de schone geur van terpentine afgeven. De kamer is aangenaam warm en het licht van de ochtendzon vangt dwarrelende stofjes. In een hoek liggen een stapel kunstvoorwerpen en een verzameling rommel, en er staat een fiets tegen de muur met een paar recente werken ernaast. Ik loop ernaartoe en bestudeer een prachtig donkerharig naakt. Ze ligt op een saliegroene bank, een van haar ivoorkleurige benen gebogen en het andere loom uitgestrekt. Haar slanke armen vormen een ruit achter haar hoofd. De knopjes op haar kleine borsten hebben dezelfde tint roze als haar hartvormige mond. Donkergroene ogen staren lui voor zich uit. Ze is brutaal, erotisch en adembenemend. Ik staar naar haar ogen; die stralen zoveel kracht uit. Ze geeft me een gevoel van schaamte omdat ik zo naar haar sta te kijken. Max komt binnen en blijft even achter me staan. Ik voel zijn adem in mijn nek en stap opzij. Hij reikt me de thee aan en ik neem een slokje terwijl we allebei naar het schilderij kijken.

'Wie is dat?'

'Dat is Lula.'

'Je hebt het nooit over Lula gehad. Er was een Mary-Jane en een Stephanie... En dan die afschuwelijke Patti.'

'Stinkende Pat?'

'Ja, Stinkende Pat, maar geen Lula.'

Hij haalt glimlachend zijn schouders op. 'Ze is gewoon een model dat een keer voor me heeft geposeerd.'

'Ze is heel mooi. Weet je wel zeker dat je mij wilt schilderen, met mijn kater en jouw Arsenal-T-shirt?'

'Je bent prachtig. En je mag het T-shirt uittrekken als je wilt.'

'Nee, dank je.'

'Nou, ga dan maar zitten.' Hij gebaart naar de grijze leunstoel.

Het fluweel is warm tegen de blote huid van mijn benen. Hij kijkt een tijdje naar mijn gezicht.

'Zit je lekker?' vraagt hij. Ik knik.

Hij heeft een ernstige blik als hij schildert; zijn ogen lijken donkerder. Hij ziet me als een object en onderzoekt tot in detail de vorm van de stoel en mijn lichaam, alsof hij er voor het eerst naar kijkt. Als zijn ogen van mij naar het doek flitsen, vangt het zonlicht de uiteinden van zijn donkere wimpers, en zijn bakkebaarden.

'Weet je dat je iets rossigs hebt?' Hij antwoordt niet. 'Dat komt zeker doordat je een Keltische immigrant bent?'

'Hmm-hmm.'

Hij geeft geen sjoege. De warme zon, de geur van verf en het zachte gekras van het penseel werken hypnotiserend. Ik houd de mok met thee tussen mijn handen en sla hem gade terwijl hij aan het werk is. Het voelt alsof ik hem al een eeuwigheid ken. Hij werd uit onze studentenflat gezet omdat hij bier had gebrouwen in de kledingkast, en we leerden elkaar kennen toen hij de Vereniging van Poëziebewonderaars oprichtte en ik zes weken lang het enige lid was. We hielden bijeenkomsten waarop we goedkope cider dronken en gedichten reciteerden. Ooit kende ik 'Ode aan de herfst' van Keats uit het hoofd, maar nu kan ik me alleen nog een van de idiote limericks van Max herinneren. Ik zeg hem op: 'Er was eens een knaap in Tikrit, die speelde graag met dynamiet. Ze vonden zijn lid in het hart van Madrid, en zijn ballen in het Ruhrgebied.'

'Ah, de poëzievereniging. Wat waren we toch intellectueel.' Hij glimlacht.

In het semester dat volgde sloot zich een serieuze eerstejaars bij ons aan: mooi, met bril, en geplaagd door puistjes die zich nestelden aan de rand van haar neusvleugels. Dat weerhield Max er niet van om haar te verleiden en mij te vertellen dat ze in bed huilde als een wolf.

'Herinner je je dat meisje nog dat er later bij kwam? Hoe heette ze ook alweer?'

'Geen idee.'

'Je hebt met haar geneukt! Die wolvin?'

'O ja. Jane.' Hij knijpt zijn ogen toe bij de herinnering. 'Janet.'

Hij fronst, spuit verf op het doek en reageert niet. Het is eigenlijk ongelooflijk dat hij en ik altijd alleen maar vrienden zijn geweest. Ik bedoel, ik ben dol op hem. In veel opzichten is hij mijn beste vriend en ik zie dat hij aantrekkelijk is – hij is lang en ziet er niet slecht uit –, maar ik ken hem gewoon te goed. En hij is vies. Hij gelooft niet in uiterste houdbaarheid en hij had een keer kattenvlooien zonder dat hij het wist. Zijn idee van gastronomisch eten is dure mosterd op een kant-en-klaarmaaltijd. Hij vindt mode een schending van de mensenrechten. Bovendien heeft hij me te veel verteld over alle meisjes met wie hij het heeft gedaan en wat hij precies met ze heeft gedaan. Ik weet dat een van zijn exen hem nog steeds naaktfoto's van zichzelf stuurt en ik weet dat hij ze bewaart. En dan is hij ook nog Kunstenaar en altijd blut. Ik kijk hoe hij de verf over het doek verspreidt. Hij legt het mes neer, steekt een sigaret op en kijkt me aan.

'Vind je het erg als ik rook?'

'Nee, niet echt, zolang je maar weet dat je kans om kanker te krijgen bij ieder trekje vijftig procent groter wordt en dat je mij ook de dood injaagt.'

'Dat is precies wat ik wil, schat. Ik wil niet eeuwig leven.' Hij knipoogt en lacht naar me. De rook krult op uit zijn mond en neemt de vorm van een vraagteken aan. Ik kijk naar het rood van zijn onderlip en beeld me plotseling in dat ik hem zoen. Ik ga verzitten in mijn stoel.

'Zijn we bijna klaar? Mijn nek doet pijn.'

Hij gooit de penselen in een pot en legt de sigaret op een verfdeksel.

'Yep, klaar. Ik denk dat ik de essentie te pakken heb.' Hij strekt beide armen boven zijn hoofd uit en trekt zijn rug krom. Zijn T-shirt komt omhoog en ik zie een streepje donker haar dat in zijn spijkerbroek verdwijnt.

'Mag ik het zien?'

'Nee, het is nog niet af.' Hij pakt het doek van de ezel en loopt ermee de kamer uit. Ik blijf achter in mijn stoel. 'Kom, ik geef je wat kleren. Laten we naar de pub gaan.'

8

Sta open voor advies

7 juli, 06:11
Van: Lucy Bond
Aan: Vivienne Summers
Onderwerp: Re: Vraag het aan Lucy

Hé V,
Weet je nog dat we het erover hadden dat ik de Lieve Lita van
de website zou kunnen worden? Nou, hier is een klein
voorbeeld van mijn expertise!

Beste Lucy,

Kortgeleden ontdekte ik dat mijn vriend seksueel getinte
sms'jes naar zijn collega stuurde. Toen ik hem daarmee
confronteerde, zei hij dat hij maar wat 'aan het dollen was'.
Later kwam ik erachter dat de ontvanger een veertigjarige
man is die Nigel heet. Ik heb hem gebeld en hij leek heel aardig
en grappig.
Volgend jaar zouden mijn vriend en ik gaan trouwen, maar nu
ben ik in de war. Wat moet ik doen?
M x

Beste M,
Triootje?
Lucy

Het is maandagochtend, en het is mistig en grijs met wat motregen. Ik ben ziek aan het worden. Mijn keel kriebelt, mijn ogen doen pijn en ik voel druk in mijn neusholten. In mijn blauwfluwelen badjas neem ik mijn e-mail door; geen ervan is van Rob. Ik stuur een kort berichtje naar Lucy: *Lucy, goed advies aan deze arme vrouw die zo in de war is. Een triootje: het antwoord op al je problemen. Viv.*

Ik moet me klaarmaken om naar mijn werk te gaan, dus ik sjok naar de badkamer en zet de douche aan. Voor de spiegel trek ik mijn onderste ooglid naar beneden – duidelijk bloedarmoede, alle kleur is verdwenen. Dat is eigenlijk heel zorgwekkend – hoe komt het dat ik niet dood ben? Ik stap de douche in, ga onder de prikkende waternaalden staan en spuit wat vruchtenshampoo op mijn hoofd. Daar zou je seksueel opgewonden van moeten raken; ik voel me alleen maar ziek. Ik stap uit de cabine, sla een enorme roze badhanddoek om me heen en ga moeizaam op de wc zitten, met mijn voorhoofd steunend op mijn handpalmen. Waarom voel ik me zo klote? Max en ik hebben gisteren in de pub ieder een halve fles rode wijn gedronken, maar toen ik rond een uur of tien thuiskwam was ik nuchter, en ik ben meteen naar bed gegaan. Ik wikkel een handdoek om mijn haar en ga naar de keuken om de ketel op het vuur te zetten. Terwijl ik me afvraag wat ik aan moet doen, hoor ik de ping van een nieuwe e-mail: *Ik weet het... ik ben de koningin aller Lieve Lita's, x.*

Ik zet thee en probeer me aan te kleden, maar ik raak al uitgeput als ik mijn broek probeer aan te trekken. Het is kwart over acht, dus ik red het nooit op tijd. Ik ga liggen met mijn mobieltje in de hand en besluit met een enorme golf van opluchting dat ik niet naar mijn werk kan.

Er is een sms'je van Max, verstuurd om middernacht. *Je bent prachtig, echt waar.* Zie je, daarom is Max een van mijn beste vrienden: hij weet precies wat ik wil horen, en wanneer. Maar als ik naar mijn werk bel is mijn glimlach snel verdwenen.

Tot mijn verbazing neemt Christie op.

'Barnes & Worth geschenken, afdeling inkoop, u spreekt met Christie. Hoe kan ik u helpen?'

'Hoi Christie, met Viv. Wat ben je vroeg?'

'Ah, dank je wel dat je dat opmerkt, Viv. Ik maak een nieuwe start!' Dus ze komt niet meer om tien uur aankakken en ontbijt niet meer aan haar bureau? 'Ja, ik vond dat het tijd werd om me op mijn carrière te concentreren!' Ze giechelt even, want dit is duidelijk een grap.

'Mooi. Goed van je. Luister, ik...'

'Ja, na die mondelinge waarschuwing en zo. Weet je, om eerlijk te zijn dacht ik: bekijk het maar, ik ga weg! Maar in het weekend heb ik er nog eens over nagedacht en toen zei ik tegen mezelf: "Christie, je moet je schouders eronder zetten. Je mag niet opgeven."'

'Oké. Heel goed, Christie. Luister, wil je iedereen laten weten dat ik vandaag niet kom? Ik ben heel erg verkouden en heb werk dat ik thuis kan doen. Ik ben mobiel bereikbaar als iemand me nodig heeft.'

'O, dat klinkt heel goed.'

'Wat klinkt heel goed?'

'Die krakerige stem die je opzet! Ik ben het maar, Viv, je hoeft niet te doen alsof je ziek bent.'

'Maar ik ben echt ziek!'

'Natuurlijk ben je dat.'

'Om precies te zijn heb ik bloedarmoede en een beginnende amandelontsteking.'

Weer die tinkelende giechel. 'O, oké Viv. Ik zal hun vertellen dat je er vandaag niet bent.'

'Mooi. En naast mijn bureau ligt een hele stapel die gearchiveerd moet worden. Kun je dat vandaag doen?'

'O... ja.'

'En kun je de veiligheidsrapporten voor die paraplu's, de Afrikaanse rijgkralen en het manicuresetje uitwerken?'

'Allemaal?'

'Nou ja, je bent toch vroeg.'

'Oké.'

'Dat is het voorlopig. Ik bel je als er nog iets is.'

'Oké. Ik hoop dat je je snel beter voelt, Viv.'

'Dag, Christie.' Ik verbreek de verbinding met het brutale nest.

Ik laat me achterover op de kussens zakken en zet mijn zwarte oogmasker op. Het helpt vast als ik nog een paar uur kan slapen. Maar hoewel ik me probeer te concentreren op het vertragen van mijn ademhaling, blijven mijn gedachten me kwellen. Het licht is te fel en het is te druk in mijn hoofd. Ik sta op, kleed me aan en haast me naar het station zodat ik de trein naar Kent nog kan halen.

De wandeling over de brede trottoirs van deze groene buitenwijk is een reis terug in de tijd. Als ik de hoek om loop naar Nana's huis, voel ik me weer kind. Het huis staat aan het einde van een doodlopende straat en neemt de hele breedte in beslag, als een dikke man aan het hoofd van een tafel – bleek, verlopen en uitnodigend. Ik loop een man voorbij die een klein meisje op een nieuwe fiets voortduwt. Ze kijken even naar me. Ik herinner me dat opa meer dan vijfentwintig jaar geleden precies op deze plek het zadel van mijn wiebelige fietsje vasthield. Ik loop over het knerpende grind van de oprit naar het huis, druk op de bel, kijk door het matglas en bel nog een keer aan. Ik geloof dat ik het niet zou kunnen verdragen als ze er niet is, maar ik heb er niet aan gedacht om eerst even te bellen. Ik wacht in de verzengende hitte en mijn katoenen jurk begint aan mijn huid te plakken. Misschien is ze in de tuin. Ik stap over de gevallen appels heen naar het zijhek, maar ze is nergens te bekennen. Ik bel nog een keer, er inmiddels half van overtuigd dat ze er niet is. Ik houd een paar seconden aan. Er beweegt iets en dan zie ik haar profiel in de gang. Ze komt naar de deur

Terwijl ze aan het slot wriemelt roept ze: 'Wacht even, wacht even...' Eindelijk gaat de deur open. 'O, Viv! Hallo.' Ze trekt me naar zich toe. Ik voel de uitstekende botten van haar schouders als we elkaar omhelzen. Ze neemt mijn gezicht in haar handen en ik ruik de bloemige geur van haar handcrème. 'Wat een verrassing! We hadden je gisteren verwacht.' Raar dat ze steeds maar 'wij' zegt; opa is al twee jaar dood. Op de ochtend dat hij stierf had ze hem een kop thee gebracht en een half-uur tegen hem aan gekletst, voordat ze doorhad dat hij er niet meer was.

'Ik weet het, sorry.' Ze glimlacht en wacht op een verklaring, maar die is er niet, behalve dat ik een slecht mens ben. Ik veeg mijn handen af aan mijn jurk. We staan op het tapijt van de gang, die gevuld is met foto's, schilderijen, herinneringen en spoken, en er gaan een paar tellen voorbij.

'Nou ja, je bent er nu. Wat heerlijk.' Ze bestudeert mijn gezicht, legt haar handen op mijn schouders en trekt me nog een keer naar zich toe. Als ze me weer loslaat zegt ze: 'Kom binnen, kom binnen! Ik vind het altijd zo fijn als je weer thuis bent.'

Ik volg haar de trap af naar de keuken en merk op dat ze bij iedere stap de leuning stevig vastgrijpt, de pezen in haar handen tekenen zich af als de gebroken baleinen van een paraplu.

'Je wilt vast wel een kopje koffie!' Die gewoonte van haar om haar gedachten uit te schreeuwen, alsof ze niet goed bij haar hoofd is, vond ik altijd zo gênant. Soms stond ze abrupt stil als we gehaast ergens naartoe op weg waren, en dan riep ze: 'O! Wat mooi!' omdat ze een spinnenweb had gezien, of: 'Laten we een stuk taart gaan eten!' terwijl ik geconcentreerd aan het studeren was voor een overhoring. Ik denk terug aan hoe erg ik het vond om van school te worden opgehaald door een oude vrouw. Ik wilde net zo'n moeder als mijn vriendinnen, eentje die make-up en laarzen met hoge hakken droeg. Iedere dag stond ze gedecideerd op het schoolplein te wachten, in haar kaftan, ook al had ik haar gevraagd om in de auto te blijven zitten, en iedere dag probeerde ik haar te negeren.

In de keuken hangt permanent een Kerstmisachtige, gistige geur. Gedroogde planten hangen aan het plafond boven een rand van tegels met rode appels erop. Ik schuif op het bankje bij de enorme eikenhouten tafel en kijk naar de tuin. De zon breekt af en toe tussen de wolken door en beschijnt dan de potten met geraniums op de patio. Zachtjes fluitend schept Nana koffie in het apparaat, dat een antieke wirwar van buizen is. Kloppend en sissend warmt het apparaat zich op en uiteindelijk produceert het volmaakte cappuccino's. Ze gaat tegenover me zitten, vouwt de plooien van haar blauwe, linnen jurk als de randen van een envelop om haar benen, en drinkt tevreden van haar koffie. Op haar bovenlip blijft wat wit schuim achter.

'O, Viv, de tuin was zo mooi. Echt waar, die rozen gingen maar door!'

Ik zet mijn kopje neer. 'Die waren altijd zo mooi.'

'Maar dit jaar waren ze... uitzonderlijk mooi.' Haar gezicht straalt. 'En die geur!' Ik kijk naar de rand van de tuin. Het gras is sprieterig geworden en overal liggen bladeren.

'Voel je je hier niet eenzaam?'

'O jee, je gaat toch niet vragen of het niet eens tijd wordt om naar een tehuis te gaan, hè?'

'Natuurlijk niet! Ik vroeg me alleen af... Had je gedacht dat de dingen zo zouden lopen?'

Ze glimlacht en houdt haar hoofd een beetje schuin. 'Ik probeer niet te denken aan hoe de dingen zouden kunnen lopen.'

'Heb je nergens spijt van?'

'Niet echt. Ik geloof dat ik vrede heb gesloten met mezelf. Ik ben gelukkig geweest, heb mijn best gedaan.' Ze krabt met haar nagel aan een vlek op de tafel. 'Waarom vraag je dat?' Ze kijkt me in de ogen. 'Heb jij ergens spijt van?'

'Ja,' zucht ik.

'O! Ik heb gemberkoekjes.' Terwijl ze opstaat bespeur ik een soort stijfheid in haar bewegingen en ik voel een zweem van irritatie. Vanachter de deur van de voorraadkast roept ze: 'Aan de telefoon had je het over Rob die iemand anders heeft?'

'Ja, inderdaad. Hij gaat trouwen.' Ik leg mijn kin op mijn handen om hem te laten stoppen met trillen.

Ze gaat zitten met een schaal koekjes, kijkt me een tijdje aan en vraagt dan voorzichtig: 'En? Hoe voel je je?'

'Verschrikkelijk. Verloren.'

'Omdat jij met hem wilt trouwen?'

'Ik ging ook met hem trouwen... drie maanden geleden.' Ze zucht en kijkt naar de tuin. 'O, kijk daar! Zag je dat winterkoninkje?' Ik kijk boos en ze zet haar kopje neer en pakt mijn hand. 'Och lieverd, ik weet dat dit het einde van de wereld lijkt, maar het gaat echt wel over.' We kijken elkaar in de ogen; de mijne vullen zich met tranen, de hare zijn opvallend blauw en helder. Ze knijpt in mijn hand en geeft er klopjes op. 'Na een tijdje zul je inzien wat een klootzak hij is.'

De adem stokt in mijn keel. 'Nana!'

'Wat? Daar zijn er zoveel van.'

'Dat mag je niet zeggen!' Zo te zien bevalt mijn geschokte reactie haar wel. Ik schud mijn hoofd. 'Ik hield van hem... ik bedoel, ik hóúd van hem.'

'Weet je dan niet hoe mooi je bent? Hoe grappig en slim en lief? Je hebt in een mum van tijd een andere man.'

'Maar ik wil hém.'

'Ik weet het.' Met een vinger veegt ze het schuim van de binnenrand van haar kopje en likt hem af. 'En jou kennende krijg je hem wel. De vraag is alleen: wat dan?'

'Dan trouw ik met hem en krijgen we kinderen,' zeg ik snel.

'Is dat zo?' Ze kijkt bedroefd in de verte.

'Nana, het is anders dan toen jij jong was. Ik ben tweeëndertig, hij is de enige man die me ooit een aanzoek heeft gedaan en het is niet zo dat ze voor me in de rij staan!'

'Toen ik jong was, was je eerst dochter, dan echtgenote en dan moeder.' Ze kijkt naar een ingelijste foto op de vensterbank van opa en haar als jong stel, zittend op een muurtje aan zee. Ze houdt haar haar naar achteren om te voorkomen dat het in haar gezicht waait. Hij kijkt alsof hij de hoofdprijs heeft gewonnen. 'Vrouwen hebben nu veel meer keus.'

'Keus... tja. Dat is niet altijd zo leuk als het lijkt.'

'Nou, volg je hart zou ik zeggen... ook al leidt het tot rampen.' Ze glimlacht en staat op om de kopjes op te ruimen. 'En ze staan wél voor je in de rij, Vivienne, alleen zie je dat niet.'

Moedeloos slof ik naar de kleine zitkamer die aan de keuken grenst. Opa's leunstoel staat bij het raam. Er ligt een laag stof op het dressoir met de familiefoto's. Ik pak een foto van opa en veeg hem schoon met mijn jurk. Hij draagt een panamahoed en glimlacht. Onderaan heeft Nana geschreven 'Lawrence, 2009' – het jaar voor zijn dood. Er staan een paar foto's van mij toen ik zeven was, nadat ik in mijn pyjama was afgeleverd om nooit meer te worden opgehaald. Een van de foto's is pijnlijk vertrouwd: mijn moeder als kind. Hij stond altijd bij mijn bed. Ik dacht dat ze zou terugkomen als ik meer van haar hield; nu moet ik glimlachen om dat idee. Ik zet de foto neer zonder enige emotie. Er zijn een paar foto's van mij en mama samen, en ook een van de weinige foto's waarop ze lachend staat.

Ik hoor de deurbel en Nana roept: 'Dat zal Reg zijn! Ik heb hem uitgenodigd voor de lunch.'

Waarom irriteert dat me? Ik zet de foto's weer terug op hun stofvrije plekken en loop naar de keuken. Reggie verschijnt met een boeket pronkerwten. Zijn grote lichaam lijkt de hele kamer te vullen, als een te groot meubelstuk. Hij heeft een lachwekkend Cockneyaccent. Door zijn aanwezigheid verandert de sfeer; Nana kirt en kwettert als een vogeltje en is opeens bezig met de lunch.

'Ik heb een lekker stuk ham, Reg.'

'Heerlijk! Hallo, Viv. Alles goed meid?' Hij heeft het gegroefde gezicht van een kettingroker, en zijn gezicht verkreukelt als hij me begroet.

'Ja hoor, dank je.' Nana kijkt me streng aan. Ik laat me op de bank zakken.

Reg kijkt naar de tuin. 'Nou, het is dan ook een prachtige dag!'

'Hmm.'

'Heb je plannen voor vandaag?'

'Niets bijzonders.'

Nana zet borden op tafel. 'Ze brengt een verrassingsbezoek aan haar oma, toch, lieverd?'

Ze wisselen een blik en als ze glimlachend naar mij kijken, besef ik dat ik het vijfde wiel aan de wagen ben. 'Eigenlijk wilde ik alleen maar even gedag zeggen. Ik moet gaan.'

'Wat? Helemaal vanuit Londen!' Reg lacht.

Nana drukt op mijn schouders alsof ze me naar beneden duwt. 'Nee! Ga nog niet weg, Viv, je bent er nog maar net.'

'Dat weet ik, maar ik heb nog van alles te doen – ik zie je zondag.' Ik omhels haar en sluit mijn ogen om niet naar Reg te hoeven kijken. 'Misschien neem ik Max wel mee.'

Bezorgd loopt ze achter me aan naar de deur. 'O, maar ik wil niet dat je gaat!' Ze drukt zich als een vogeltje tegen me aan; plotseling is zij het kind dat beschermd moet worden.

'Ik weet het, maar Reg is er nu en ik zie je zondag.'

'Ik wist niet dat je zou komen. Als ik het had geweten had ik Reg kunnen afzeggen.' Ze ziet er verloren uit.

'Maak je niet druk.' Stiekem ben ik een klein beetje blij dat ze de steek onder water heeft opgemerkt. Ik loop de deur uit. 'Ik zie je snel weer.'

'Ik houd van je!' roept ze me achterna. Opeens wil ik zo snel mogelijk ontsnappen uit haar leven. Bij de hoek kijk ik achterom – ze staat in de deuropening te zwaaien.

Als ik in de trein naar Londen achteroverleun op mijn stoel, voel ik een rare klomp in mijn maag; iets zit me dwars, maar ik kan er de vinger niet op leggen. Ik begrijp niet waarom ik me zo heb gedragen bij Nana. Ik heb er nu veel spijt van dat ik haar zo'n ongemakkelijk gevoel heb bezorgd. Blijkbaar kon ik het gewoon niet hebben dat ik weer buitengesloten werd. Misschien is het onredelijk van me, maar ik verwachtte dat ze er voor mij zou zijn, onvoorwaardelijk. Ik had verwacht dat ze

Reg weg zou sturen. Misschien zag ze niet dat ik hulp nodig had. Hoe moet je iemand duidelijk maken dat je kapotgaat van verdriet? Hoe moet je om hulp vragen? En van wie kun je hulp verwachten? Ik realiseer me nu dat mijn familie en vrienden niet dol waren op Rob. Maar omdat zij hem niet aardig vonden mag ik hem ook niet aardig vinden en wuiven ze mijn verdriet weg. Moet ik dan een spandoek dragen met de tekst: 'PAS OP! GEBROKEN HART. KAN IN HUILEN UITBARSTEN'? Maar het is niet zo dat ze het niet zien, ze kunnen me alleen niet helpen. Ik moet hier in mijn eentje doorheen.

Liefdesverdriet is zo eenzaam, en daarom is die website zo'n goed idee. Er moeten meer mensen zijn die zich zo voelen. De site zal een plek zijn waar iedereen weet wat je doormaakt. Ik pak mijn blocnote en schrijf op: 'Chatroom: toevluchtsoord voor verloren zielen?' Maar meteen voel ik me sneu. Als je naar zo'n chatroom gaat, betekent dat dan niet dat je het verlies hebt geaccepteerd? Dat je beseft dat je gedumpt bent en dat het echt voorbij is? Voor Rob en mij is het anders. Ik bedoel, ik weet dat hij gaat trouwen en zo, maar hij heeft míj nog niets verteld, we hebben er nog niet over gepraat.

Als ik met hem kan afspreken, als we even echt met elkaar kunnen praten, dan weet ik zeker dat hij zijn vergissing zal inzien. Misschien is het tijd om mijn trots in te slikken en hem te bellen. Ik leg mijn voorhoofd tegen het raam en lees de graffiti buiten. De trein komt piepend tot stilstand. Een reusachtige blonde jongen stapt in en hoewel de wagon halfleeg is, ploft hij naast mij neer. Hij ruikt naar verschaalde sigarettenrook. Ik trek mijn handtas op mijn schoot en schuif zo dicht mogelijk naar het raam. Uit zijn oordopjes komt een luide, metalige dreun. Hij maakt een bakje open met vette gebakken kip en begint op het vlees te kauwen. De afgekloven botten laat hij op de grond vallen, tussen onze voeten. Ik kijk uit het raam naar de sombere buitenwijken van Londen. De geur van de kip maakt me misselijk. Ik kijk hem veelbetekenend aan. Hij smakt met zijn lippen, maakt een propje van het vettige papier en gooit dat ook op de grond. Hij kijkt me aan en knikt. Ik gebaar naar hem dat hij zijn oordopjes uit moet doen en wijs naar de rommel op de vloer.

'Kom op zeg. Wie gaat dat opruimen, denk je?'

Hij kijkt naar de vloer, dan weer naar mij en zegt met een gemaakt Jamaicaans accent. 'Hé man, doe het zelf, en als je toch daarbeneden bent, pijp me dan meteen even.'

'Haha, heel grappig!'

Hij knikt. 'Yeah, man.'

'En de andere mensen die met deze trein moeten reizen dan?'

Hij haalt zijn schouders op. 'Och, als ze die kip willen eten gaan ze hun gang maar!'

'Goed, laat me eruit. Zou je even opzij willen gaan?' Hij schuift zijn benen opzij. Ik wring me langs hem heen en voel een blos opkomen vanuit mijn hals. Terwijl ik me afvraag hoe ik de beveiliging kan bereiken, zie ik een knopje recht tegenover de jongen. Ik druk erop en werp hem een boze blik toe. Er klinkt geruis en vervolgens een stem.

'Beveiliging.'

'Hallo, ik zit in de vierde wagon, geloof ik. Er zit hier een jongen kip te eten en hij gooit zijn troep zomaar op de grond!'

'Oké mevrouw, ik zal ervoor zorgen dat de schoonmaker het opruimt als we bij het eindstation zijn.'

'Maar moet u hem er niet even op aanspreken? Hij zit hier nog,' zeg ik geërgerd.

'Mevrouw, de schoonmaker vindt het wel.'

'Ja, maar wat gebeurt er dan met de dader?'

'We kunnen er niets aan doen, mevrouw.' De lijn kraakt en dan is hij weg.

Ik kijk de jongen vernietigend aan en ga op het bankje tegenover hem zitten, zodat ik hem kan aanwijzen als de beveiliger komt. Hij fluistert iets en ik draai me met een ruk naar hem toe.

'Sorry, wat zei je?'

'Ik zei dat je moet chillen man... echt waar!' Ik staar recht voor me uit, me er plotseling van bewust dat de andere passagiers me aanstaren. Als ik om me heen kijk, wenden ze hun blik af. Ik ben voor ze opgekomen, ik heb mijn nek uitgestoken om de trein schoon te houden en nu doen ze alsof ik gestoord ben! De rest van de reis zit ik te stomen van verontwaardiging, terwijl de knul als een soort bezwering 'echt waar' blijft mompelen.

Als ik eindelijk thuis ben en de deur achter me dicht heb gedaan, leun ik ertegenaan met het gevoel dat ik achterna ben gezeten door wolven. Waarom ben ik de deur uit gegaan? Het is wel duidelijk dat ik gek ben van verdriet... Ik loop niet meer in de pas met deze wereld.

Op dit moment zou ik willen dat ik een huisdier had. Een mooi poesje met een belletje aan haar halsband dat naar me toe komt rennen als ik mijn sleutel in het slot steek. Dat zou de eenzaamheid wat minder schrijnend maken. Ik zou luxe kattenvoer kopen, zoals in de reclame. We zouden behaaglijk samen op de bank tv-kijken. Hoewel, die kattenbak – al die kleine drolletjes bedekt met korrels... gatver! Nee, ik ben beter af in mijn eentje, met mijn pijn.

Ik heb besloten contact op te nemen met Rob; dat is iets goeds – een positieve daad. Ik zal hem mailen. Ik gooi mijn tas neer en zet de computer aan. Het scherm komt knipperend tot leven en de mailbox piept. Er zijn nieuwe berichten – een paar van Christie, een van een postorderbedrijf en een van hem! Ik slik en buig met bonzend hart dichter naar het scherm toe.

Hallo Viv,
Ik hoop dat je bent bijgekomen van zaterdag. Dat was nogal een show die je daar weggaf!
Ik ben blij dat je Sam hebt ontmoet. Ik neem aan dat ze heeft verteld dat we gaan trouwen. Sorry dat je er zo achter moest komen. Ik wilde het je zelf vertellen en was van plan je mee uit

eten te nemen of zo. Er is de afgelopen tijd zoveel gebeurd.
Hoe dan ook, wens je me geluk?
Rob

Het voelt alsof hij zijn arm door het scherm steekt en mij met
een knuppel een knal verkoopt. Ik begin als een bezetene te typen.

Hoi Rob,
Gefeliciteerd! Volgens mij is je nieuwe verloofde een heel
interessante persoon.
Goed idee om een keer samen te eten. Ik wil je graag in
levenden lijve gelukwensen.
Viv

Eigenlijk zou ik even moeten wachten met antwoorden, er
eerst goed over nadenken. De cursor zweeft over 'Verzenden',
dan klik ik en weg is het bericht! Mooi, ik heb in ieder geval
contact met hem. Ik tril. Hij is de enige man ter wereld die ik
wil, en nu gaat hij trouwen en meldt hij dat even per e-mail. Zo
nonchalant, alsof de afgelopen vijf jaar waarin wij onze bruiloft
aan het plannen waren alleen maar een generale repetitie waren.
Hij antwoordt onmiddellijk.

Waar en wanneer spreken we af?

Dus hij wil me nog zien – dat is een goed teken, en zo'n snel
antwoord moet betekenen dat hij al die tijd heeft gewacht tot ik
contact met hem opnam. Ik tintel van opwinding. Oké, wat is
een goede plek voor een etentje? Geen restaurant – dat is te formeel. Geen plek waar we samen vaak naartoe gingen – te senti-
menteel. Ik denk dat we een pub moeten kiezen met goed eten,
en een relaxte, ongedwongen sfeer.

Wat vind je van The Shy Horse in King Street? Ik heb er goede dingen over gelezen. Zullen we vrijdag om 19.30 uur doen?

Zoef – verstuurd.

Ik staar vijf minuten naar het scherm, maar er gebeurt niets. Ik open de berichten van Christie, ze gaan geen van beide over werk. Het eerste mailtje was om te zeggen dat ze me mist en dat ze naar ons favoriete bakkertje is gegaan om te lunchen, maar dat ze niet het ontbijtbroodje-waarmee-je-de-hele-dag-voort-kunt heeft genomen, omdat ze zag hoeveel calorieën erin zitten – meer dan de aanbevolen dagelijkse hoeveelheid voor een gorilla. In het tweede mailtje zegt ze dat ze hoopt dat ik er morgen weer ben, omdat de uitverkoop dan begint.

Ik begin aan een antwoord, maar dan hoor ik de zachte ping van een binnenkomende mail... Niet van hem. Hij is van een fotograaf met een link naar de foto's van Jane en Hugo's bruiloft. Ik haal diep adem en klik erop.

De bruid en bruidegom verschijnen op het scherm, in verschillende poses voor de kerk. Een paar van de foto's zijn tamelijk belachelijk, zoals die waarop hij met armen en benen gespreid in de lucht springt en zij rent met haar sluier wapperend achter haar aan. Er is een zoetsappige foto van het paar, kussend boven een met Photoshop toegevoegde wensput. Als ik een foto tegenkom van Rob en Sam, poserend bij de kerk, voel ik een steek. Hij ziet er prachtig uit en zijn haar glanst in de zon; zij staat als een model, met één been naar voren, buik ingetrokken en hoofd achterover. Ik staar naar haar en mompel: 'Stomme koe, stomme koe, stomme koe!' Ik denk dat ik de foto ga printen om aan Christie te laten zien.

Ik scrol verder door de thumbnails en zie mezelf. Daar sta ik, met een vage glimlach op mijn gezicht, terwijl ik Max met één arm wurg en een champagneglas gevaarlijk losjes in de hand houd. Op een portretfoto van het gelukkige bruidspaar ben ik op de achtergrond te zien met een duivelse blik in mijn ogen. Ik zit aan tafel met uitgelopen eyeliner en open mond, kauwend op een broodje. Er is er een van Max en mij, hoofden schuin tegen elkaar en allebei met een domme grijns op het gezicht. En dan zie ik mezelf met het boeket naast Rob en Sam. O mijn god. Naast haar ben ik een bleke, roze reus met een rode, opgezwollen neus en vlekkerige lippenstift. Hij heeft de blik een beetje afgewend, maar zij kijkt recht in de camera, met een uitdagend, afgemeten glimlachje, symmetrische wenkbrauwen en glanzend haar, piekfijn verzorgd en ijskoud. Ze ziet eruit alsof ze me met één beweging van haar sierlijke hand kan vernietigen. De titel van de foto is 'Rob en Sam met vriendin'. Ik weet nog dat hij werd genomen. Welke fotograaf maakt nou zo'n foto? Ik sla mijn handen in mijn handen zakken, bedek mijn ogen en gluur dan weer door mijn vingers. Ja, het is echt zo erg.

Floep!

Goed, ik zie je daar.

9

Seksvriendjes en vriendendiensten

Hoe weet je of hij je leuk vindt?

1. Luistert hij naar alles wat je zegt?
2. Geeft hij commentaar op je uiterlijk?
3. Als jij in de buurt bent, likt hij dan vaker zijn lippen dan anders?
4. Houdt hij je blik langer dan twee seconden vast?
5. Glimlacht hij veel en lacht hij om al je grapjes?
6. Vraagt hij of je een vriend hebt?
7. Verzint hij steeds manieren om jou tegen het lijf te lopen?
8. Probeert hij belangrijker/sterker/verstandiger/grappiger/rijker over te komen dan hij is?
9. Stuurt hij de hele tijd sms'jes?
10. Probeert hij je steeds aan te raken?

Als je drie of meer van bovenstaande vragen met 'ja' hebt beantwoord, dan zou je wel eens beet kunnen hebben.

Het is benauwd op kantoor; de lucht is als een dikke deken die te strak is ingestopt. De foto van Rob en mij boven mijn computer wappert lichtjes op de luchtstroom van de ventilator. Visualiseren is een vaardigheid die ik al een paar jaar aan het ontwikkelen ben: in mijn hoofd creëer ik een beeld van wat ik wil, ik maak het zo levensecht mogelijk, voeg er kleur aan toe en maak er dan een filmpje van. Het werkt echt en je kunt het overal voor gebruiken – om iemand zover te krijgen dat hij je probeert te versieren, om sollicitatiegesprekken te laten verlopen zoals jij dat wilt, en zelfs om een parkeerplaats te vinden. Deze foto zal ervoor zorgen dat Rob bij me terugkomt. Het is een close-up van onze lachende gezichten. We stonden boven op Primrose Hill en hij hield met uitgestrekte arm de camera vast. De zon vormt een halo om onze hoofden, zijn ogen zijn felblauw en zijn volmaakte tandpastaglimlach laat mijn hart sneller kloppen. Ik druk een kus op mijn vinger en leg die tegen zijn wang.

Naast me zit Christie met een loep de geprinte foto van Sam te bestuderen. Ik sta versteld van haar efficiëntie van gisteren. Ze heeft alles gearchiveerd, de rapporten geschreven waarom ik heb gevraagd, en is zelfs begonnen met de kerstcollectie. Ze heeft een indrukwekkend moodboard samengesteld uit foto's van de belangrijkste trends in de herfst-/wintermode: een en al traditionele patronen, dierenprints, Schotse ruiten en tweed.

Dit is duidelijk de nieuwe, verbeterde Christie, maar het is wel wat zorgwekkend dat ze opeens een bril met nepglazen is gaan dragen. Ze beweert dat dat haar een intelligentere uitstraling geeft en ik had geen zin om ertegenin te gaan. Ik zeg tegen haar dat ik thee ga halen.

'Zwarte thee zit vol cafeïne en daar droog je van uit. Nee hoor, dat drink ik niet.' Ik vraag of ze dan koffie wil. 'Koffie? Koffie is nog erger!' Ze wil een kruidenmelange met sojamelk. Had ik het maar niet aangeboden. Als ik terugkom uit de keuken, zet ik haar vreemd geurende drankje op haar bureau en ga ik aan de andere kant zitten met mijn Nescafé. Ze legt haar loep neer en kijkt me aan met een gepijnigde uitdrukking.

'Ze is echt prachtig, hè?' Ik knik. 'Ik bedoel, ik heb echt geprobeerd een smetje te vinden, maar ze is gewoon volmaakt.' Ik knik weer; Christie kijkt verdrietig naar de foto. 'En ze is nog stijlvol ook. Ik vraag me af waar ze die jurk vandaan heeft.' Ze kijkt nog eens goed. 'Mijn god, dat figuur! Ik zou een moord doen voor zo'n lichaam, jij niet?' Ik gris de foto uit haar handen. Verbaasd kijkt ze op. 'Maar uiterlijk is niet alles. Zoals je al zei, het is een kreng. Waarschijnlijk is dit gewoon toevallig een mooie foto.'

Zonder haar aan te kijken sta ik op van haar bureau, loop in twee stappen naar het mijne en plof neer op mijn stoel. Ik kijk naar de foto, maak er een prop van en gooi die met kracht naar de prullenbak; hij valt ernaast en rolt naar het gangpad, waar hij tot stilstand komt tegen de puntige schoenen van Paul van de automatisering. Hij pakt hem op, strijkt hem glad en laat een lage fluittoon horen.

'Wat een bofkont, die kerel. Met haar zou ik het ook wel eens willen proberen!' Met een gebaar alsof hij een frisbee gooit, geeft hij de foto aan mij. Ik verfrommel hem weer en gooi hem dit keer succesvol in de prullenbak, met een sarcastische glimlach. Hij houdt zijn handen omhoog en loopt achteruit weg, maar als hij Christies benen ziet stopt hij.

'Heb jij nou een netpanty aan, meisje?' Ze rolt haar stoel naar achteren en strekt haar benen.

'Inderdaad, Paul – kousen zelfs.' Hij stopt zijn vuist in zijn mond en schuifelt weg met zijn hand op zijn kruis. Ze kijkt hem giechelend na.

'Je zou een klacht moeten indienen voor ongewenste intimiteiten.'

'Niet als ik het niet erg vind,' lacht ze.

'Maar je zou het wél erg moeten vinden!' zeg ik bits. Ze zucht en richt haar aandacht weer op haar scherm.

Ik kijk uit het raam naar het gloeiend heet glinsterende Londen. De koepel van Madame Tussauds torent uit boven een rommelig groepje daken. Een rode bus die wel een speelgoedautootje lijkt, kruipt voort. Daarbuiten nemen miljoenen levens hun loop. De mensen ademen, beminnen, eten, vrijen, sterven. Ze gaan met bussen, taxi's, metro's, boten of fietsen door de stad; ze voeren telefoongesprekken, onderhandelen over prijzen, staan in de rij voor koffie. De wereld is volop in beweging terwijl ik hier zit met het gevoel dat ik een grote, scherpe steen heb ingeslikt.

Ik pak mijn telefoon en stuur een sms'je naar Lucy: *Lunchen?* Ze antwoordt: *Ik kan om 1 uur een halfuurtje, anders pas na drieën.* Ik staar naar de woorden. Het lijkt wel alsof iedereen in een ander tempo beweegt dan ik, alsof ze allemaal doelgericht over de grote zee van het leven stomen, terwijl ik averij heb opgelopen en langzaam aan het zinken ben. Ik stuur een bevestiging voor één uur en kijk moedeloos mijn mailbox door. Ik heb veel werk in te halen en Christie en ik moeten een beslissing nemen over welke productlijnen we willen voorstellen voor de wintercollectie, maar ik kan alleen maar aan de website denken. Ik krabbel op een papiertje: *Alles wat het gebroken hart nodig heeft.* Plotseling is die website belangrijker dan wat ook. Ik besluit naar beneden te gaan om die enge Michael van IT het een en ander te vragen over websites. Ik weet dat hij een oogje op me heeft sinds het Hawaii-kerstfeest. Samen wonnen we de limbowedstrijd, ook al ben ik bijna dertig centimeter langer. Ik zeg tegen Christie dat ik een bespreking heb en neem de lift omlaag naar de IT-afdeling. Als de liftdeur opengaat, zie ik een briefje hangen met de tekst: IT-AFDELING. PROBEER VOORDAT U HIER BINNENGAAT UW COMPUTER UIT EN WEER AAN TE ZETTEN.

Ik open de deur met mijn pasje en loop tegen een muur van airconditioning op. Er staan drie rijen bureaus. De eerste rij zijn helpdesks, waar ze je klacht noteren en je vertellen dat ze dinsdag bij je terugkomen. De tweede rij is onderhoud. Dat zijn de mensen die langskomen en al je kabels weer in de stopcontacten steken, of zonder een woord te zeggen je computer weghalen. En op de derde rij zitten de echte techneuten met hun eigen taal en cultuur. Ik loop naar de derde rij en zie Michaels bril glinsteren in het licht van zijn scherm. Onder aan zijn kin hangt een dun, gevlochten sikje met een kraaltje eromheen. Dat is de enige aanwijzing dat hij gothic is, verder gaat hij op in het gewone volk met zijn lichtglanzende, grijze pak en gezonde stappers.

'Hoi, Michael.'

Hij kijkt mijn kant op en maakt een stopteken met zijn hand. Hij blijft verwoed op zijn toetsenbord hameren. Ik kijk naar zijn kleine, dunne, vlugge vingers, naar de lange gele nagels aan die vingers, en denk aan knaagdieren die in het stof aan het krabbelen zijn. Ongemakkelijk sta ik naast hem te wachten.

Een graatmagere knul aan het volgende bureau, volledig gekleed in het paars en met een sprieterig, zandkleurig staartje, zegt iets tegen iemand achter hem. 'Als het veidtsjf-systeem klkafjalkdf is nalkdjal, moeten we dan wotgen of baaivtsen?'

Het is hier stervenskoud en zo donker dat het wel een enorme opslagtank lijkt, die ruikt naar patchoeli, oude scheten en stoffige elektriciteit. Niemand kijkt langer dan een paar seconden weg van zijn scherm. Plotseling richt Michael zich op.

'Sorry Viv, dit soort dingen kun je niet onderbreken. Wat kan ik voor je betekenen?'

Hij is zo'n jongen die altijd moet bewegen. Als hij op een stoel zit, wiebelt hij met zijn benen of trommelt hij met zijn vingers. Als hij staat wiegt hij van links naar rechts of hupt hij op en neer. Ik vertel hem over mijn website en geef hem de aantekeningen. Hij neemt ze door, heen en weer bewegend en met een pen tegen zijn tanden tikkend.

'Ja, dat zou wel moeten lukken.'

'Nou... ik vroeg me af of jij een site voor me zou kunnen maken?'

'Ja, dat zou ik wel kunnen.'

'Oké... en wil je dat ook?'

'Dat hangt ervan af.'

'Waarvan?'

'Wat het me oplevert.'

'Aha! Wat wil je ervoor hebben?'

Zijn schichtige kraaloogjes schieten naar mijn gezicht. 'Nou, het is een vrij complexe site, met veel lagen. Het is niet iets wat je even met een sjabloon kunt doen.'

'O, ik snap het.'

Hij kijkt naar zijn aantekeningen en zijn bureau trilt door zijn trillende benen. 'Ik bedoel, je hebt een heleboel pagina's nodig met ingebouwde links. Dat kost veel tijd.'

Hij laat de pen tussen zijn vingers op en neer wippen in een tap-tapperdertap-ritme. Ik voel de energie uit me wegstromen, als water uit een zak. Ik ben een vergeten goudvis in een plastic zakje, happend naar adem.

'En? Wil je het voor me doen?'

'Nou, ik wil er wel iets voor terug.' Hij leunt achterover en glimlacht zonder zijn tanden te laten zien.

'Goed... zeg maar wat je wilt,' antwoord ik met een hoog lachje.

'Uit eten. Met jou. Jij betaalt, ik kies het restaurant.'

Ik weet niet hoeveel het kost om een website te laten ontwerpen en bouwen, maar ik schat een paar duizend pond, in ieder geval veel meer dan een etentje met Michael – zowel in financieel als in persoonlijk opzicht. Met het gevoel dat ik een pad doorslik ga ik akkoord.

'En wanneer krijg ik iets te zien?'

'Volgende week... en je betaalt pas als het af is.'

Ik besluit me er ook dan pas zorgen over te maken. 'Geweldig! Mijn dank is groot.'

Hij ziet er tevreden uit en likt zijn lippen. Zijn tong schiet naar buiten als een paling uit een hol. Ik deins terug.

'Doei, Vivienne.' Hij wappert met zijn vingers en ik draai me om.

Voordat ik de hoek om loop kijk ik om en hij zwaait weer. Ik haast me naar de lift en druk op de knop alsof mijn leven ervan afhangt. Ondertussen kruipt een rilling van afschuw langs mijn ruggengraat omhoog, alsof ik zojuist een steen heb opgetild waaronder een miljoen eiwitkleurige wezentjes uit de onderwereld krioelen.

Ik huiver als ik mijn grijze, tl-verlichte afdeling weer op loop. Christie zit te giechelen aan de telefoon en reikt me een geeltje aan: VIV! DE TANG ZOEKT JE. Van de o heeft ze een oog met wimpers gemaakt. Waarom is De Tang naar me op zoek? Gewoonlijk komt ze niet zelf naar je toe. Ik blijf bij Christies bureau staan, maak een gebaar alsof ik een telefoon ophang, en ze begint het gesprek af te ronden.

'Hé, luister, ik moet ophangen, de baas staat in mijn nek te hijgen en zo... Nee, niet die met dat scheve mondje.' Haar blik flitst naar mijn gezicht. 'O ja, toch die! Goed... Ciao hè... Ja, tot snel, veel kusjes... doei... doei. Nee, jij moet eerst ophangen!' Ik druk op de knop en verbreek de verbinding.

'Wie was dat?'

'Je weet wel, Stuart van Printech.' Terwijl ze me aankijkt, vraag ik me af hoe ze die pornosterrenlipgloss zo netjes op zijn plaats houdt. Ze tikt met een vinger tegen de zijkant van haar neus. 'In dit wereldje gaat het niet om je kennis, maar om je kennissen.'

'Is dat zo? Nou, jij lijkt "Stuart van Printech" inderdaad heel goed te kennen.'

Ze staart in het niets, verzonken in herinneringen. 'Hmm-hmm...'

'Christie! Wat zei De Tang?'

'O. Ze zei: "Waar is Viv?" en ik zei: "In bespreking", en toen zei zij: "Met wie?" en ik zei: "Dat weet ik niet", en toen zei zij: "Kijk eens in haar agenda", dus dat deed ik en er stond geen vergadering gepland, dus vroeg ze me aan je door te geven dat ze naar je op zoek was.'

'O shit.' Ik check mijn mail: niets van De Tang, en overigens ook niets van Rob. Ik zeg gewoon tegen haar dat ik technische problemen had en even naar IT moest. Dat is nog waar ook... in zekere zin. Een beetje zenuwachtig bel ik haar directe nummer. Ik weet dat ze me op dit moment in de gaten houdt; na de waarschuwing aan Christies adres volgt ze alles wat ik doe. Ik krijg het antwoordapparaat en spreek op luchtige toon een boodschap in.

De rest van de ochtend spreken we met leveranciers, bestellen we samples en maken we begrotingen. Waarschijnlijk worden het de roodleren poederdoosjes, de sjaals met luipaard- en zebraprint en de kettingen met etnische kralen. En dan hebben we nog de geurende kerstkaarsen met traditionele Scandinavische motieven, de avondtasjes met tijgerstrepen en de mini-chocoladefonduesets met marshmallows. Als Christie gaat lunchen, dringt het tot me door dat ik twee hele uren niet aan Rob heb gedacht.

Het is zo heet dat de voering van mijn jurk tegen mijn huid plakt als ik over een bord gebogen sta om foto's te ordenen. Maandag gaan we ideeën presenteren aan de hoofden inkoop. Dit keer is niet alleen De Tang erbij, maar ook De Wrat, die zo ongenaakbaar is als een tank. Ik moet Christie waarschuwen dat ze haar mond houdt – als ze bloed ruiken, scheuren ze haar aan stukken.

Ik heb met Lucy afgesproken in Noodles Quick!, dicht bij Bond Street. Ze ziet er zakelijk-sexy uit, met een eenvoudige witte blouse en een strakke grijze rok. We schuiven aan op een stenen bank, naast een paar brallerige zakenjongens gekleed in pakken met broeken met smalle pijpen. Lucy bestelt een kom bleke bouillon met zeevruchten die tussen de noedels drijven, als in een macaber aquarium. Ik kies een gerecht dat 'chick-a-doodle' heet; een paar seconden later arriveert er een bord met gebakken noedels en kip. Lucy eet met stokjes, luid slurpend, haar hoofd diep over haar kom gebogen. Ik speel wat met mijn kip en vraag me af hoe ik haar moet vertellen dat ik vrijdag met Rob heb afgesproken. Verder wil ik haar de foto laten zien die ik uit de prullenbak heb gevist, zodat ze Sam kan analyseren.

Ik moet schreeuwen om boven het rumoer uit te komen: 'En? Wie lag er laatst tussen je lakens?'

Ze fronst en zuigt de laatste noedels naar binnen. 'Wat? Tussen mijn lakens?'

'Ja, je kon niet met me praten vanwege hem.'

Even is ze verward en dan weet ze het weer. 'O ja, Reuben,' zegt ze dromerig.

'Die naam heb je nooit eerder genoemd. Vertel eens wat over hem?'

'Hij is klein, Colombiaans en ongelooflijk goed in bed.'

Ik moet wel bewondering hebben voor Lucy – ze staat erop dat alle mannen die ze meeneemt naar huis haar op zijn minst één orgasme bezorgen, en als dat niet lukt schopt ze ze eruit. 'En... gaan jullie elkaar vaker zien?'

'Natuurlijk. We zijn seksmaatjes.' Ze lacht schalks en staat op om een paar servetten te pakken. Haar volmaakte lichaam blijft niet onopgemerkt. De in het pak gestoken jongens vallen stil van bewondering als ze langsloopt. Ze geeft me een servet en gaat weer zitten.

'Dus je spreekt alleen maar met Reuben af om te...'

'Neuken. Ja.'

'Jullie gaan dus nooit samen uit eten, het enige wat jullie doen is...'

'Neuken.'

'Maar praten jullie wel eens?'

'Niet echt, we neuken alleen maar.'

'Goed, goed! Zou je willen ophouden met steeds maar "neuken" te zeggen? Iedereen kijkt naar ons.'

'Nou en?' Ze drinkt snel haar glas witte wijn leeg. 'Sorry, schat, ik ben een beetje gehaast, ik moet over een paar minuten weg.' Ik duw mijn bord van me af en ze vraagt om de rekening. 'Hoe gaat het met jou? Ben je over de bruiloft heen?'

'Daar kom ik nooit van mijn leven overheen en vrijdag heb ik een afspraak met Rob.'

'Oké, dus... ik probeer het te begrijpen. Ben je soms zo'n mafkees die het lekker vindt om zichzelf pijn te doen?'

'Tjonge! Misschien wel,' zeg ik, terwijl ik een geschokt gezicht opzet.

Ze schudt haar hoofd. De rekening komt en die neemt ze mee om als onkosten te declareren. We lopen de stille straat op en ze omhelst me; haar haar ruikt naar cacaoboter. Ze zegt dicht bij mijn oor: 'Luister, ik houd van je en ik wil niet dat je ongelukkig bent, dat is alles.'

'Ik weet het.' We houden elkaars handen vast, als geliefden op een vliegveld. Dan haal ik de geprinte foto tevoorschijn. 'Wil je mijn rivale zien?' Ze bekijkt het papier met een frons en geeft het dan terug. 'Wat vind je ervan?'

'Heel mooi. Maar wat kan jou dat schelen? Je loopt rond met een foto van je ex en zijn nieuwe verloofde.' Ze kijkt me aan met een blik vol medelijden. 'Laat het los, Viv. Je maakt jezelf gek.' We omhelzen elkaar opnieuw en ze kust me op de wang. 'Laten we snel weer eens gaan dansen. We zijn wel toe aan een avondje uit.' En na die woorden steekt ze snel de straat over, wuift even en verdwijnt in het glimmende, glazen gebouw, als een prinses die een kasteel binnengaat.

10

Wat je wel en niet moet doen
om je ex te imponeren

1. *Gebruik alle middelen die je ter beschikking staan om er op je allerbest uit te zien.*
2. *Geef in geen geval je gevoelens prijs. Wees vriendelijk en aardig als je je ex tegenkomt en wek de indruk dat je door bent gegaan met je leven.*
3. *Praat uitgebreid over je sociale leven, een nieuwe hobby of een project op je werk. Om weer aantrekkelijk gevonden te worden moet je overkomen als iemand die het druk heeft.*
4. *Bel je ex zo min mogelijk en smeek niet.*
5. *Zorg ervoor dat jij het gesprek of de ontmoeting afbreekt, zodat hij naar meer verlangt.*
6. *Probeer niet met hem te tongzoenen – beter nog, raak hem helemaal niet aan.*
7. *Ratel niet over een nieuwe vriend die rijker/knapper/ behaarder/beter geschapen is, ook niet als die echt bestaat.*
8. *Doe geen gekke dingen met je haar.*
9. *Huil niet, dreig niet en gooi niet met voorwerpen.*
10. *Probeer aan het einde van jullie afspraak niet je ex op wat voor manier dan ook tegen te houden.*

Ik wacht op de vrijdag alsof die dag mijn leven zal redden, en hij lijkt steeds verder weg. Waarom heb ik vrijdag voorgesteld? Waarom niet dinsdag, zodat ik mezelf deze lijdensweg kon besparen? Het antwoord fluistert in mijn oor. Als we weer bij elkaar komen en op vrijdag in bed belanden, hebben we het hele weekend om in bed te blijven en te vrijen, ontbijt voor elkaar te maken, de kranten te lezen en lange wandelingen op de hei te maken. Daarom heb ik de ijskast volgepropt met zalm, roomkaas, aardbeien en croissants. Ik heb heel dure koffie gekocht; ik heb mijn appartement opgeruimd en het bed verschoond.

Als het eindelijk vrijdagochtend is, ben ik helemaal voorbereid. Ik trek een zandkleurige, rechte jurk aan met zwarte pumps, en controleer of alles goed zit. Even schiet de gedachte door mijn hoofd dat ik Sams outfit van de bruiloft imiteer, maar ik wis die gedachte snel. Nee, als hij elegantie wil, dan krijgt hij elegantie. Ik doe mijn haar in een vlecht, steek hem op en spuit alle uitstekende sprietjes plat. Mijn make-up houd ik natuurlijk. Ik pak een klassieke zwarte schoudertas en stop er de onmisbare zaken in: een extra panty, een make-uptasje, deodorant, parfum, haarspray, ademverfrisser, tandenborstel en een schone onderbroek voor het geval we bij hem thuis belanden.

Het is windstil en warm en een filigreinen restje van de maan vervaagt aan de bleke ochtendhemel. Er komt een gevoel van rust en kalmte over me heen als ik met kaarsrechte rug in de bus zit, en ik glimlach welwillend naar een fietser die met zijn vuist naar de buschauffeur zwaait. Ik loop het korte, zonbeschenen stukje naar Barnes & Worth en zie mezelf in het spiegelglas van een kantorencomplex. Ik ben een vrouw die weet wat ze wil en er nu op afgaat. Eigenlijk zou ik mijn eigen herkenningsmelodietje moeten hebben. Terwijl de lift zichzelf moeizaam naar boven sjort en op iedere verdieping medewerkers uitspuugt, overdenk ik mijn dag. Administratie bijwerken, e-mails beantwoorden en voorbereiden voor de bespreking met de inkopers. Sereen slenter ik naar mijn bureau; Christie komt me tegemoet, fladderend en piepend als een hulpeloos vogeltje.

'Het is vandaag! Het is vandaag! Ze hebben hem verplaatst!'

Ik glimlach vriendelijk. Christie zal mijn zeepbel niet uiteen doen spatten. 'Goedemorgen, Christie. Kom even zitten. Wat is er vandaag?' Ik beweeg mijn hoofd voorzichtig en voel een van de haarspelden zakken. Ze volgt me en ik zie dat ze een soort transparante, veelkleurige toga met vleermuismouwen draagt, met om haar middel iets wat eruitziet als een gordijnkoord. 'Wauw. Wat een prachtige jurk!'

'Het overleg met de hoofden inkoop is vandaag! Ze hebben het naar voren gehaald!'

Ik staar een paar tellen naar haar geschokte gezicht en voel mijn broze laagje kalmte barsten en als schubben van me af vallen. 'Wat?!'

'Het is vanmiddag!' piept ze.

Ik hoor mijn eigen stem, dun en schril: 'O shit! O nee! Daar zijn we helemaal niet klaar voor!'

'Dat weet ik!' Christie begint nu een beetje op de plaats te joggen.

We stuiteren in het rond alsof de vloer in brand staat, 'o nee!' roepend als professionele rouwers. Dan haasten we ons naar de moodboards en scheuren de post open op zoek naar samples.

'Ik heb sjaals!' Christie zwaait met een handvol wollen sjaals met zebraprint. Ze zien eruit alsof ze door een oma zijn gebreid; ik dacht dat ze van chiffon waren, maar misschien zouden ze op een ironische manier wel hip kunnen zijn.

'Leg ze maar op mijn bureau.' Ik ruk aan het bruine tape van het pakket uit China. Het lijkt wel een grabbelton en zit vol vreemd geurend papier. Eindelijk kom ik bij de kern, waar ik een teleurstellend klein spiegeldoosje aantref. Ik maak het open.

'Het is een vergrotende spiegel! Daar hebben we toch niet om gevraagd?' Ik ren naar mijn computer om de kosten af te zetten tegen de adviesprijzen en de aanvraagformulieren voor de samples te printen.

'Nou, dat is alles. Meer is er niet.' Ik draai me snel om. Christie zit tussen verscheurde dozen en pakpapier en ziet eruit alsof ze in tranen kan uitbarsten. 'Het enige wat we ze kunnen laten zien zijn de sjaals en het spiegeltje!' jammert ze.

'O shit. O shit! Oké. Kijk even in de kast met samples. Pak

alles waarvan je denkt dat het bij de lijn past, dan maken we er wel wat van.'

Ze fladdert weg als een tropische vogel. Ik richt mijn aandacht weer op het spreadsheet en probeer winstmarges uit te drukken in percentages. Ik denk dat we ons er wel uit kunnen redden als we het moodboard en de cijfers laten zien en met wat andere ideeën komen uit de kast met samples. Als we doen alsof we die speciaal hiervoor hebben besteld. Dat vraagt om wat improvisatie. Ik zal Christie de samples laten voorbereiden terwijl ik het rapport opstel. Ik typ cijfers in en het spreadsheet berekent de totalen. Ik kijk naar de foto van Rob. Alles kan nog goed komen.

Het komt niet goed. Christies handen trillen als ze voor De Wrat staat en ze schrompelt zichtbaar ineen onder haar uitdrukkingsloze blik. Ik heb geen idee wat ik moet doen. Als ik Christie uit de brand help, komt zij over als iemand die haar werk slecht doet. Als ik het niet doe, kom ík over als een imbeciel. Ik bestudeer het gezicht van De Wrat en probeer haar gedachten te lezen. Ik vraag me af hoe haar leven eruitziet. Het is bijna onmogelijk om nog onaantrekkelijker te zijn dan zij. Het lijkt wel alsof ze echt haar best doet om zo lelijk mogelijk te zijn. Ze zou een button moeten dragen met de tekst: ZEG NEE TEGEN EPILEREN! LAAT JE PUISTJES STRALEN! De drie rozijnachtige wratten op haar wang — die doen denken aan de sterren van de Gordel van Orion — vallen niet eens zo erg op naast het muntvormige, harige plekje tussen de plooien van haar dubbele kin. Het is iedere keer weer een schok als dat in het zicht komt, als een teek die meedeint op de golven van haar huid. Haar waterige blauwe ogen zijn gericht op het sample voor haar. Ze begint het uit te pakken. Christie kijkt me in paniek aan en ik probeer rust uit te stralen. De Tang zegt niets. Ze schrijft iets op haar blocnote, haar rode mond samengetrokken als de anus van een hond. De Wrat haalt een piepkleine, eetbare roze string uit het pakket. Ze vouwt hem open met haar stompe vingers alsof ze een touwfiguurtje aan het maken is. Ze neemt een hap en kauwt bedachtzaam.

'Ik geloof niet dat het de bedoeling is dat hij echt lekker smaakt,' zegt Christie met een lachje.

De Wrat maalt langzaam met haar kiezen en slikt. Ze draait het pakketje om en zoekt naar de lijst met ingrediënten. 'Heel apart. Waar is hij van gemaakt?'

'Eh, ik geloof alleen rijstpapier en smaakstoffen,' antwoordt Christie, terwijl ze doet alsof ze in haar aantekeningen kijkt.

De Tang ruikt haar kans, pakt het pakje op en zet haar dodelijkste blik op. 'Eetbaar ondergoed, Christine? Eetbaar ondergoed? Wil je me even uitleggen hoe dat volgens jou past bij het merk Barnes & Worth?' Ze glimlacht samenzweerderig naar De Wrat.

'Ik dacht alleen...'

'Ik bedoel, heb je enig idee van onze klantenkring? Heb je ooit een keer door de winkel gelopen en het type mensen bekeken dat naar onze geschenkenafdeling komt?'

Christie kijkt naar de tafel en schuifelt wat met haar hoge schoenen. Ik probeer mezelf moed in te spreken om op te staan en uitleg te geven, maar ik heb geen idee waarom ze uit alles wat er in de kast lag juist het eetbare slipje heeft gekozen. Ik weet dat er een tafelklok lag, en zelfs een schattige, maanvormige heetwaterkruik. Waarom heeft ze die niet gepakt? De zoveelste les dat ik alles moet controleren wat ze doet. Ik voel een vochtig laagje nerveus zweet op mijn rug kriebelen. Dit interesseert me allemaal geen moer! Het enige wat ik wilde was er goed uitzien voor Rob. Maandag worden alle andere samples geleverd. Maandag zou ik er klaar voor zijn geweest. Vandaag had een rustige, kalme dag moeten zijn. Dan had ik me kunnen concentreren op ons afspraakje, dan had ik me kunnen voorbereiden. Nu ben ik bezweet, hypergestrest en maakt Christie er een puinhoop van. Alweer.

Als ik mijn stoel naar achteren duw, komt ze plotseling tot leven. Met luide stem om over De Tang heen te komen zegt ze: 'Het is gewoon een geintje. Iets nieuws voor Kerstmis, en je weet maar nooit, misschien worden een paar levens er wat spannender door.'

De Wrat bestudeert Christie met hernieuwde belangstelling en begint te lachen – het klinkt verrassend meisjesachtig. Ze kijkt naar het geschokte gezicht van De Tang en lacht nog harder. 'Ze heeft helemaal gelijk! Ik vind ze geweldig! Maken ze ze ook voor mannen?' Ze knipoogt naar mij en steekt haar tong in haar wang. Ik glimlach, inwendig huiverend bij het beeld van De Wrat die iemands onderbroek van zijn lijf eet. 'Ik wil samples, dames, meteen! Ik wil kerstkleuren, ondeugende teksten. Ik wil ze voor beide geslachten. Ik wil een grappige verpakking en we moeten weten waarvan ze zijn gemaakt. Zijn ze getest op veiligheid?'

Christies mond hangt open. Ik zeg nee, ze zijn niet getest.

'Ik wil deze met Kerstmis in de winkels, dus aan het werk Viv, maak een begroting.' Ze kijkt me aan met opengesperde ogen en kijkt dan weer naar Christie. 'Goed werk, jongedame.'

Christie bloost en laat zich op haar stoel zakken.

De Wrat wendt zich tot De Tang. 'Dit is een goede kans op extra publiciteit. We moeten de pers benaderen met iets als.... *Pikante kerst bij B&W*. Je weet wel wat ik bedoel.'

De Tang knikt en zit als een razende te pennen. Ik vang haar blik op als ze haar blocnote dichtslaat. Ze kijkt snel weg.

Zo gaat het de hele middag door, product voor product. De sjaals worden goedgekeurd, maar de etnische kralen worden doorgeschoven naar de zomercollectie. Ze nemen de cijfers zorgvuldig door, bestuderen alle winstmarges en stellen vragen over de leveranciers. Ze willen de kosten verlagen. Ze willen weten hoeveel meer het oplevert als ze grote hoeveelheden inkopen of als ze minder ethische producenten inschakelen. Om zes uur laten ze pizza's bestellen; om zeven uur discussiëren ze over de verpakkingskosten van de chocoladefonduesets. Ze wroeten in mijn hersenen met eetstokjes en pikken er brokjes informatie uit alsof het sappige hapjes zijn. Ik moet gaan. Hoe krijg ik dat voor elkaar? Ik stel me voor dat Rob op weg is naar de pub, dat hij aan een tafeltje gaat zitten. Hoe lang zal hij blijven wachten? Ze willen weten of er in China een leverancier van Schotse stof of tweed is. Ik zeg dat ik het zal uitzoeken. Ik stel voor om nog een vergadering te houden als we meer informatie hebben. Ze negeren me en zetten het bombardement voort. Ik schrijf alles op en zie de wijzers van mijn horloge verschuiven. Mijn hart zit in een knoop. We hebben nog een paar producten te gaan en ieder product vergt minstens een halfuur.

Ik kijk naar de deur, me afvragend of ik zou kunnen ontsnappen, als De Wrat haar handen boven haar hoofd uitsteekt en haar rug strekt. Mijn oog valt op de grijze schaduw van stoppels in haar oksels, en door het mouwgat van haar tentjurk zie ik duur, zwart kant.

'Oké! Het is al laat en het is vrijdag. Laten we wijn gaan drinken in de pub.'

Christie, nog euforisch na haar triomf met het eetbare slipje, klapt in haar handen. 'Jaaa!' Ze kijkt opgewonden naar mij.

'Ik kan niet mee, jammer genoeg. Ik heb een eetafspraak.' Ik sta op en verzamel mijn aantekeningen.

'Schande!' dondert De Wrat.

De Tang loopt met me mee naar de deur. Terwijl ze hem voor me openhoudt, mompelt ze: 'Ik zou denken dat het op dit soort momenten loont je als teamspeler op te stellen, Viv. Geniet van je avond.' Ze glimlacht met een teleurgestelde blik.

'Goed weekend,' zeg ik als ze de kamer weer in loopt en de deur achter me dicht laat vallen. Ik heb nu geen tijd om me er druk over te maken. Ik ren naar de lift en probeer onderweg mijn kapsel te herstellen.

The Shy Horse hecht aan traditie. In een straat vol cocktailbars en minimalistisch ingerichte eethuizen met ongeverfd houtwerk, schijnt het licht van de knusse, rode lampen van deze pub geruststellend door de glas-in-loodramen. De laatste spelden die mijn haar nog omhooghielden zijn in mijn haastige tocht door de stad uit gezakt. Tijdens het lopen trek ik ze los en maak ik een sprieterig paardenstaartje dat er hopelijk artistiek uitziet. Ik blijf even voor het raam van de pub staan. Aan de bar staat een groepje meisjes in strapless topjes en op hoge hakken, aan de tafeltjes zitten een paar stelletjes en op de barkrukken zie ik een paar oude kerels. Dan maakt mijn hart een sprongetje. Hij is er. Hij zit de krant te lezen in het volgende erkertje. Het licht zet de helft van zijn gezicht in een warme gloed, laat zijn profiel goed uitkomen en beschijnt zijn warrige haar. Hij draagt een lichtgrijs pak en een babyblauwe zijden das, die goed bij zijn gebronsde huid passen. Opeens heb ik het gevoel dat ik tekortschiet. Ik strijk mijn jurk glad en schuif een paar losse plukjes haar achter mijn oren. Dan haal ik diep adem en speel in mijn hoofd het liedje van Christina Aguilera af.

I am beautiful, zeg ik tegen mezelf als ik de deur openduw. Het geroezemoes en het gelach overvallen me. De ruimte ruikt naar van drank doortrokken tapijt en hout, en ik verlang wanhopig naar alcohol. Niet naar de gewoonlijke pinot, maar naar iets nostalgisch, iets met whisky. Het lijkt wel of er een katrol met een groot gewicht in mijn maag is geïnstalleerd. Het gewicht gaat omhoog, slaat tegen mijn hart en stort vervolgens neer in mijn buik. Nu sta ik voor hem. Hij kijkt niet op van de krant, ik kan nog ontsnappen. Opeens voel ik de idiote aandrang om een aap na te doen. O shit, o god.

Ik zet mijn meest verleidelijke glimlach op. 'Hoi Rob.'

Hij kijkt op met een frons op zijn volmaakte gezicht. 'Hallo. Eindelijk! Je bent vijftien...' hij kijkt op zijn Cartier-horloge, '...nee, zeventien minuten te laat!'

'Het spijt me. Maar ik ben blij dat je hebt gewacht.' Ik laat me op de stoel tegenover hem zakken en leg mijn hand op de zijne. Die is warm en droog. Hij trekt zijn hand weg en tikt met zijn wijsvingers tegen elkaar. Ik ruik een geur die ik niet ken. Vast iets wat zij heeft gekocht, om haar territorium af te bakenen.

'Je ruikt lekker. Nieuw geurtje?'

'Weet je, ik vind te laat komen het toppunt van onbeschoftheid.'

'Dat is ook zo. Je hebt gelijk. Het spijt me, ik kon er niets aan doen.'

'Mensen die te laat komen zijn arrogant en houden geen rekening met andermans tijd. Ik heb zeventien minuten van mijn leven verspild met wachten op jou.' Het is lang stil. Geen van de scenario's die ik in mijn hoofd heb afgespeeld heeft me hierop voorbereid. Ik wil hem dolgraag aanraken en ben er meer dan ooit van overtuigd dat ik hem terug moet zien te krijgen. Een paar keer kijk ik naar zijn mooie gezicht en vorm ik in mijn hoofd het begin van een zin, maar steeds bedenk ik me. Het valt me op dat hij in die zeventien minuten wachttijd geen drankje heeft besteld. Dat is mijn 'ingang'. Ik buig me over de tafel naar hem toe en stel vast dat hij even naar mijn decolleté kijkt.

'Rob, ik vind het heel erg dat ik te laat ben. Ik verwacht niet dat je me vergeeft, maar misschien mag ik je een drankje aanbieden, bij wijze van excuus?' Ik kijk hem in de ogen.

Hij lacht en is mooier dan ooit.

'Tja... als je het zo brengt. Ik wil wel een wodka-tonic, veel ijs, geen citroen.'

Triomfantelijk baan ik me een weg naar de bar, waar ik mezelf met mijn ellebogen in een gunstige positie manoeuvreer. Ik weet hoe ik dit moet aanpakken; het komt wel goed. Rob moest altijd al gesust worden; hij heeft mij nodig om het beste in hem naar boven te brengen. Als een soort balsem kalmeer ik hem en maak ik hem aan het lachen.

Ik haal het drankje voor hem en voor mezelf een whisky-Mac met een kers erin. Hij neemt een slokje en ziet dat mijn gezicht vertrekt als ik een slokje neem. Ik was vergeten hoe sterk deze zijn.

'Wat heb jij in godsnaam?'

'Whiskey-Mac. Dat is whisky met gemberwijn, heel verwarmend. Ik ben helemaal in kerstsfeer.'

'Het is juli.'

'Nou en?' Ik kijk hem diep in de ogen. Er is onmiskenbaar een soort vonk als hij glimlacht.

'Je bent een rare.'

'Uniek, ja.'

Even houdt hij mijn blik vast en dan klapt zijn gezicht dicht als een val. Hij neemt een grote slok en kijkt in het rond. Hij sluit zich af, hij verzet zich.

'Wil je iets eten? Het is hier best lekker, geloof ik. Ik sterf van de honger, jij niet?' ratel ik.

Hij verschuift op zijn stoel. 'Viv...'

'Ik haal de menukaarten wel even!' Ik sta op en loop half joggend naar de bar. Achter de flessen hangt een spiegel en daarin zie ik een vrolijk vrijdagavondtafereel: een dikke kerel die wanhopig aansluiting probeert te krijgen bij de strapless meisjes; Rob die op zijn horloge kijkt; een vrouwtje met een rood gezicht en een piekerig paardenstaartje. Met een schok besef ik dat ik dat ben, en ik draai mijn hoofd een beetje zodat mijn beste kant te zien is.

'Niet kijken,' zeg ik tegen mezelf, 'dit is een lelijk makende spiegel. Zoals die dun makende spiegels in paskamers... maar dan anders.' Ik kijk achterom naar Rob; hij kijkt op zijn mobieltje. Ik pak de menukaarten. Laat hem niet wegglippen! Concentreer je. Ik loop beheerst terug naar de tafel.

Hij legt zijn telefoon weg. 'Viv, ik weet dat we hadden afgesproken om samen te eten, maar ik geloof niet dat ik kan blijven. Ik moet ergens anders naartoe.' Terwijl het medeleven in zijn blik vervaagt, dringt tot me door dat ik geen vat op hem heb. Hij dacht dat dit afspraakje bedoeld was als... Ja, als wat eigenlijk? Een vluchtig afscheid? Met een klopje op de rug en een handdruk om te laten weten dat er geen sprake is van wrok? Verdomme, hij heeft een andere afspraak gemaakt! Wonderlijk toch hoe ongevoelig hij altijd weer is. Ik wil tegen hem zeggen dat ik ook nog een afspraakje heb, met een groot geschapen oligarch, maar (a) het is niet waar en (b) ik kan het niet verdragen als hij weggaat. Als hij weggaat breekt mijn hart in duizend stukken. Voor trots is hier geen ruimte.

Hij drinkt zijn glas leeg en ik raak zijn arm aan. 'Alsjeblieft, Rob. Ga niet weg,' smeek ik.

'Viv.' Hij geeft een klopje op mijn hand.

'Laten we alsjeblieft eerst samen iets eten.' Ik ontmoet zijn blik. Jezus, ik dacht dat ik op mijn trouwdag in dat gezicht zou kijken en dat mijn kinderen die wimpers zouden hebben. Hij staart me uitdrukkingsloos aan. 'Alsjeblieft. Uit nostalgie?' zeg ik.

Hij pakt de menukaart op.

Een norse barman in een slobberige spijkerbroek brengt twee *shepherd's pies* met frietjes, bestek in een servetje en een zout-vaatje met een druppel jus langs de zijkant. Ik zit hier nog steeds met Rob! Hij heeft zijn jasje uit- en zijn das afgedaan. Hij zit aan zijn derde grote wodka en lijkt het naar zijn zin te hebben.

'Ik zie je altijd graag eten, Viv.'

'Echt waar?'

'Ja, je eet als een man. Ik bedoel, welke vrouw eet er nou shepherd's pie met friet en spoelt het weg met een flink glas bier?' Ik glimlach en vraag me af waar hij precies naartoe wil. 'Maar jij doet dat gewoon. Dat vind ik leuk. Ik vind het leuk dat je niet de hele tijd calorieën aan het tellen bent en in salades zit te prikken.' Ik denk aan het citrus-azijndieet dat ik ooit heb geprobeerd, aan de perioden van diëten die werden afgewisseld door perioden van vreten.

'Nee, niks voor mij! Dat vind ik zo saai.' Ik hoop dat ik Sam hiermee beledig. De huid van zijn keel en het plukje borsthaar dat net boven zijn hemd uitkomt zijn zo vertrouwd dat het pijn doet.

Ik voel een soort opluchting, alsof ik ontwaak uit een boze droom. Hij is hier, alles is in orde. We kletsen over werk en fa-milie, en we slagen erin het onderwerp dat zwaar tussen ons in hangt te vermijden, tot hij zijn mes en vork neerlegt en een volgend drankje afslaat. Hij zegt dat hij moet gaan. Hij heeft een afspraak met Sam en 'een paar vrienden'. Ik voel een scherpe pijn onder mijn ribben. Ik heb niets meer om hem vast te houden.

'Nou... gefeliciteerd met je verloving!' flap ik eruit.

Hij glimlacht. 'Dat meen je niet.'

Ik leg heel zorgvuldig de bierviltjes op een rij. 'Nee. Maar ik wil wel dat je gelukkig bent,' zeg ik met een glimlach.

'Eh, dank je.'

'En ben je dat? Gelukkig?'

Hij kijkt me aan alsof hij peilt hoeveel pijn ik aankan. 'Ik geloof het wel.'

Laat hij daarmee de deur op een kiertje staan? Is er een hoopgevend streepje licht waarin ik een wig kan slaan?

'Gelukkiger dan toen wij zouden trouwen?'

'Viv, alsjeblieft. Daar wil ik het niet over hebben. Dat is verleden tijd. Ik ben nu met iemand anders.'

'Natuurlijk, dat weet ik wel. Maar, nou ja, nu ben je hier. Met mij. Daar moet toch een reden voor zijn.' Ik pak zijn hand. 'Dat moet toch iets betekenen?'

'Ik vond gewoon dat ik het je verschuldigd was om het je zelf te vertellen, om op een goede manier afscheid te nemen.'

O, mijn god, wat is dit moeilijk. Alsof ik keer op keer een stomp op mijn neus krijg. Wie niet waagt, die niet wint. Ik probeer mijn stem gelijkmatig te houden. 'Ik wil geen afscheid nemen, Rob.'

'Ik moet gaan.' Hij staat op.

'Ik wil dat wij weer bij elkaar komen. Ik denk...'

'Het is voorbij, Viv.' Hij strijkt zachtjes met de rug van zijn hand over mijn wang. 'Het spijt me, lieverd, maar jij bent bij mij weggegaan... weet je nog?' Hij zwaait zijn glanzend gevoerde jasje over zijn elegante schouder en loopt kalmpjes de deur uit. Hij kijkt niet om.

11

De algehele ineenstorting: deel 1

1. *Huil tot je niet meer kunt.*
2. *Schreeuw en tier als een feeks.*
3. *Smijt dingen kapot.*
4. *Niet bellen! Daar krijg je spijt van.*
5. *Echt niet doen!*

De taxi stopt aan het einde van de straat. Ik graai in mijn tas op zoek naar geld en duw de extra onderbroek, die nu om de tandenborstel heen gedraaid zit, opzij.

De chauffeur kijkt me geduldig aan. 'Het is niet het einde van de wereld, schat. Morgenochtend ziet alles er beter uit.'

Terwijl de tranen over mijn wangen stromen geef ik hem een twintigje. 'Dat is het wél. Het is het einde van míjn wereld.'

Hij geeft me het wisselgeld terug. 'Pas op jezelf, schat.'

Ik knik half verdoofd en strompel naar de deur, jankend als een gewonde hond. Snot en tranen druipen omlaag terwijl ik met de sleutels sta te frunniken. Als ik binnen ben, ga ik opgekruld op de bank liggen, met mijn armen om mijn benen. Heel ver weg herinnert een klein restje ratio me eraan dat ík Rob heb verlaten, meer dan twee maanden geleden, en dat ik er best goed mee om kon gaan. Maar dat was alleen omdat ik ervan overtuigd was dat hij terug zou komen. Nu heeft hij míj verlaten. Hij heeft niet eens geprobeerd me terug te krijgen. Het is onherroepelijk. In mijn hoofd zie ik ideeën en scenario's voorbijflitsen als in een duimboekje. Als zich een beeld opdringt van Rob die wegloopt, begin ik te brullen. En dan zie ik háár! Hoe kan ik wedijveren met dat supermodel? De pijn is zo hevig dat ik niet stil kan blijven liggen. Ik moet iets drinken.

In de ijskast vind ik een half blikje cola waar de prik uit is en een fles wodka. Er is geen tijd om het in een glas bij elkaar te gooien, dus ik neem eerst een teug van het een en dan van het ander, en loop heen en weer als een tijger in een kooi. Hoe kon ik zo dom zijn om te denken dat ik de situatie in de hand had, terwijl hij mij eigenlijk helemaal niet wilde. Nauwelijks heb ik mijn hielen gelicht of hij trouwt met iemand anders, met iemand die jonger is dan ik. En zo slaat hij al mijn hoop op een romantische bruiloft de bodem in, nadat hij mij eerst een aantal goede, vruchtbare jaren heeft ontnomen en alles kapot heeft gemaakt wat we hadden opgebouwd.

'Ik ben gewoon afgedankt,' jammer ik, terwijl ik loop te ijsberen en te drinken. 'Hij heeft me ingeruild!' Hoe kon het zover komen? Waaraan heb ik dit verdiend? Ik schreeuw, en het geluid weerkaatst tegen de kale muren. Terwijl de wodka zich een weg naar beneden brandt, staar ik uit het raam naar alle verlichte vierkantjes van leven in de gebouwen om me heen, naar de woonkamers, de lampen, de tv's, en ik denk aan de maaltijden die worden klaargemaakt, aan de stelletjes die tegen elkaar aan op de bank zitten.

Het is donker en ik heb het gevoel dat mijn hart is opengebarsten als een kapotte rits waar de hopeloze duisternis van de nacht doorheen giert. Ik hurk neer tegen de bank, met mijn handen om mijn knieën. Ik ben bang voor het alleen-zijn. Ik weet niet hoe ik met deze verschrikking om moet gaan.

'Het is niet eerlijk!' roep ik. 'Ik kan het niet!' Ik wieg heen en weer en roep zijn naam. Eerst alsof hij in de kamer naast mij ligt te slapen, dan alsof hij me kan horen aan de andere kant van de stad.

Ik neem een nog grotere slok wodka terwijl ik blijf zitten in de vreemde, groene gloed van mijn telefoon. Ik zeg zijn naam, fluister zijn naam. Dan pak ik de telefoon en zoek ik hem in mijn contacten. Als ik het nou kan uitleggen, als ik zijn stem kan horen, dan komt hij wel naar me toe. Hij zou me niet zo laten lijden; hij zou het begrijpen. Ik krijg zijn voicemail: 'Dit is de voicemail van Robin Waters. Helaas ben ik op dit moment niet bereikbaar. Spreek een boodschap in na de pieptoon of toets hekje om te worden doorverbonden met mijn secretaresse. Dank u wel. Tot ziens.'

Die mooie, prachtige stem. Ik wil alleen maar dat hij mijn naam zegt. Ik hang op en bel nog een keer.

'Dit is de voicemail van Robin Waters...'

En nog een keer. En nog een keer. En nog een keer en dan nog een paar keer.

12

De algehele ineenstorting: deel II

1. *Ga naakt voor een spiegel staan, haal diep adem en zeg met rustige, zachte stem: 'Ik ben een dappere krijgster en ik heb recht op liefde. De volgende keer zal ik sterker en beter zijn.'*
2. *Herhaal het bovenstaande.*
3. *Neem een huisdier of een plant of iets anders waarvoor je kunt zorgen.*
4. *Begin met een nieuwe sport.*
5. *Richt je huis opnieuw in*

Als ik mijn ogen opendoe, kijk ik recht onder de bank. Ik zie een gouden oorring die ik kwijt was, een bord, stof en een tot prop verworden sok. Mijn hoofd voelt als een walnoot in de kaken van een notenkraker; mijn brein is het rammelende, verschrompelde binnenste. Achter mijn ogen sist hoofdpijn. Ik lig in een bundel brandend zonlicht die door het raam valt en de wollen vezels van het tapijt schuren langs mijn gezicht. Ik rol op mijn rug. Onder de halfronde, glazen plafondlamp dwarrelt stof. Rechts van mij staat een wodkafles die fonkelt als vers bronwater in de bergen; ik zet hem overeind en het restje drank verzamelt zich op de bodem. O god. Ik heb heel veel wodka gedronken.

Ik probeer de avond terug te halen. Ik geloof dat ik gewoon thuis ben gekomen en mezelf klem heb gezopen. Ik bedoel, het was niet het hoogtepunt van mijn leven, maar ik heb mezelf in ieder geval niet vernederd. Dat biedt troost. Ik blijf stilliggen en concentreer me op mijn lichaam. De dubbele vloek van verdriet en een kater begint zijn werk te doen en ik voel dat er iets in mijn linkerschouder drukt. Ik schuif opzij, zo min mogelijk bewegend met mijn ogen, en zie mijn telefoon. Als ik mijn hoofd een beetje optil en door mijn oogharen naar het schermpje kijk, zie ik dat ik Rob tíén keer heb gebeld. Ik laat de telefoon op mijn borst vallen. De pijnscheuten knetteren als bliksemschichten door mijn hoofd en priemen in mijn ogen. Wat ben ik toch een ongelooflijke sukkel. Waarom, waarom, waarom begint mijn vinger toch altijd meteen op die toetsen te drukken als ik dronken ben? Dat leidt geheid tot drama's – zoals die keer dat ik probeerde mijn jeugdliefde terug te veroveren; Rooie Roger, die nu homo is.

De telefoon trilt en zoemt een opgewekt deuntje. Ik druk lukraak op een paar knoppen. *Laat het ophouden. Laat het ophouden.*

'Hallo?' rasp ik als een heks.

'Hoi, met Rob.'

In mijn hoofd ontrolt zich een felgekleurd spandoek waarop in koeienletters staat: HIJ WIL JE TERUG! Blijf kalm, blijf kalm.

'Ja? Wat kan ik voor je doen?'

'Nou, je zou kunnen beginnen met me niet voortdurend te bellen en meteen op te hangen.'

'O, heb ik dat gedaan? Sorry. Misschien heb ik op de telefoon gezeten en waren de toetsen niet vergrendeld.'

'O, nou ja... Alles in orde?'

'Met mij? Ja hoor, prima.'

'Ik dacht dat je misschien overstuur was. Vanwege gisteravond, snap je.'

'Nee joh! Ik voel me prima – ik ga zo hardlopen.'

'Hardlopen?'

'Jazeker. Ik probeer tegenwoordig iedere dag een halfuur hard te lopen. En ik vind het heerlijk.'

'Ik kan me jou niet hardlopend voorstellen, Viv.'

'Ja hoor. Ik ben net bezig aan de warming-up. Je moet voorzichtig zijn met je hamstrings.'

'Oké, dan zal ik je niet ophouden. Maar je belt me niet meer, hè? Sam was er niet zo blij mee – we zaten een film te kijken.'

Mijn hart rijt uiteen als een lap versleten stof.

'Neeee. Nee hoor, dat zal ik niet doen.' In mijn keel welt een snik op die me de adem beneemt.

'Hoe dan ook, nu ik je toch aan de lijn heb: ik heb hier nog wat spulletjes van je... Ik vroeg me af wat je wilt dat ik ermee doe?'

'Spulletjes?'

'O, gewoon wat fotoalbums, een paar planten op de patio en de rode stoel.'

'Maar die rode stoel heb ik voor jou gekocht. Je bent dol op die stoel.'

'Ja, eh... Sam is er niet kapot van. Ze is bezig het huis opnieuw in te richten. Ze wil toevallig interieurontwerper worden.'

'Echt waar?' Ik zie voor me dat Sam van een hoge ladder valt. Er druppelt een traan over mijn wang die wegzinkt in het verdroogde kleed.

'Hoe dan ook, denk er even over na en stuur maar een sms'je als je weet wat je met je spullen wilt, oké?'

'Okido.' Okido?

'Ciao, hè.' Hij hangt op.

'Ja, ciao.'

Ik lig op mijn rug en laat mijn gezicht nat worden van de tranen. Geen gesnik, geen gejammer, alleen maar water. Ik vraag me af hoe lang je kunt huilen. Zou het in het *Guinness Book of Records* staan?

13

Kom ik er ooit overheen?

Muffin: Twee maanden geleden heb ik het uitgemaakt met mijn vriend en ik had verwacht
dat ik me nu wel beter zou voelen. Wat
moet ik doen om over hem heen te komen?

Zweedseblondine: Stel jezelf de vraag: Was ik echt verliefd op
deze man of was ik alleen maar verliefd op
het idee dat ik bij iemand hoorde? Mis je zijn
specifieke geur of zijn manier van lopen, of
baal je er gewoon van dat je alleen bent?

Gollemismijnex: Om over hem heen te komen moet je onder iemand anders zien te komen.

Rozeroos: Zoveel mannen en zo weinig tijd. Ga de
hort op, engeltje. Onderneem iets. Ga bij
een club. Onderga een metamorfose.
Doe alsof je hem al vergeten bent, dan zal
dat uiteindelijk ook gebeuren.

Gollemismijnex: Stel jezelf de vraag: Maak ik me hier over
een jaar nog druk over?

Voodooheks: Ik kan een krachtige liefdesbezwering voor
je maken die ervoor zorgt dat degene naar
wie je verlangt weer verliefd op je wordt.
Ik verkoop ook een groot assortiment wassen poppetjes... maar dan heb je een
hoofdhaar van hem nodig.

Aangezien ik me niet kan koesteren in een heroplevende liefde, liggend in de armen van mijn verloofde, ben ik met Lucy gaan dansen. Al snel realiseer ik me dat er niets zo deprimerend is als op zaterdagavond uitgaan in Londen terwijl je een gebroken hart hebt. Waar komen al deze mensen vandaan? Het is alsof de oorspronkelijke populatie is weggezogen en de stad daarna is gevuld met mensen in hippe uitgaanskleding. De clubs zitten barstensvol toeristen, dagjesmensen en luidruchtige knullen op zoek naar lol en seks. Lucy heeft me meegenomen naar de Nite Spot – die oubollige naam is schijnbaar ironisch bedoeld en dus überhip. Als ik voorstel om gewoon naar de pub te gaan, gilt ze: 'Actie!' Ze heeft me 'onder haar hoede genomen', dus nu sta ik hier op haar pumps met een waterige cocktail in mijn hand en ik voel me ongeveer zo bruisend als een holle boomstam.

'Oké Viv, zie je hier iemand die je leuk lijkt?' Lucy draait haar heupen op de maat van de muziek. Somber laat ik mijn blik door de ruimte glijden. Rondom de dansvloer staan groepjes mannen te loeren naar de meisjes die zich uitsloven als stripteasedanseressen. Af en toe breekt er een eenzame wolf los uit de roedel, die suggestief om een van de meisjes begint te cirkelen; sommige worden genegeerd, andere worden aangemoedigd. Het enige wat aan dit schouwspel ontbreekt is de commentaarstem van David Attenborough.

Lucy kronkelt omlaag en omhoog in haar strakke, fonkelende jurkje en zingt mee met een liedje over iemand die het hart van een ander *breeheekt*. 'Nou? Zie je iemand?'

'Jazeker, jou.' Ik maak een paar komische danspasjes voor haar neus.

'Nee, ik bedoel het serieus. Als je iemand hier zou moeten neuken om je leven te redden, wie zou je dan kiezen?'

'Nog steeds jou.'

'Ik bedoel een man!'

'Ik weet wat je bedoelt. Maar ik geloof niet dat dit echt helpt.'

'Je probeert het niet eens!' Ze geeft me een shot tequila. Ik drink het glaasje in drie slokjes leeg, terwijl zij het hare in één keer achteroverslaat, 'Yeah!' roept en haar lege glas met een harde klap op de bar zet. 'Oké, als je niet zelf kiest zeg ik tegen de barman dat je met hem naar bed wilt.'

Ik kijk naar de grijnzende Poolse jongen die achter de bar staat en richt mijn blik snel op de tafeltjes, waar ik uiteindelijk een jongen met een bril en een vriendelijke glimlach zie.

'Oké, die daar.'

'Met dat zwarte shirt? Heel goed!' Ze glimlacht naar een mannelijk fotomodel met een riem met spikes om.

'Nee, hier, die jongen aan het tafeltje. Met die bril en dat vriendelijke gezicht.'

'O mijn god, ik hoop dat je een grapje maakt!' Ze kijkt me aan. 'Je maakt geen grapje!'

'Hij lijkt me iemand met wie je goed kunt praten.'

'Je moet niet met hem práten, Vivienne!'

'O nee?'

Ze pakt mijn armen en trekt me naar zich toe. 'O, arm kind. Wanneer heb je voor het laatst geschreeuwd van opwinding?' Ze zegt het alsof het over iets alledaags gaat, iets als melk kopen.

'Ik geloof niet dat ik ooit...'

'Dat dacht ik al. Vanavond gaan we daar wat aan doen, meid. Laten we nog wat shotjes nemen!'

Als we bezig zijn met ons derde rondje van iets wat smaakt naar hoestdrank, snap ik het opeens – ik voel een tinteling die begint in mijn maag en zich naar al mijn ledematen verspreidt, en ik ben ook... zo mooi! We gaan de dansvloer op en Lucy en ik glijden met de ruggen tegen elkaar omlaag en omhoog. Ik draai om mijn as en weet dat alle meisjes hier wilden dat ze net als ik een coltrui droegen. Dan komt er iemand heel dicht bij Lucy dansen en tol ik in mijn eentje rond. De muziek is zo goed dat ik wel móét bewegen. Voor mij schuifelen grote, zwarte schoenen. Er is iemand met me aan het dansen en ook hij zit er helemaal in – zijn in een zwarte broek gestoken benen bewegen op de maat. Ik kijk omhoog, zie een gestreept, openhangend overhemd en dan een enorme adamsappel. Ik leg mijn hand om zijn nek en roep 'Ongelooflijk!' in zijn oor. Hij knikt. Ik pak hem nog een keer beet en roep: 'Adamsappel!' Hij pakt me bij mijn middel en gaat dichter tegen me aan dansen. Ik zie dat hij een grote neus heeft. Dat bevalt me wel! Zijn vingertoppen zakken nu langzaam naar mijn billen. Ik dans een paar stappen naar achteren, wijs naar hem en roep: 'Brutaal, hoor!' Hij schuifelt naar me toe en ik voel zijn adem in mijn nek. Ik ruik zeepachtige aftershave. Ik steek mijn armen in de lucht en schud met mijn heupen. Ik ben de begeerlijkste vrouw ter wereld!

Nu staat hij achter mij, onverzettelijk als een muur. De bas vibreert, de lichten draaien en hij houdt mijn heupen vast en duwt ze in het rond. Eigenlijk is het een beetje raar. Zijn lippen strijken langs mijn wang. Ik draai me van hem af om hem op een afstandje te houden, maar hij drukt zijn mond op de mijne en zuigt zich op een onaangename manier vast. Ik voel het weekdierachtige puntje van zijn tong dat zich naar binnen probeert te dringen. Ik trek me los, draai mijn hoofd en zijn lippen landen in mijn nek.

'Hé, niet doen,' roep ik. Hij probeert het nog een keer. Dit keer klampt hij zich als een zuigvis vast aan mijn oor. 'Nee dank je!' roep ik en ik ga wat actiever dansen om hem onopvallend te lozen. Hij glimlacht en komt weer op mijn gezicht af. Ik zie zijn natte mond dreigend naderen en duik weg.

Lucy is aan het dansen met het fotomodel. Ze wiegt vlak voor hem heen en weer met haar ogen gesloten en zingt: '*Make love and dance...*'

Ik gil 'Wc!' in haar oor.

Tijdens het plassen houd ik de deur dicht en probeer ik mijn evenwicht te bewaren. Dat is niet gemakkelijk op hoge hakken.

Lucy roept uit het hokje ernaast: 'Ik neem de mijne mee naar huis – hij is zo sexy! En jij?' Ik ben het hokje alweer uit, maar Lucy is nog stevig aan het plassen. Op de universiteit kreeg ze niet voor niets de bijnaam Knol.

'Alsjeblieft niet! Hij lijkt wel een monster uit *Star Wars*!'

'Dus hij heeft niet iets schattigs?'

'Hij lijkt op zo'n alien die zich aan je gezicht vastzuigt.'

Eindelijk komt ze tevoorschijn, nog aan haar jurkje trekkend. 'Ben je klaar om te gaan?' Ze glimlacht ondeugend. Ze heeft beet, dus de avond is ten einde.

'Eh, nee. Ik wil dansen.'

Ze kijkt teleurgesteld.

'Je hebt zelf gezegd dat ik weer eens goed moest feesten. Het is pas één uur.' Ik kijk haar boos aan terwijl ik de deur opentrek, maar als ik me omdraai sta ik oog in oog met het enge zuigmonster. Hij komt op me af met getuite lippen en graaiende tentakels. Ik slaag er maar net in de deur op tijd dicht te slaan. Ik leun tegen het hout en voel me als Sigourney Weaver. 'Ik kan niet naar buiten!' Lucy zegt 'tss' en trekt de deur open, maar hij blokkeert de weg en springt van het ene been op het andere.

'Luister knul, mijn vriendin heeft geen belangstelling.' Hij glimlacht wazig. 'Zou je uit de weg willen gaan, alsjeblieft? Ze is niet geïnteresseerd.' Ze draait zich om naar mij. 'Ik geloof dat hij geen Engels spreekt.' Als ik mijn hoofd om de deur steek, begint zijn gezicht te stralen. Zijn natte rode mond lonkt naar me. Ik sla de deur dicht.

'Waar ben je mee bezig, Viv? Hier kunnen we niet blijven.'

'Nee... hij is nu vast wel weg.' Zelfverzekerd doe ik de deur open, maar hij loopt naar binnen en torent dreigend boven ons uit. Er zit maar één ding op – ik moet iets sciencefictionachtigs zeggen. Iets wat past bij een zuigmonster. Ik zet een stap in zijn richting en houd mijn hand op als stopteken.

'Je laat ons er nu langs!' zeg ik plechtig.

Hij aarzelt. Ik blijf mijn hand omhooghouden, vermijd oogcontact en herhaal het bevel, tot hij wegkronkelt als een slang die zich heeft gebrand.

Aan het eind van de avond denk ik dat ik op zoek moet naar een therapeut. Ik moet met iemand praten. Misschien ben ik

wel depressief. Als er schuifelmuziek klinkt sta ik in mijn eentje, terwijl Lucy over de dansvloer glijdt met haar model. Hij
wrijft over haar achterwerk en zij masseert zijn nek. De lichten
gaan aan en plotseling heb ik het gevoel dat ik voor gek sta in
mijn veel te warme trui. Alsof ik Lucy's moeder ben die haar
komt ophalen in een Fiat Panda.

Bij de garderobe kunnen ze mijn jas niet vinden en vervolgens beland ik op de achterbank van een te snel rijdende taxi,
luisterend naar het gesmak en geslurp van Lucy en haar model,
die elkaar aan het verkennen zijn. Ze wilden me per se thuis af-
zetten. Af en toe maakt de jongen zich los en stelt hij een beleefde vraag, zoals: 'Hoe lang woon je al in Londen?', terwijl hij
zijn hand onder Lucy's jurkje laat glijden. Ik leun met mijn
voorhoofd tegen het beslagen raampje en kijk naar de voorbijflitsende kebabtentjes en taxistandplaatsen. Een meisje in een
dellerig zwart jurkje klampt zich vast aan een lantaarnpaal en
braakt over haar schoenen. Ik stel me de avond van Rob en
Sam voor: dineren in een chic en duur restaurant, champagne,
sprankelende conversatie en dan naar huis. En ik schrompel ineen van jaloezie en pijn.

14

Familie en vrienden

1. Heb je een netwerk van mensen die je kunnen steunen als je het moeilijk hebt?
a. Ja, ik heb een grote vriendenkring en een liefdevolle familie.
b. Nee, zelfs mijn collega's op het werk luisteren niet meer.
c. Ja, maar ik kan ze niet vertellen hoe dom ik ben geweest.

2. Geloof je dat een probleem kleiner wordt als je erover praat?
a. Ja, het is altijd beter om open te zijn over wat je dwarszit.
b. Nee, ik kan niemand bedenken met wie ik over mijn problemen zou kunnen praten.
c. Er bestaan geen problemen die niet kunnen worden opgelost met een feestje.

3. Is er een speciale persoon in je leven die je helpt te ontdekken hoe waardevol je bent en wat je in je mars hebt?
a. Ja, mijn beste vrienden.
b. Ja, mijn ex.
c. Ik ben niet waardevol en heb niets in mijn mars.

Antwoorden
Vooral A – je maakt gezonde keuzes. Creëer nieuwe, gelukkige herinneringen met familie en vrienden, dan kom je er snel weer bovenop.
Vooral B – het kan verstandig zijn om nieuwe banden aan te knopen met de buitenwereld. Blijf niet in je eentje zitten treuren. Doe leuke dingen.
Vooral C – zoek professionele hulp.

Zondagochtend is het moment voor geliefden. Alle radioprogramma's zijn daaraan gewijd. Waarom bellen mensen op om te vertellen hoe verliefd ze zijn? Wie proberen ze te overtuigen? Het is eigenlijk nogal treurig.

Ik wijd me aan mentale en fysieke verstilling. Dat is hoofdstuk vier van *Vind je eigen weg en wees vrij*, een boek over hoe je de stemmen in je hoofd tot zwijgen kunt brengen en een vredige ziel kunt bereiken. Het portret van de schrijfster toont een vrouw met het soort keurig kapsel dat vertrouwen wekt. Haar glimlach zegt 'ik weet alles'. Ik lig in bed en besef dat het eigenlijk heel moeilijk is om echte rust te vinden. Als ik het gevoel heb dat ik het begin van verstilling begin te naderen, belt Lucy.

'Hoe gaat het met je?' vraagt ze.

'Nogal klote,' zeg ik, waarbij ik mijn kaak zo min mogelijk beweeg.

'Meer klote dan gisteren?'

Daar denk ik over na. Ik heb me nooit echt verdiept in de verschillende maten waarin je je klote kunt voelen. 'Minder klote dan gisteren, geloof ik. Hoe was het met je fotomodel?'

'Onmogelijk klein piemeltje.'

'O.'

'Maar het was toch een leuke avond, hè? En je had beet!'

'Ja... wat een engerd. Is er misschien iets in mij wat andere levensvormen aantrekt?'

'Ik denk dat ze je geur oppikken. Hé, heb je zin om vandaag mee te gaan naar een singleslunch? Het is in The Jug and Goblet. Het wordt een gekkenhuis, iedereen gaat uit zijn dak en niemand vertrekt in zijn eentje. Gegarandeerd!'

'Wauw, dat klinkt geweldig, maar ik kan niet.'

'Waarom niet?'

'Ik wil niet.'

'En wat ga je dan doen? Thuis zitten kniezen en naar foto's van Rob staren?'

'Nee.'

'Foto's van Rob met zijn nieuwe vriendin bestuderen? Een

T-shirt van prikkeldraad maken voor jezelf? In bed blijven en zelfhulpboeken lezen?'

Ik kijk even naar *Vind je eigen weg en wees vrij*. 'Misschien wel.'

'Viv, kom op. Doe iets met je leven!'

'Ik ga naar mijn oma.' Ik zal haar zo bellen – dat komt wel goed.

'O. Spannend!'

'Ik heb Max uitgenodigd.' Hem moet ik dus ook even bellen.

'Wat heb je toch een opwindend leven!' Ik begrijp niet zo goed waarom ze denkt dat ze me met dit soort stekelige opmerkingen helpt. Even schiet de gedachte door mijn hoofd dat ze misschien geen hart heeft.

'Moet je vandaag niet afspreken met je seksmaatje of zo?'

'Nee, dat is het idee van een seksmaatje. Je moet helemaal niets.'

'O.'

'Gaat het wel? Je klinkt zo raar.'

'Ja hoor, ik voel me prima. Ik spreek je later.'

'Tot later.' Ze hangt op. Ik luister naar de zoemtoon van de telefoon en vraag me af hoe lang die duurt en wat daarna komt. Als er na een tijdje nog steeds niets is veranderd, hang ik op, sjok naar de keuken en trek de ijskast open. De schappen grijnzen me tegemoet. Ik pak de gerookte zalm en lees woorden als 'beste' en 'wilde' op de gerecyclede verpakking. Vrijdag was deze zalm nog vol beloften. Ik houd het pakje als een gebedsboekje in mijn handen en staar door het keukenraam naar de zomerhemel. Ik schuif het raam open en kijk naar omlaag het steegje in, waar zich een berg pizzadozen en lege blikjes heeft verzameld. Boven op de berg ligt een uitgelubberd, gebruikt condoom. Ik bestudeer de zalm waar ik ooit al mijn hoop op had gevestigd en laat hem vallen. Hij belandt tussen de resten van de zaterdagavond, een flintertje gezondheid tussen het afval. Ik pak de roomkaas en de croissants en gooi ook die uit het raam. Dan vuur ik een voor een de aardbeien af. Sommige stuiteren op het kozijn en rollen over de vloer. Over de champagne moet ik even nadenken, maar dan grijp ik de fles bij de hals en scheur het folie eraf. Er klinkt geen plop als de kurk eruit glijdt. Rob heeft me verteld dat het ordinair is om de kurk te laten knallen. Stel je voor: voordat hij me opvoedde liet ik niet alleen de kurk knallen, maar juichte ik er ook nog bij. Leunend tegen het aanrecht drink ik een flûte roze bubbels. Dan laat ik mijn laatste glas op de tegelvloer vallen. Het breekt spectaculair in duizend stukjes. Ik sluit de ijskast met mijn voet en slof weg om me aan te kleden.

Max is vroeg, wat ongebruikelijk is voor hem. Hij heeft zelfs zijn haar gekamd, en als ik hem een kus op de wang geef, valt me op dat hij zich heeft geschoren en een rare, citrusachtige geur opheeft. Zijn spijkerbroek is schoon en hij draagt een T-shirt dat ik nog nooit heb gezien – met blauwe ruitjes. Ik neem hem van top tot teen op.

'Kijk nou!'

'Wat? Wat is er mis met me?' Hij kijkt om zich heen alsof ik zojuist 'Politie!' heb geroepen.

'Er is niets mis.' Ik glimlach. 'Je ziet er heel mooi uit.'

'Tja, je weet hoe oma's zijn, die houden daarvan.' Hij grijnst en lijkt wel wat op een piraat, met zijn afgebroken tand.

'Oma's?'

'Ach, houd je mond, Viv. En hoe ga jij dan?'

'Ik? Eh... als een meisje dat de was niet heeft gedaan en diep in haar klerenkast moest graven.' Ik weet dat mijn billen enorm lijken in mijn drie jaar oude, gebleekte spijkerbroek en dat het mouwloze gebloemde blocsje niet zozeer 'retro' uitstraalt, als wel 'zielenpoot'.

'Wil je wat drinken?'

'Heb je whisky?'

'Nee. En het is trouwens zondagochtend.'

'Iets anders dan.'

'Ik heb champagne. Roze.'

'Heerlijk.' Hij volgt me naar de keuken. 'Je had me vrijdag

gebeld. Ik heb geprobeerd je terug te bellen.' De scherven van de flûte kraken onder mijn cowboylaarzen. Max zegt er niets over. 'Alles in orde?'

'Ja hoor.'

'Ja? Want zo klonk het niet.'

'Rob wil die rode stoel kwijt.'

Hij knikt op een manier die duidelijk maakt dat hij geen idee heeft waar ik het over heb.

'Ik heb die stoel voor hem gekocht... We waren een wandelingetje aan het maken op een volmaakte herfstdag en toen kwamen we langs een rommelwinkeltje. We gingen naar binnen en ik zag de armleuning van die stoel onder een hoop troep. Hij had zo'n mooie tomaatrode kleur.' Ik kijk even naar Max; hij staart naar de grond. 'Bijna oranje, eigenlijk. De verkoper haalde voor ons de troep weg en er kwam een perfecte oude oorfauteuil onder vandaan. Ik kocht hem stiekem voor zijn verjaardag en liet hem opnieuw stofferen en zo. Hij vond hem prachtig. Maar nu vindt zijn verloofde hem niet mooi en dus vroeg hij wat ik wil dat ermee wordt gedaan.'

'Zeg dat hij hem in zijn reet kan steken.'

'Zomaar. Wat ik wil dat ermee wordt gedaan! Ongelooflijk. En toen begreep ik het opeens: het is niet zo dat hij niet wilde trouwen, hij wilde alleen niet met míj trouwen.' Ik staar naar Max en probeer de tranen weg te denken. Dan richt ik mijn blik langzaam op de woonkamer, en terwijl ik mijn neus ophaal stel ik me voor dat de stoel daar staat. 'Ik wil hem hier niet hebben. Dan zou hij als een groot, dik spook in de hoek staan en me herinneren aan het verleden. Maar ik wil hem ook niet wegdoen...' Ik hoor mijn stem bibberen en vraag me af waarom dat gedoe met die stoel zo belangrijk voor me is.

'Luister. Ik haal die stoel wel op en zet hem bij mij neer tot je inziet dat je er dol op bent en dat Rob een eikel is. Dan brengen we hem hier en houden we een stoelfeest.'

'O jee, daar kan ik me niets bij voorstellen.'

'Bij een stoelfeest? Nou, het zou een feestje zijn met jou, mij en de stoel, en met niet heel veel kleren...'

'Nee, ik kan me er niets bij voorstellen hoe het is om in te zien dat Rob een eikel is.'

Hij legt zijn arm om mijn schouder. 'Ach Viv, ik beloof je dat je op een dag zo door iemand wordt aanbeden, dat het je geen moer meer kan schelen.'

Ik leg mijn hoofd op zijn schouder. 'Beloof je dat echt?'

'Ik beloof het echt.'

Nana's straat ligt in de groene schaduw van de zomerse bomen. Het plaveisel glinstert in de vroege hitte. Als we het huis naderen gooit ze de voordeur open en verschijnt ze op de drempel in een lange pauwblauwe zomerjurk. Ze strekt haar dunne armen naar ons uit.

'Max! Max Kelly!' roept ze als een Shakespeare-actrice.

Hij pakt haar beet en maakt wat danspasjes. 'Hallo, Eve.' Ze lijkt zo klein als een kind in zijn vurige omhelzing. 'Goed je te zien.'

'Max, wat zie je er goed uit. Ziet hij er niet goed uit, Viv?'

Hij kijkt mij aan met een idiote grijns.

'Ja hoor, best wel,' mompel ik.

'Ik voel me ook goed, Eve. En hoe gaat het met jou?'

'Ach, ik mag niet klagen. Kom...' Ze loopt voor ons uit naar binnen en daalt de trap af naar de warmte van de keuken. Ik ruik runderbraadstuk in de oven. Ze geeft me een zoen en schenkt iets te drinken in. Nu Max erbij is wordt ze opeens giechelig en stelt ze zich aan. Ik schaam me een beetje voor haar. 'Neem deze aardige man maar mee naar de tuin, Vivienne, dan breng ik het dienblad naar buiten.'

We duwen de klapdeuren open en lopen de zonverlichte patio op. De tegelvloer is gebarsten als een verkreukelde wegenkaart en overdekt met mos. Een roestige tafel staat met vier stoelen onder een versleten parasol van canvas. Max draait zijn gezicht naar de zon en zet zijn bril op.

'Het wordt een mooie dag,' zegt hij.

'Je valt in de smaak.'

'Ja, ach, Eve en ik kennen elkaar al zo lang.'

Ik klak geërgerd met mijn tong en voel me op een kinderachtige manier buitengesloten. 'Ze zou iets aan de tuin moeten doen,' mompel ik en ik loop de drie doorgebogen treden naar het glooiende gazon op. Max volgt me. We strijken langs de verwilderde, geurige jasmijn en ik sta even stil bij het engelenbeeld. Het staat midden in het gras. Ik kijk naar de hemelse blik en ben weer het zevenjarige meisje dat geheimen fluistert tegen haar stenen ogen en slingers van madeliefjes aan haar vleugels hangt. Ik dacht altijd dat mijn moeder me kon horen als ik tegen de engel praatte. Wat schattig. Fruitbomen werpen schaduwvlekken op het gazon, en tussen het hoge gras glimmen gevallen appels die een weeïge geur afgeven. We lopen naar het einde van de tuin, waar de oude rozen zich om elkaar hebben gestrengeld, hun volle bloemen knikkend onder de aandacht van bijen. 'Ik ben dol op Engelse rozen,' zeg ik tegen Max. Ik kijk naar zijn zongebruinde hand, die de onderkant van een perzikkleurige bloem wegschuift.

'Ik ook,' zegt hij. Als ik een blik op hem werp, zie ik dat hij met ogen vol warmte en humor op me neerkijkt. Ik kijk weer naar de rozen. Hij schuifelt wat heen en weer en zegt: 'Ik zal je oma even helpen met de drankjes.'

Terwijl hij het trapje af rent draai ik me om. Ik trek mijn laarzen uit en loop blootsvoets over het koele, vochtige gras langs het vergeten stukje moestuin terug naar de engel.

'Wat weet jij allemaal?' vraag ik haar terwijl ik de toppen van haar afgebrokkelde vingers aanraak.

Uit de keuken klinkt geroep en gelach en dan komt Nana naar buiten met een witte, breedgerande hoed op, gevolgd door Max, die een gleufhoed van stro opheeft en op schouderhoogte een dienblad draagt. Nana houdt haar hand boven haar ogen en roept mij met een gespeeld deftige, luide stem.

'Viv, kijk, we zitten aan de Rivièra! Ik heb margarita's gemaakt!'

Max staat achter haar te grijnzen; met zijn witte tanden, gebruinde gezicht en de donkere krullen die onder zijn hoed uit komen, lijkt hij op een gladde Griekse ober die naïeve toeristen probeert te verleiden.

'Jullie zien er belachelijk uit.' Ik loop naar de warme patio en we drinken onze cocktails onder de parasol. Max steekt een sigaret op en Nana reikt naar het pakje.

'Mag ik?'

'Natuurlijk.' Hij schuift de aansteker naar haar toe.

'Je rookt helemaal niet!' roep ik uit.

Haar gezicht vertrekt als ze inhaleert. Ze houdt de sigaret, nu besmeurd met koraalrode lippenstift, onwennig van zich af. Als ze uitademt hoest ze even.

'Tja, ik wilde altijd al roken, maar ik heb gewacht tot mijn zeventigste.' Ze heeft haar rok omhooggeschoven om haar dunne benen met de opgezette aderen aan de zon bloot te stellen.

'Waarom?'

'Nou, je kunt eraan doodgaan,' zegt ze, terwijl ze nog een trekje neemt en dit keer de rook meteen weer naar buiten kucht. 'Hoe dan ook, ik geloof niet dat ik het lekker vind. Wil je deze terug, Max?'

Hij buigt zich naar haar toe, neemt de sigaret van haar over en drukt hem uit op een schoteltje. 'Is er nog iets wat je zou willen proberen, Eve? Hanggliden? Harddrugs?' vraagt hij.

'Drugs, absoluut. Vooral die soort die goed is tegen artritis. Hanggliden, nee, maar misschien een ballonvaart. Ik had best willen trouwen in een luchtballon.'

'Opschepster! Je hebt hoogtevrees, Nana.'

'Maar dat is het mooie aan een ballon – je hoeft niet zo hoog te gaan en er passen heel veel gasten in de mand.'

'Geniaal, Eve! Als ik ga trouwen ga ik dat doen.' Hij vult onze glazen bij.

'Wie wil er nou met jou trouwen?' zeg ik bits.

Hij kijkt op. 'Er zitten massa's vrouwen achter me aan, maak je daar maar geen zorgen over. Ik ben alleen kieskeurig.' Hij knipoogt naar Nana.

'Heel verstandig, Max!' roept ze.

'Hmm, Max, je bent van alles, maar kieskeurig zou ik je nou niet meteen noemen.' Ik leun achterover met mijn drankje en lach hem uit.

'Ah, maar er zijn veel dingen die je niet van me weet, Vivienne,' zegt hij zachtjes.

'Is dat zo?' Ik glimlach.

'Ja.' Hij zet de kan neer en draait zijn gezicht naar de zon. Plotseling ril ik en heb ik kippenvel op mijn armen. We zijn een tijdje stil en luisteren naar het gezoem en getjirp in de tuin. Dan roept Nana dat het vlees klaar is.

'Hoewel dat het laatste is waar je trek in hebt op zo'n hete dag.'

In de keuken besluiten we van de lunch een koud buffet te maken. Max maakt een salade van de gebakken aardappelen, met mayonaise en Franse mosterd. Ik maak een raar gerechtje van de wortelen door ze te raspen en er koriander en sinaasappelsap aan toe te voegen. We eten dat alles met plakjes koude rosbief. Nana ondervraagt Max met haar mond vol.

'Zeg Max, vertel me eens over je schilderijen. Zitten er exposities aan te komen?'

'Er zijn altijd een paar van mijn werken te zien. Die hangen in een kleine galerie in Noord-Londen.'

'En worden ze ook verkocht?'

'Af en toe. Ik kan er de huur in ieder geval van betalen.'

Ik denk aan zijn aftandse woning en concludeer dat hij niet veel kan verkopen.

'Hoe zit het met opdrachten?'

'Tot nu toe heb ik die niet gekregen. Ik hoop mee te doen aan een expositie op de academie. Als ik word geselecteerd, levert dat veel publiciteit op.'

'Ik herinner me een werk dat je me ooit hebt laten zien – een naakte man met een kat in zijn armen. Het was heel indringend.'

'Dat schilderij maaktde deel uit van mijn eerste expositie. Ik heb het verkocht.'

'Ik vind het geweldig dat je zoveel talent hebt, Max. Je moet nooit opgeven.'

Het is vreemd om Max zo over zijn werk te horen praten. Kennelijk heeft hij ambities. Ik zeg altijd tegen hem dat hij een echte baan moet zoeken.

Hij kijkt me aan. 'Viv denkt dat alle creatieve mensen mislukte armoedzaaiers zijn.'

'Dat heb ik nooit gezegd!'

'Vivienne, dat had ik van jou niet verwacht.' Nana fronst en Max lacht.

Ik probeer mezelf te verdedigen: 'Ik vind je werk heel mooi. Dat schilderij van Lula is prachtig.'

'Dank je wel. Het is niet mijn beste werk. Echt goed wordt het pas als je iets voelt voor het onderwerp, als er een bepaalde energie van die persoon afstraalt... Dan kan er iets prachtigs ontstaan.' Hij glimlacht naar me. Zijn ogen zijn ongelooflijk donker. Ik kijk weg naar de tuin en mijn wangen gloeien. Tot mijn verbazing wil ik dat hij over mijn portret praat.

'Poeh, wat is het heet vandaag!' Ik schuif mijn stoel achterwaarts het kleine stukje schaduw in.

'Nou Max, ik hoopte dat je vanmiddag een tekeningetje van mij zou kunnen maken.'

Hij richt zijn blik op Nana en ik heb het gevoel dat ik eindelijk kan ontspannen, alsof ik even op adem kan komen tijdens mijn elektrocutie. 'Natuurlijk! Heb je papier?'

Ik ruim de borden op terwijl zij in hun rol kruipen. Hij die van de kunstenaar met opgerolde spijkerbroek en behaarde, magere benen, die zwijgend aan het tekenen is. Zij die van zijn model, starend naar de tuin. Ik laat de gootsteen vollopen en doe de afwas terwijl ik naar de patio kijk. Nana neemt haar hoed af en hij scheurt een vel los. Echt iets voor haar om plotseling een schetsblok en potloden tevoorschijn te toveren. Soms nemen ze even pauze en ik vang flarden op van hun soepele conversatie; wat zijn het toch een flirts! Ik ververs het water en begin met de pannen. Ze kijkt hem nu recht aan. Op het papier zie ik de jonge schoonheid die ze ooit was doorschemeren. Een pannendeksel glijdt uit het afdruiprek en ze draaien zich allebei om.

'Hé, jij daar! Denk je dat je ons iets te drinken zou kunnen inschenken?' roept Max over zijn schouder.

'Er staat witte wijn in de ijskast, lieverd,' voegt Nana eraan toe.

Ik breng de fles en de glazen naar buiten en pak een van de schetsen. De vlekkerige lijnen geven de essentie van Nana weer. 'Ze zijn heel goed.'

'Ik hoop dat hij me mooi heeft gemaakt.'

'Ik kan alleen maar tekenen wat ik zie.' Max gooit zijn potlood neer en schenkt wijn in.

'En je kunt geen ijzer met handen breken,' voegt zij eraan toe.

In plaats van een dessert is er kaas. Nana brengt de brie naar buiten, zet het plankje in de zon en snijdt een enorm stuk voor zichzelf af. Ze schept het vloeibare binnenste op en sabbelt aan de korst. Ze ziet er de laatste tijd heel gelukkig uit. Ik sluit mijn ogen en laat de zon mijn gezicht verwarmen. Met een half oor luister ik naar het verhaal over vakantieplannen dat ze tegen Max houdt.

'... toen dachten we aan Santander. Reg is daar nog nooit geweest.'

'Ik vind die noordkust prachtig,' zegt Max.

'Zei je nou dat Reg daar nog nooit is geweest?' Ik houd mijn ogen gesloten terwijl ik praat.

'Ja.'

'Dus jullie gaan nu al samen op vakantie?' Ik ga rechtop zitten.

'Eh, ja.'

Met een zucht zak ik weer in.

'Is er iets, Viv?' vraagt ze.

Ik doe een oog open en weer dicht. 'Nee hoor, niets. Alleen... Nou ja, opa is nog maar net dood, en nu ga je alweer de hort op met iemand anders.'

'Hij is er al twee jaar niet meer, Viv. Twee jaar is een lange tijd om alleen te zijn.'

'Nou, misschien ligt het aan mij. Ik mis hem gewoon nog steeds.'

'Ik ook. Maar ik leef nog, en reken maar dat ik zo lang als dat duurt alles eruit zal halen wat erin zit!' Ze staat op, pakt een paar bordjes en beent naar de keuken. Ik hoor de klik van een aansteker.

Max blaast een krul van rook uit. 'O jee,' zegt hij.

'Wat?'

'Ik heb de indruk dat je je oma nogal van streek hebt gemaakt.'

'Maar dat hele gedoe met Reg is gewoon belachelijk!' Ik kijk hem boos aan. 'Wist je dat ze al met hem flirtte toen opa nog leefde?' Max' gezicht blijft kalm. Ik kijk naar de keuken maar zie Nana niet. 'Ik vermoed dat ze vlak na de begrafenis een relatie kregen.' Ik leun achterover en voel de hete zon op mijn hoofd branden. Max drukt zijn sigaret uit. 'En ze heeft nooit iets gezegd. Ze heeft het nooit bekendgemaakt. Ze gaan gewoon stiekem hun gang.'

'Waarom zou dat toch zijn?'

'Omdat ze zich schuldig voelt!'

'Of... misschien wil ze je niet kwetsen.'

'Het heeft niets met mij te maken.'

'Nee, daar heb je gelijk in.' Hij glimlacht. Verontwaardigd staar ik voor me uit. Ik voel een doffe hoofdpijn tegen mijn slapen bonken. Waarom vind ik het zo erg dat Nana en Reg leuke dingen met elkaar doen? Ik wil dat ze gelukkig is. Maar ik voel me verraden en kan niet goed uitleggen waarom. Max zou het nooit begrijpen; hij heeft ouders – twee maar liefst, levend en nog steeds getrouwd ook –, vier gestoorde zussen en honderden neefjes en nichtjes. Ze houden allemaal van hem op zo'n aanhankelijke en zo'n hunkerende manier, dat hij ze zo min mogelijk opzoekt. Mijn familiegeschiedenis is als een breekbaar glas en Reg klopt met een hamer op de rand.

Ik probeer door te dringen tot de kern van mijn gevoelens, en net als ik denk dat ik het snap ontglipt het me en blijft er een halve gedachte achter, als een afgeworpen staart. Ik geef het op en loop de keuken in op zoek naar water. Nana zet de borden in de keukenkast en ik zie haar handen trillen als ze zich uitrekt om bij de bovenste plank te kunnen.

'Zal ik even helpen?' vraag ik.

'Bijna klaar.' Het servies klettert op de plank en ik sta ongemakkelijk naast haar. Ze sluit de glazen deur, een beetje buiten adem door de inspanning. Ze draait zich naar me om en glimlacht, haar blauwe ogen vol begrip, legt een hand op de mijne en knijpt er even in.

'We moeten zo gaan,' zeg ik.

'Zoals je wilt, lieverd,' zegt ze en ze streelt mijn gezicht met haar vingers.

De koortsige straten van Londen houden de hitte van de middag gevangen. De geur van voorwerpen die bakken in de zon mengt zich met de uitlaatgassen en het stof. Max loopt met me mee naar de metro. Ik zeg dat ik geen escorte nodig heb; hij vindt van wel.

Hij heeft het over plannen om de stad te ontvluchten, een sabbatical te nemen, een pelgrimstocht te maken op de motor. 'Waarom ga je niet met me mee?' vraagt hij.

'Ik heb geen motor.'

'Bij mij achterop, domkop.'

'Waar zouden we dan slapen?'

'Onder de sterren.'

'Wat, samen?' Ik trek een afkeurend gezicht.

'Oké, dan slaap ik in mijn eentje onder de sterren en jij in een vijfsterrenhotel.'

We lopen de hoek om; ik kijk omhoog naar mijn openstaande keukenraam en bedenk dat Rob me zou vermoorden om mijn onvoorzichtigheid.

'Een vijfsterrenhotel met een sauna,' zeg ik als we in mijn

portiek staan. Ik frunnik wat met het slot, en als ik me omdraai staat Max alweer op straat.

'O, kom je niet mee naar boven?'

'Nee... ik heb dingen te doen.' Hij glimlacht.

'Zoals?'

'Zoals ons reisje naar de sterren en de sauna's organiseren.' Hij begint te lopen en laat mij achter op de drempel.

'Ik ga niet mee!' roep ik tegen zijn rug.

'Ach, dat zeg je nu...'

Ik volg hem met mijn blik terwijl hij als een grote beer weg kuiert.

15

Verdergaan met je leven

Het is belangrijk om je ex niet op een voetstuk te plaatsen. Concentreer je op de zwakke punten en maak een lijst van alles wat je niet leuk vond aan hem of haar. Lees iedere keer als je je ex mist die lijst door.

'Mijn ex-vriend Shaun zei altijd dat hij misselijk werd van mijn voeten. Hij maakte er grapjes over; hij zei dat ik vanuit een duikvlucht dingen zou kunnen oppikken met mijn klauwen. Ik hoef alleen maar naar mijn voeten te kijken en terug te denken aan hoe hij me uitlachte en hop!, ik mis hem helemaal niet meer.'

Becka, 20, Harrow

'Mijn ex-vriendin nam altijd haar achttien knuffelbeesten mee naar bed. Dan werd ik midden in de nacht tegen de muur aan gedrukt wakker met al die glazen ogen die me aanstaarden. Ik mis haar echt niet, vooral niet als ik aan die enge aap denk.'

Simon, 25, Leeds

'Als ik hem mis zeg ik tegen mezelf: "Pukkelrug, pukkelrug, pukkelrug".'

Tanya, 30, Newcastle

'Het beste wat je kunt doen is daten met iemand anders. Maakt niet uit met wie – ga de deur uit en help jezelf weer in het zadel.'

Katie, 39, Staines

Het is maandagochtend en ik kom met een onheilsgevoel aan op mijn werk, maar ik kan de precieze oorzaak niet aangeven. Alles is zoals ik het voor het weekend heb achtergelaten – grijs tapijt, neonverlichting, overvol bureau –, maar het voelt alsof ik op weg ben naar de guillotine. Ik zie dat Christie er niet is – blijkbaar is ze haar nieuwe start alweer vergeten. Ik kijk naar de volmaakte zomerhemel: een kromme, witte dampstreep door-kruist het heldere blauw. Het is een wonderschone dag, een dag voor een picknick met een geliefde, om te waterskieën op een meer of naar de kust te rijden in een cabrio... als ik niet he-lemaal, moederziel alleen was.

Ik kijk naar Robs foto, naar zijn perfecte glimlach. Een glim-lach die niet meer van mij is. Ik ruk de foto van het prikbord en leg hem in mijn la. 'Vaarwel, mijn lief,' fluister ik en ik schuif de la dicht. Goed, ik zal elke snipper van mijzelf die nog steeds op hem wacht opsporen en met elektroshocks behandelen. Ik zal hem los-laten. Alleen al die gedachte doet me bijna in tranen uitbarsten.

Ik zet de computer aan. Hij klaagt dat ik hem niet correct heb afgesloten en toont dan het spreadsheet waar ik vrijdag in paniek aan heb zitten werken. Vrijdag! Wat was ik toen hoop-vol. Die avond zou ik hem zien. Wat kan er in één weekend veel veranderen... Nu heb ik geen toekomst meer; ik ben alles kwijt. Het enige wat ik nog heb is mijn werk. Daar zal ik me nu op storten. Op mijn blocnote schrijf ik *Slogans voor eetbare slipjes* en ik check mijn e-mail. Twee mails van leveranciers. De ene laat me weten dat de Schotse ruit die we voor de tasjes hadden gekozen niet op voorraad is. De andere zegt dat de kaarsen met Scandinavische patronen worden gemaakt door gevangenen in Noorwegen. Ze vragen zich af of dat wel past bij de bedrijfs-ethiek van Barnes & Worth? Ik denk erover na. Gevangenen moeten toch íéts doen? En het is niet zo dat we ze hun organen afpakken of zo? Ik moet het uitzoeken voordat we bestellen. Ik zet een kop koffie met de waterkoker die aan de muur hangt – waarbij ik moet denken aan Rob, die me vertelde dat deze ap-paraten legionella verspreiden – en pak de melk met het etiket

Financiële administratie. Waag het niet! erop. Net als ik een lepeltje afspoel hoor ik Christie giechelen. Ik loop het keukentje uit en zie dat ze een levendig gesprek over schoenen voert met De Tang, die vandaag kniekousen met luipaardprint en sandaallaarzen van zebraleer draagt.

'Nee, ik zou zeggen, gewoon doen! Het leven is te kort,' zegt Christie enthousiast. Ze draaien zich allebei naar mij om en het gesprek verstomt.

Ik glimlach. 'Morgen!'

'Goedemorgen, Vivienne,' zegt De Tang. Ze geeft Christie een kneepje in haar schouder en loopt weg, mij met open mond achterlatend.

'Ze draaft wel een beetje door met die dierenprints, vind je niet?' zeg ik.

'Ik vind eerlijk gezegd dat ze er vandaag heel goed uitziet,' zegt Christie.

Ik word overmand door een gevoel van paniek, voel me als een buffel die plotseling ontdekt dat hij te ver van de kudde is afgedwaald en gegrom hoort in de bosjes.

'Wat is er aan de hand?' vraag ik als we teruglopen naar onze bureaus.

Haar wangen worden rood. 'Niets.'

'O? Dus je bent ineens dikke maatjes met De Tang?'

'Nee, maar...' Ze gooit wat papieren op haar bureau.

'Wat is dat?'

'O Viv. Ruth, ik bedoel De Tang, had me uitgenodigd voor een ontbijtvergadering vanochtend – je weet wel, om over producten te brainstormen.'

'Een ontbijtvergadering?'

'Ja, en ze had croissants meegenomen.'

'Croissants?'

'Ja, die met chocolade erin.'

Ik staar Christie aan. Hoe haalt De Tang het in haar hoofd om achter mijn rug om te vergaderen met mijn assistente en te discussiëren over creatieve zaken die mijn verantwoordelijkheid zijn? Er is iets vreemds aan de hand. Vorige week wilde ze nog dat Christie ontslagen zou worden. Het enige wat ik kan bedenken is dat De Wrat Christie wel mag en dat ze dit na de vergadering van vrijdag heeft geregeld. De Tang mag niemand. Een felrode uitslag kruipt omhoog langs Christies hals. Ze opent haar mond om iets te zeggen, maar bedenkt zich.

'En, was het leuk in de pub vrijdagavond?' vraag ik.

'Ja hoor,' piept ze onzeker.

'Waar hebben jullie het over gehad?' We staan tegenover elkaar en ik trommel met mijn vingers op het bureau.

'Nou, de pub was bomvol en Marion... De Wrat, kende bijna iedereen daar. We hebben zo gelachen, Viv – jammer dat je er niet bij was.'

'Hmm-hmm, hmm-hmm, en hebben jullie het ook over werk gehad?'

'Nou, wel een beetje.'

'Oké, en wat is er dan zoal gezegd?'

Ze plukt wat stofjes van haar stoel. 'Ze hadden het over het kerstaanbod en dat er carrièremogelijkheden voor mij zijn omdat ik zulke goede ideeën heb en zo.'

'O ja?'

'En toen stelde De Tang deze vergadering voor.'

'En heeft ze je een promotie aangeboden?'

'Nee, eigenlijk hebben we het alleen maar over ondergoed gehad.' Ze durft me niet aan te kijken.

'Ik begrijp het. Nou, ik kan alleen maar zeggen: wees voorzichtig, Christie. Vergeet niet dat "Ruth" altijd alleen maar aan zichzelf denkt.' Ik zie Christies gezicht vertrekken. Ze is leeggelopen als een ballon en ik heb de speld in mijn hand. Wat er ook speelt, ik weet zeker dat het Christie allemaal ontgaat. Ze kan er niets aan doen; ze hebben haar tot pion gemaakt. Ze kijkt naar haar Mary Jane-pumps. Ik glimlach naar haar en heb opeens medelijden. 'Maar ze zullen je heus wel iets aanbieden...'

'Nou, ze zeiden dat jouw prestaties de laatste tijd te wensen overlaten...' komt ze onverwacht uit de hoek. 'Ja, ze zeiden dat je al een tijdje niet meer scherp bent... Dat je je privéleven laat interfereren met je werk.'

'Zeiden ze dat?'

'Ja.'

'En wat zei jij?'

'Ik zei dat je een moeilijke tijd achter de rug hebt.'

'Aha.' Ik voel iets kriebelen in mijn keel. Ik staar naar een poster achter Christies hoofd over hoe te handelen bij brand en probeer mijn tranen te bedwingen. 'Oké, Christie. Geef me een paar seconden en dan gaan we overleggen over onze collectie, goed?' Ik draai me naar mijn bureau, staar naar mijn scherm en slik moeizaam.

Wat is er met me aan de hand? Ik mag niet huilen! Ik ben woedend dat ze het over me hebben gehad in de pub – ik weet dat ik niet zo hard heb gewerkt als gewoonlijk, maar ik zat midden in een crisis. Zouden ze het wel door de vingers hebben gezien als ik echt in scheiding lag? Ik ben de liefde van mijn leven kwijt en ik weet niet eens hoe ik de dag van morgen het hoofd moet bieden, dus vergeef me als ik niet zo heel erg geïnteresseerd ben in kerstgeschenken. Ik snuit mijn neus en de plonk van een nieuwe e-mail klinkt.

Goedemorgen Vivienne,
De website is klaar om door jou beoordeeld te worden... na ons afspraakje.
Mike

Dat had ik net nodig. Hoe krijgt hij het voor elkaar om me zelfs via e-mail de kriebels te bezorgen? Ik antwoord snel.

Hoi Mike,
Heel veel dank! Ik ben heel benieuwd wat je ervan hebt gemaakt. Ik zit de hele ochtend in vergadering, maar misschien heb je tijd om te lunchen?
Viv

Zijn antwoord verschijnt bijna op hetzelfde moment.

Ik zie je vanavond na het werk. Om 18 uur.

Verwacht hij dat ik hem vanavond op een etentje trakteer? Ik had gedacht dat ik pas hoefde te 'betalen' als de website online zou zijn. Maar heb ik een keus? Ik ben het hem verschuldigd, en een etentje op een maandagavond is een minder zwaar offer dan op elke andere dag. Ik ga akkoord en met het gevoel dat ik zojuist een pact met de duivel heb gesloten sluit ik mijn mail-programma af en druk ik ons spreadsheet met de producten af. Al een tijdje niet meer zo scherp? Nu in ieder geval wel. Ik draai op mijn stoel naar Christies bureau. Ze voelt mijn blik en klikt snel een modewebsite weg.

'Heb je tijd om even te overleggen?' vraag ik. Geïrriteerd draait ze zich om.

'Ik geloof het wel.'

'Mooi. Dus, eetbaar ondergoed.' Ik glimlach bemoedigend.

'Eigenlijk wil ik die lijn zelf afhandelen. Het inkoopteam vindt dat ik in mijn eentje een product van de conceptfase naar de winkel moet brengen.'

'Het inkoopteam?'

'Ja.'

'Wie, De Tang en De Wrat? T en W?'

'Inderdaad.'

'Wat een fantastisch plan! Mag ik vragen of je een leverancier hebt gevonden?'

'Nog niet.'

'Oké, heb je al slogans verzonnen?'

'Toevallig wel. Ik heb er een paar die zouden kunnen werken.'

'Wil je mij er deelgenoot van maken?'

Ze ontspant een beetje en glimlacht zelfs terwijl ze een bloc-note oppakt. 'Nou, ik heb "Pittig kerstfeest" – een woordspeling op "prettig kerstfeest".'

'Ik snap het.'

'Dan heb ik "Even doorbijten". En "Jingle balls" – die is voor de mannelijke versie.'

'Juist...'

'En verder dacht ik aan iets met "Wild op het menu" en misschien "Stille nacht, geile nacht",' zegt ze met een uitgestreken gezicht.

'En wat vind je van "Wat zijn uw ballen wonderschoon"?' lach ik.

Met een frons op haar voorhoofd kijkt ze naar het plafond, kauwend op haar potlood. 'Ja, misschien.' Ze kijkt weer naar haar blocnote. '"Kerstliederlijk"?'

'En gewoon "liederlijk"?'

'Viv, je snapt het niet, het thema is Kerstmis,' zegt ze op geduldige toon, alsof ik een beetje simpel ben. 'Dat zijn in ieder geval de ideeën die ik tot nu toe heb. Ik laat het je wel weten als ik nog hulp nodig heb.'

Ik bestudeer haar gezicht, op zoek naar een spoor van de Christie die ik ken, maar De Tang heeft haar vervangen door een robot.

We werken de hele dag door aan de productenlijn. Christie weert alles wat ik probeer te delegeren af met het argument dat ze zich moet concentreren op haar eigen 'lijn', waarvoor ze de naam 'zoet & pikant' heeft bedacht. Ze doet erg vervelend, dus ik sta erop dat zij de sierkaarsen voor haar rekening neemt en zich verdiept in de gevangenenkwestie; ik zal me dan moeten bezighouden met de andere tien producten. Het is goed om bezig te blijven – dan dwalen mijn gedachten tenminste niet af. Ik zal heldhaftig zijn en aan één stuk door werken. Iedereen zal versteld staan. Een dagdroom over Rob op Sicilië, tijdens onze laatste vakantie, zweeft met een verguld, honingzoet laagje door mijn geheugen, waarna hij als een mooie zeepbel uiteenspat op het natte plaveisel van de realiteit. Het echte leven: werken en een afspraakje met die griezel van een Michael.

De liftdeuren gaan open en daar staat hij, de glibber, tegen de marmeren muur van de foyer aan geleund, met bestudeerde zelfverzekerdheid, wiebelend met een been. Ik heb de neiging om als een geschrokken hert langs hem te rennen en te verdwijnen in het kreupelhout van forenzen die op weg zijn naar huis, maar in plaats daarvan loop ik langzaam over de blinkende vloer naar hem toe. Zijn heen en weer schietende blik valt op mij, maar vreemd genoeg doet hij alsof hij me niet heeft gezien. Hij blijft gewoon om zich heen kijken, nu verend op beide benen. Als ik voor hem sta, begroet hij me zogenaamd verrast. Dan buigt hij zich vooROver, pakt me bij de elleboog en kust de lucht naast mijn oor. Ik ruik een vage groentegeur in zijn adem en een vleugje aftershave op zijn kraag. Hij mijdt mijn blik en knikt naar de uitgang. Dan volgt er wat gênant geschuifel als we tegelijk naar de draaideur lopen en in hetzelfde compartimentje terechtkomen. Zwijgend laten we ons ronddraaien tot we uitgespuugd worden in de warme avonddrukte.

'Waar gaan we naartoe, Michael?' vraag ik op luchtige toon.

'Mike.'

'Sorry... Mike,' zeg ik. Hij tuurt de straat in, zijn ogen toegeknepen alsof hij een gevechtszone in ogenschouw neemt. Dan draait hij zich om en kijkt de andere kant op.

'Laten we eerst wat gaan drinken bij O'Malley's,' antwoordt hij met een tevreden zucht, en hij begint te lopen met kleine, vlugge pasjes. Ik moet rennen om hem bij te houden en ben dankbaar dat ik platte schoenen aanheb; zijn ogen zijn op gelijke hoogte met mijn keel. Ik kijk even vanuit mijn ooghoeken naar zijn rattenstaartsikje. Hij staart recht voor zich uit.

'O'Malley's. Ik geloof niet dat ik daar ooit ben geweest.'

'O, als je er wel was geweest zou je het je wel herinneren!' Hij grinnikt wat in het niets.

Ik kijk naar de grond, naar mijn sandalen en zijn versleten instappers van kunstleer. We lopen tegen de stroom in en moeten ons een weg banen door de menigte. Soms schiet hij even de straat op om sneller vooruit te komen, zonder te kijken of ik volg. Het voordeel is dat op deze manier niemand ziet dat we bij elkaar horen. Ik voel een vreemde combinatie van angst en een snufje nieuwsgierigheid. Ik wijs mezelf erop dat ik vanavond niets beters te doen had en dat het belangrijk is om je horizon te verbreden – dat staat in *Vind je eigen weg en wees vrij*. Bovendien moet ik niet vergeten dat hij me een grote gunst heeft bewezen. Ik haal hem in als hij weer op de stoep loopt.

'En, Mike, hoe ziet de site eruit?'

'Prima.'

'Ik kan niet wachten.'

Hij kijkt van opzij naar me, alsof ik heb geprobeerd hem te beroven van een buitenkansje. We zwijgen totdat hij stilstaat voor een statig uitziend zwart hek. Betonnen treden dalen af naar een houten deur. Hij huppelt vlotjes naar beneden, als een quizmaster, en ik zie het wit van zijn schedel door zijn dunne haar. Ik werp een verlangende blik op de gouden zonsondergang, alsof ik een laatste keer ademhaal voordat ik onder water verdwijn, en loop dan achter hem aan.

Hij trekt de deur open en de bedompte walm van een ondergrondse bar slaat ons in het gezicht. Ik zie overal donker hout en donkerrode stoffering. Mijn ogen passen zich aan aan het sombere schemerlicht en ik ontwaar ineengedoken figuren in zitjes langs de muur; hier en daar glimt een gezichtspiercing. Achter de bar staat een mooie, stevige brunette. Haar huid glanst wit als roomkaas in de duisternis en haar marmergladde boezem contrasteert sterk met haar glimmende, zwarte korset.

'Alles goed, Mike? Wat kan ik voor je inschenken?' roept ze als ze ons ziet aankomen.

Mike kijkt me triomfantelijk aan. Hij bestelt een groot glas bier, pakt het op en loopt naar een tafeltje. Ik moet mijn eigen drankje bestellen en voor ons beiden betalen. Ik ga met mijn wodka-tonic op het bankje tegenover hem zitten.

'Ik heb het met haar gedaan,' zegt hij terwijl hij schuim van zijn bovenlip likt en naar de bar knikt.

'Ze is heel mooi,' zeg ik.

'Ik houd van dikke vrouwen.'

Ik voel dat zijn benen de tafel laten trillen en neem een grote slok wodka. Ik kijk in het rond, dan weer naar hem en glimlach zwakjes.

'Eigenlijk ben je niet dik genoeg voor mij, maar je hebt een goede, stevige kont. Daar houd ik wel van,' licht hij toe.

'Dank je wel, het is... eh... heel aardig van je om dat te zeggen.'

'Geen dank. Maar strikt genomen ben je te plat aan de voorkant.'

'O.' Ik voel de rillingen langs mijn tekortschietende decolleté lopen. Mijn streepjes-t-shirt biedt enige dekking, maar het zit wel strak. Ik zie nog net zijn ogen wegdraaien van mijn tepels. Zijn benige vingers tikken ritmisch op de tafel en hij kijkt met gebogen schouders om zich heen, zijn hoofd op en neer bewegend in een ritme dat hij alleen hoort. Dan barst hij plotseling in lachen uit, een soort gebalk dat eindigt in een giechel.

'Je voelt je hier niet op je gemak, hè?'

'Jawel hoor.'

'Het gaat er nogal wild aan toe.'

Ik kijk om me heen naar de mensen die rustig zitten te drinken en vraag me af of er iets staat te gebeuren waar ik geen weet van heb. Misschien klinkt er opeens een bel en moeten we elkaars broek aantrekken en de macarena dansen.

'Mike... over die website...'

Hij gooit snel een stukje papier op tafel met een webadres erop. 'Het staat allemaal klaar, zodat je het kunt nakijken.'

'Geweldig!' Ik strek mijn hand naar het papiertje uit, maar hij grist het weg en zijn graaiende vingers raken mijn hand.

'Pas als ík een fijne avond heb gehad, zus!' Hij glimlacht. 'Je moet één ding van me weten: ik begrijp vrouwen. Ik weet hoe ze zijn.' Hij tikt tegen de zijkant van zijn neus en schudt zijn hoofd. 'Als ik je van tevoren geef wat je wilt, ren je zo snel mogelijk naar huis, of niet soms?' Ik staar hem aan. Betekent dit dat hij vrouwen alleen maar zover krijgt om met hem uit te gaan als hij ze omkoopt? Misschien weet hij dat ze hem zouden mijden als chronische candida als hij ze geen wortel voor de neus hield. Hij schuift heen en weer op zijn stoel. 'Ik heb iets wat jij wilt,' hij klopt op zijn zak, 'en dus geef jij me wat ik wil – dat is niet meer dan eerlijk, toch?'

'Ik was niet van plan naar huis te rennen!' lach ik. 'Ik dacht alleen dat we over de site zouden praten, dat is alles.' Hij staart me aan als een wolf die voor een kippenren zit. 'En je wilde toch uit eten?' Opeens vind ik het heel belangrijk om helderheid te scheppen.

'Dat klopt. Chinese rijsttafel, denk ik.' Hij smakt met zijn lippen.

'Prima.' Ik sla mijn drankje achterover. 'Zullen we gaan?'

'Pas als de buikdanseres is geweest.'

Een heleboel wodka's later zit ik in de Golden Garden. Een warm gevoel van genegenheid trekt door me heen en ik klets geanimeerd met Michael over gezichtsbeharing. Hij heeft een kortgeknipt plukje haar vlak onder zijn onderlip, boven de lange, met kralen versierde sik.

'Dat vinden vrouwen prachtig,' stelt hij. Hij draait de draaischijf rond zodat ik bij de krokant gebakken zeewier kan. Ik pak er wat van met de plastic eetstokjes en neem ook een loempia uit een schaaltje met een rode draak erop.

'Wat voor vrouwen houden nou van gezichtsbeharing?' roep ik.

'Echte vrouwen.' Hij grijnst. Ik lach en de karamelkleurige eend in de etalage lijkt te draaien en te dansen. Hij zuigt een hapje bami naar binnen en likt een paar ontsnapte slierten van zijn kin. Ik staar naar zijn tong, die obsceen lang lijkt. Ik prop mijn mond vol met garnalenballetjes. Hij buigt zich samenzweerderig naar me toe. 'Ze noemen het mijn klitkietelaar,' giechelt hij. Ik kijk naar de glinsterende haartjes en laat mijn verbeelding werken. Plotseling schiet de tong weer naar buiten.

'O mijn god!' roep ik met mijn mond vol, en ik verslik me in een stukje garnaal. Mike springt op en begint me zo hard op de rug te slaan dat ik bang ben dat mijn ogen eruit ploppen. Ik kan bijna geen adem meer halen. Met moeite slaag ik erin te knikken en te hijgen: 'Het gaat wel!' Hij stopt en keert terug naar zijn stoel. Ik neem een slokje water.

'Ik dacht dat ik de Heimlichgreep moest doen. Ik heb een EHBO-diploma,' vertelt hij.

'Mike, je bent alles wat een vrouw zich kan wensen! Je hebt een EHBO-diploma en...' ik kan de zin bijna niet afmaken '... een klitkietelaar!' Het is duidelijk dat ik me hysterisch gedraag. Ik kan niet meer ophouden met lachen. Hij moet ook lachen en de stukjes bami spatten uit zijn mond. Daar zitten we als een stel giechelende idioten. We komen tot bedaren, maar beginnen dan opeens weer te brullen. Er komt iemand naar onze tafel.

'Viv! Hallo. Vermaak je je een beetje?' Ik draai me om en kijk op terwijl ik mijn ogen droogwrijf. Daar staat Rob, met een verbaasde uitdrukking op zijn gezicht. Ik ben in één klap nuchter en er is niets grappigs meer aan. Achter Rob staat Sam in een glitterjurk, met grote, onschuldige hertenogen.

'Hé! Rob!' Ik schraap mijn keel.

'Ik dacht dat er misschien iemand moest komen om een emmer water over jullie heen te gooien.' Hij glimlacht en kijkt naar Michael.

'O, Rob... dit is Michael, een collega.' Ik draai me om naar Michael. 'Michael, dit is Rob, een... eh, vriend, en zijn verloofde, Sam.' Het voelt alsof hij die emmer al in zijn handen heeft.

'Alles kits?' zegt Michael. Rob kijkt van mij naar hem en weer terug.

'Nou, leuk je te zien,' zegt hij formeel. Dan legt hij zijn hand op Sams onderrug om haar naar de deur te leiden. Ze zet een paar stappen en haar stilettohakken klikken als de hoeven van een volbloedpaard. 'Laat je me nog weten wanneer je je spullen komt ophalen?' zegt hij nog. Sam zwiept met haar kastanjebruine, lange haar en kijkt over haar schouder om mijn reactie te peilen.

'Tuurlijk. Wat dacht je van morgen?' antwoord ik terwijl ik Sam aanstaar.

'Morgen?' Hij kijkt even naar haar; zij kijkt glimlachend naar mij. 'Morgen is goed, Viv,' zegt hij. 'Zullen we halfacht doen?' Ik knik. Hij kijkt me aan en even verschijnt er een intiem glimlachje op zijn gezicht. Als ze weglopen zie ik dat hij iets tegen haar zegt. Zij lacht en ze verdwijnen samen in de avond. Ik draai me weer om naar Michael en voel me volkomen leeg. Hij pakt met zijn eetstokjes een stukje baby-inktvis op; het is een walgelijke aanblik.

Als we even later door Chinatown lopen begin ik te bibberen, en Michael legt zijn jack om mijn schouders. We lopen langs de stinkende vuilnisbakken vol verrot afval die achter de restaurants staan. Hij begeleidt me naar de metro en probeert me over te halen bij hem te blijven slapen. Hij schijnt een aquarium te hebben dat ik moet zien.

'Je kunt er helemaal omheen lopen,' zegt hij als we bij de gapende mond van station Leicester Square komen.

'Michael, dank je wel voor een geweldige avond,' zeg ik oprecht. Hij kijkt me aan. 'Ik meen het.' Ik geef hem een vluchtige zoen op zijn wang en voel zijn rusteloze energie. Geen wonder dat hij nooit stil kan blijven zitten.

Hij haalt het papiertje met de URL uit zijn zak en geeft het aan mij. 'Dit is een geweldige website, meid. Scrol er even doorheen en dan zetten we hem online, goed?'

'Ik ben je echt heel dankbaar.'

'En luister, die vent daarbinnen die zo uit de hoogte deed?' Hij schudt zijn hoofd. 'Dat is geen goeie vent.' Ik glimlach naar hem en mijn ogen vullen zich met tranen. 'Hij had gewoon weg kunnen gaan, maar in plaats daarvan vond hij het nodig om nog wat zout in de wond te strooien.'

Ik neem zijn hand in de mijne en voel zijn schubbige huid en geribbelde nagels. 'Dank je wel,' zeg ik en ik kijk naar zijn onrustig in het rond flitsende, donkere ogen, die voorbijgangers volgen, af en toe op mij rusten en dan weer als vliegjes wegschieten, en opeens dringt er een besef tot me door: de mensen van wie je het het minst verwacht kunnen in duistere tijden redding bieden, en hun eenvoudige vriendelijke gebaren kunnen van levensbelang zijn.

16

Hij houdt niet van me

Als je een van onderstaande uitspraken te horen krijgt, weet je zeker dat hij het uitmaakt. Loop dan weg met alle waardigheid die je kunt opbrengen.

1. *Het ligt niet aan jou, het ligt aan mij.*
2. *Je bent zo'n lieve meid...*
3. *Ik heb tijd nodig om mezelf te leren kennen.*
4. *Ik ben gewoon niet klaar voor een serieuze relatie, of voor een losse relatie, of voor wat voor relatie dan ook... met jou.*
5. *Je bent beter af zonder mij/te goed voor mij/te min voor mij.*
6. *Ik ga verhuizen/heb niet lang meer te leven.*
7. *Ik moet het uitmaken. Deze hele toestand maakt me ziek.*
8. *Als je slanker was, rood haar had en geen misvormde teen, zou ik best van je kunnen houden.*
9. *Ik geloof dat ik allergisch ben voor je speeksel.*
10. *Ik wil de vrijheid hebben om iemand te zoeken die net zo over de dingen denkt als ik.*
11. *Het is niet jouw schuld, ik kan gewoon die dikke, vette kop van je niet meer zien.*
12. *Als ik klaar was voor een liefdesrelatie, dan zou dat niet met jou zijn.*
13. *Als je vaker seks zou willen, hoefde ik niet vreemd te gaan.*
14. *Ik knap af op je geur.*
15. *Mijn ex blijft me lastigvallen.*

Ik sta bij mijn oude huis en kijk op naar het verlichte raam. Mijn hart bonkt tegen mijn ribbenkast. Er is niets aan de hand; ik kan best kalm blijven. Ik ben hier alleen maar om mijn laatste spullen op te halen en dan ga ik weer – dat is alles. Maar waarom heb ik dan veertig pond uitgegeven om mijn haar te laten föhnen? Terwijl ik sta te kijken, verschijnt Sam voor het raam. Ze trekt aan een gordijn. Indringer! Mijn huis uit!

Ik aarzel bij de zware voordeur en raak even de koperen 7 aan. Voor sommigen een geluksgetal – dat was wat ik zei toen we er introkken en elkaar zoenden op de drempel. Nu staan er twee ronde buxussen in Italiaanse terracotta potten; keurig, ordelijk, symmetrisch en met mij hebben ze niets te maken. Ik pak de leeuwvormige klopper en laat hem los. Als verlamd sta ik te wachten. Ik hoor een gedempte schreeuw en voeten die de trap af stampen. Rob trekt de deur open, gekleed in een gestreept schort met daaronder een lichtgekleurd overhemd, geen das. Een luchtbel van kerriepoeder en gebraden kip zweeft de straat op. Hij glimlacht en ik sta ervan versteld hoe hij blaakt van gezondheid. Ik staar naar zijn volmaakte kaaklijn, naar de krullen op zijn voorhoofd die hem bijna té knap maken. Ik buig me naar hem toe om hem een zoen te geven, maar hij stormt de trap alweer op.

'Kom maar boven,' zegt hij, alsof ik de meterstanden kom opnemen.

Als ik in de woonkamer sta, zie ik dat ze bij hem is ingetrokken. Opeens is het een en al franje en tierelantijnen. Er staat een lamp met een kleurrijk patroon en lelijke glazen kralen langs de onderrand van de kap. Op de bank liggen harige kussens die lijken op de ballen van de verschrikkelijke sneeuwman. Uit de open keuken komt stoom. Ik werp een blik op de koperen pannen en de koelkastmagneten met leuzen die zeggen dat je van wijn een betere kok wordt.

'Wat knus,' zeg ik.

'Eh, ja. Oké, alle spullen staan in de rommelkamer – neem maar mee wat je wilt, de rest gooien wij wel weg.' Hij wiebelt van de ene voet op de andere.

'Weggooien?'

'Ja, we maken er een kinderkamer van.' Hij haalt zijn hand door zijn haar, niet in staat me aan te kijken.

'Is Sam zwanger?' Ik stik bijna in mijn woorden. Hij is duidelijk niet op zijn gemak. 'Je hoeft mijn gevoelens niet te sparen.'

'Nee, maar ze... op onze huwelijksreis willen we het proberen.'

'O.' Een brok kruipt mijn keel in als een giftige pad.

'Sorry Viv – er is geen vriendelijke manier om dit te doen. Het is een beetje als het afrukken van een pleister, hè? Hoe sneller, hoe beter.'

'Als jij het zegt.'

Ik weet dat ik geen trots heb, en dat is goed en slecht tegelijk. Ik zet mezelf daardoor vaak voor schut, maar aan de andere kant ben ik niet zo snel beledigd en ben ik nooit lang boos, al zou ik het willen. Op dit moment is het echter ronduit slecht: midden in het epicentrum van mijn pijn ben ik bezig mijn spullen weg te halen om ruimte te maken voor haar kínderkamer.

Ik wil tegen hem schreeuwen. En míjn kinderen dan? Ik wil eisen dat hij me de paar jaar voor mijn dertigste teruggeeft, maar om hier levend vandaan te komen moet ik die jaren afhakken als een arm die bekneld zit. Hij loopt voor me uit naar de rommelkamer, waar de relieken van een ander leven als wrakhout rondom de ondersteboven gekeerde rode stoel liggen. Ik stap tussen de voorwerpen door; het is alsof ik over de zolder van een overleden vrouw loop.

'Wil je dit niet houden?' Ik pak een ingelijste foto op die ik van hem nam toen we op de top van Mount Snowdon stonden. Hij kijkt naar zijn voeten. Ik loop verder de kamer in. 'Of dit?' Ik gooi een designkandelaar boven op een kartonnen doos vol brieven, fotoalbums en andere brokstukken van onze relatie.

'Viv... kom op...'

Ik besef dat ik op instorten sta; het is alsof ik gif opdiep uit een ontstoken wond – met een lepel. Ik weet niet meer waar ik het zoeken moet. Er blijft een snik in mijn keel steken.

'Eh, sorry... het is gewoon moeilijk.' Jezus! Beheers je. Alle boeken zeggen dat je geen emoties moet tonen. Maar het kan me niet schelen wat de boeken zeggen – dit is echt en ik kan me niet inhouden. 'Ik... ik heb me vergist. Ik wil het niet. Ik wil er niets van hebben. Gooi alles maar weg of doe ermee wat je wilt. Verbrand de spullen desnoods!' Ik draai me om, ren de trap af en wil zo snel mogelijk weg, maar hij komt achter me aan en pakt mijn arm vast als ik bij de voordeur ben. Ik zie iets op de overloop en weet zeker dat zij het is, als een spottend elfje.

Hij houdt me stevig vast bij mijn schouders en dwingt me in zijn staalblauwe ogen te kijken en het verdriet over onze breuk echt tot me door te laten dringen. Ik kan niet voorkomen dat mijn gezicht vertrekt, ook niet als ik mezelf het bevel geef niet te huilen.

'Viv, liefje, niet doen.'

Ik snik geluidloos. Hij omhelst me, drukt zijn borst en heupen tegen de mijne. Ik kan niet geloven dat hij dit niet mist.

'Het is echt voorbij, hè?' zucht ik. Hij kijkt verbaasd en dan gegeneerd, maar geeft geen antwoord. 'Rob! Mis je me dan helemaal niet? Voel je dan helemaal níéts?' Als een verslaafde snuif ik de kruidige geur van zijn nek op.

'Het is heel... verdrietig,' zegt hij uiteindelijk, terwijl hij verstijft en zich met een klopje op mijn rug losrukt uit de omhelzing.

'Dus dat is alles? Rob, ik ben het! Ken je me niet meer?' Ik kijk naar zijn gezicht, maar hij kijkt naar de straat.

'Wat wil je, Viv? Wat wil je?'

'Ik wil jou!' Ik probeer te glimlachen, door het snot en de uitgelopen mascara heen, en breng mijn hand omhoog om met mijn vingers de zijkant van zijn gezicht te strelen. 'Begrijp je het dan niet? Ik heb jou altijd gewild, vanaf het moment dat we elkaar tegenkwamen.'

Hij zucht, legt een hand tegen mijn gezicht en strijkt met zijn duim langs mijn mond, waarbij hij mijn lippenstift uitsmeert. Ik sluit mijn ogen, wachtend op een zoen. Ik voel zijn adem tegen mijn oor tintelen.

'Ik ben... niet vrij,' fluistert hij. Ik kijk hem onderzoekend aan, maar zijn ogen staan zo koud en vlak als glas. 'Sorry, Viv.' Hij omarmt me als een moordenaar die het mes nog eens extra diep naar binnen duwt. Ik ruk me los.

'Zeg niet dat het je spijt,' snik ik, en ik maak een geluid dat ik nog nooit van mijn leven heb gemaakt, een soort raspend gebrul. Ik ren de duisternis in, half hopend dat hij me nog een keer tegenhoudt. Als ik bij de hoek ben, kijk ik nog even om naar het huis, maar de voordeur is dicht. Ik zie Sams gezicht voor het raam. Haar mond is een volmaakte halvemaan.

17

Seks met vrienden

Gekkie: Ik vind mijn beste vriend heel erg leuk. Ik kan alleen nog maar aan hém denken en hij vindt dat ik raar doe. Zal ik het hem vertellen en onze vriendschap op het spel zetten?

Franje: Oei – riskant, ik weet het. Ik ben naar bed geweest met mijn beste vriend en nu is hij mijn echtgenoot!

Koekiemonster: Wat een heerlijk verhaal, Franje. Gekkie, ik zou zeggen: doen, als je denkt dat je alle mogelijke gevolgen aankunt!

Gekkie: Maar ik zou het verschrikkelijk vinden als we geen vrienden meer zijn.

Mispoes: Nee, niet doen.

Koekiemonster: Mispoes, dat is wel een beetje zwart-wit, vind je niet? Zeg het gewoon tegen hem, maar verwacht niets. Als je het niet zegt, verpest je misschien de vriendschap en daar kun je spijt van krijgen.

Mispoes: Wat is wijsheid in dit geval? Vriendschap is heilig.

Gekkie: Ik begrijp wat je bedoelt, maar ik moet íéts doen, anders plof ik!

Mispoes: Je bent jong, maar je wordt nog wel wijzer.

Koekiemonster: Yoda? Ben jij dat?

Struikelend en strompelend loop ik langs caféterrassen en bomvolle restaurants naar de kade van de gladde, bruine Theems. De wond vanbinnen doet zo'n pijn. Ik leun over de muur met de stenen karpers, adem de metalige ziltheid in en kijk naar het water dat aan het kiezelstrand likt. Ik denk aan een tentoonstelling die ik ooit zag over voorwerpen die waren gevonden in het zachte klei van de rivierbedding. Er was onder meer het stoffelijk overschot van een meisje dat was overleden tijdens het baren, met een piepklein skelet in het hare. Zo treurig. Het leven is gewoon triest. Eenzaam, wreed en triest. Ik staar naar het water en laat het beeld wazig worden. Jongens op skateboards ratelen voorbij. 'Spring dan!' roepen ze. Een partyboot vaart langs, met groene en rode lichtflitsen op een dreunend ritme.

Ik draai me om, begin naar het noorden te lopen en sluit mijn geest af als een winkel die zijn rolluiken neerlaat. Ik kan niet terugdenken aan wat er zojuist is gebeurd; in plaats daarvan concentreer ik me op het ritme van mijn passen. Ik sla hoeken om, voel windvlagen in mijn gezicht, steek rennend straten over, ontwijk uitgestoken handen met flyers, kranten en uitnodigingen. Ik ga ondergronds, neem de metro, laat me tien haltes door elkaar rammelen en kom weer boven in een lichte motregen. Ik ga van de grote weg af, loop door een doolhof van verwaarloosde achterafstraatjes, en sta opeens voor het huis van Max.

Ik druk net zolang op de zoemer tot de deur klikt. Godzijdank is hij thuis. Ik sta binnen, omringd door de geur van vochtig pleisterwerk, en kijk door het trapgat omhoog. Dan begin ik aan de trage klim naar zijn appartement. Hij opent de deur in een tot op de draad versleten spijkerbroek en een stokoud Ramones-t-shirt.

'Aha, jij bent het.' Hij kijkt langs me heen met de nervositeit van iemand die op de vlucht is en loopt dan voor me uit naar binnen. Ik sta zwijgend in zijn rommelige halletje. Ik hoor de stijgende en dalende intonatie van een voetbalcommentator op tv.

'Verwachtte je iemand?'

'Nee... maar er komen wel eens mensen eh... onaangekondigd langs.'

'Mensen?'

'Ja.'

'Bedoel je vrouwen?'

'Ja, of de politie.'

Ik staar naar zijn keel en probeer me een situatie voor te stellen waarin dat laatste waarschijnlijk zou kunnen zijn. Hij strijkt zijn haar en shirt glad en hijst zijn broek op.

'En? Wat is er aan de hand?'

'Ik wilde je alleen even zien.'

'Mooi. Tegen dat gevoel moet je je nooit verzetten.' Even staan we zwijgend tegenover elkaar. 'Wil je binnenkomen?' Ik knik als een klein meisje dat haar tong is verloren. Hij slaat een arm om mijn schouders en we gaan naar zijn kleine keukentje. 'Alles goed met je?' vraagt hij.

'Ik ben... ik... Nee.' Hij kijkt me even aan terwijl hij een fles wijn opent met een kurkentrekker in de vorm van een naakte vrouw. Hij knijpt haar benen samen en laat ze weer los. De kurk plopt uit de fles.

'Jemig! Als ze echt was, lag ze nu in het ziekenhuis.'

'Als ze echt was, was ze nu miljonair.' Hij knipoogt, zoekt naar glazen en vindt een mok en een vaasje dat op een drinkglas lijkt. Hij schenkt in en reikt mij de vaas aan. Ik neem een slok en ruik een zware, houtachtige geur. Het is een harde wijn, maar ik neem dankbaar nog een slok.

'Wat is er aan de hand?' vraagt hij opnieuw.

'Ben ik aardig?'

'Nou, ik ben bevooroordeeld, dat weet ik, maar... eerlijk? Je bent verschrikkelijk.'

'Ik voel me... gebroken, beschadigd of zo. Afgeschreven. Als een ei met een barst.'

'Oké.'

'Alsof de schaal aan het barsten is en er ieder moment iets zwaars en afschuwelijks op de vloer kan floepen.'

'Laat maar floepen schat,' grijnst hij.

Ik staar naar zijn borst en heb het gevoel dat ik word opgeslokt door een enorme diepte. Als ik naar zijn vriendelijke gezicht kijk, barst ik in tranen uit. Hij komt snel naar me toe, laat zijn mok vallen en vangt mij op terwijl ik in elkaar zak.

We kijken naar de tweede helft van de wedstrijd en eten uit de bakjes van de afhaalthai. Tegen hem aan geleund op het smalle bankje doop ik loempiaatjes in zoete chilisaus.

Ik voel zijn hart tegen mijn rug slaan. Hij masseert mijn nek, met vingers die naar zeep ruiken. Zijn adem kietelt mijn oor, veroorzaakt kippenvel op mijn armen en laat een statische haar dansen in het flakkerende licht van het scherm. Ik voel zijn lichaam aanspannen als het gebrul van het publiek luider wordt.

'Kom op, zeg! Wat een kutverdediging!' schreeuwt hij, en hij knijpt te hard in mijn schouder.

Het is ongelooflijk hoeveel ik heb gehuild. Zittend op de keukenvloer hebben we de wijn opgedronken en nu voel ik me moe en zwaar. Ik zucht en sluit mijn gezwollen ogen. Ik was bijna vergeten hoe heerlijk het is om tegen iemand aan te leunen, de essentie van een ander leven te voelen, de stevige spieren, het ritme van adem en hartslag, botten die rusten tegen botten, en je af te sluiten voor de verschrikkingen van de 'buitenwereld'. Ik leef in het hier en nu, adem de muskus- en tabaksgeur van zijn T-shirt in, laat mijn gedachten vrijelijk stromen en voel me bijna vredig.

'Viv. Kom op, het is al laat.' Ik doe mijn ogen open; Max zit op zijn knieën naast de bank. De tv is uit, de etensbakjes zijn opgeruimd. 'Zal ik een taxi voor je bellen?'

Langzaam ga ik rechtop zitten. Bah, de taxirit naar huis, de duisternis van mijn lege appartement. Ik kijk naar het gezicht van mijn vriend, naar zijn kaaklijn, naar de donkere wenkbrauwen, die doen denken aan grove penseelstreken, en ik weet dat ik niet weg zal gaan. 'Gooi me er alsjeblieft niet uit.'

'Als je wilt kun je blijven,' zegt hij. 'Ik slaap wel op de bank.'

'Kan ik niet gewoon samen met jou in één bed slapen? Kan ik niet even jou zíjn? Het is heel eenzaam en klote om mij te zijn.'

Hij glimlacht. 'Viv, luister goed: je mag met me slapen wanneer je maar wilt.'

'Zonder seks.'

'Je mag met me slapen wanneer je maar wilt, met of zonder seks.'

'Fideel van je.'

We gaan naar zijn slaapkamer; hij trekt de lakens glad en pakt een T-shirt voor me om in te slapen. 'Ik haal even wat water,' zegt hij. Ik kleed me om en glijd tussen de koele lakens. Ik draai me naar de muur, sluit mijn ogen en ben opgelucht dat ik deze nacht niet in mijn eentje hoef door te brengen. Hij stapt naast me in bed en begint onrustig te woelen. Een minuut later klikt het licht uit. Ik luister naar zijn oppervlakkige ademhaling en het verre gebrom van een nachtbus op de hoofdweg. Ik probeer na te denken over de gevolgen van het feit dat ik met Max in bed lig, maar het enige wat ik weet is dat ik niet alleen kan zijn.

'Max?' fluister ik.

'Hmm?'

'Geef me eens een knuffel.' Hij komt tegen me aan liggen, legt zijn arm losjes over mijn schouder, maar houdt zijn lichaam op afstand. Ik geef hem een por met mijn elleboog. 'Een echte knuffel.'

'Dat gaat niet.'

'Waarom niet?'

'Ik heb een erectie.'

'O...'

'Sorry, maar ik ving net een glimp op van je billen toen ik de lakens optilde. Maak je geen zorgen, je loopt geen gevaar, maar als je het niet erg vindt blijf ik liever aan mijn kant van het bed.'

Buiten hoor ik meisjes gillen en zingen. Ik luister naar hun stemmen die wegsterven in de straat en dan naar de stilte. Ik kan de slaap niet vatten, ben alert en afgeleid door de aanwezigheid van Max; zijn mannelijkheid, die zo teder en zo dicht bij me ligt, zijn grote lichaam, zijn stoppels, het gewicht van zijn arm. Het idee om me om te draaien en zwijgend met hem te vrijen sijpelt als inkt in mijn brein. Ik voel mijn huid tot leven komen en gloeien bij die gedachte. Mijn mond is droog; ik maak mijn lippen vochtig.

'Ik vind het wel erg.'

'Wat?'

Ik hoor onze harten luid bonken in het donker en slik moeizaam. 'Ik vind het wel erg als je aan jouw kant van het bed blijft liggen.'

Het is even stil en zijn adem wordt zwaar. Hij draait zich op zijn rug en zegt behoedzaam: 'Wat zeg je?'

Ik doe mijn ogen open en zie de korrelige, grijze vorm van het raam. Mijn hart bonkt in mijn keel. Ik draai me om, leg mijn hoofd op zijn borst en schuif mijn blote knie over zijn behaarde benen, waarbij ik langs de erectie schamp die tegen het katoen van zijn boxershort drukt. Ik hef mijn kin en druk mijn lippen op zijn gezicht.

'Ik wil bij jou zijn.' Ik kus hem nog eens, nu op de zijkant van zijn mond. Hij draait zich om, duwt zich langzaam op op één elleboog en strijkt met zijn lippen zachtjes langs de mijne. Hij aarzelt en ik kijk naar zijn silhouet; naar zijn krullen en het kruis dat zijn schouders vormen.

'Weet je het zeker?' fluistert hij.

Ik kus hem en proef tandpasta. Het puntje van zijn tong raakt mijn lippen en ik voel mezelf smelten en vloeibaar worden. Ik schuif dichter tegen hem aan, raak zijn gezicht aan en voel zijn hart kloppen. Zijn hand streelt mijn dijen, schuift mijn T-shirt omhoog, en de spanning zindert door mijn lichaam. Ik voel een onweerstaanbare warmte pulseren tussen mijn benen. Ik krom mijn rug als zijn hand het kant van mijn slipje aanraakt. Hij stopt.

'Viv, weet je het zeker?' hijgt hij. Ik beweeg mijn vingers

over zijn boxershort en zijn pik schiet omhoog.

Ik adem dicht bij zijn oor. 'Max... neuk me nou gewoon,' fluister ik.

Het is ochtend; ik ben niet thuis. Ik denk aan Rob en wacht op de vertrouwde steek in mijn hart. Die komt, maar hij is niet meer zo scherp. Als ik mijn ogen opendoe zie ik de groene gloed van Max' zonbeschenen gordijnen. Ik strek mijn benen uit tot het voeteneind en voel met mijn tenen mijn opgepropte slipje. Max gaat verliggen in zijn slaap en legt zijn arm over mijn middel. Ik bestudeer de ontspannen hand: de lange vingers met de recht afgeknipte nagels, de verfresten in de groeven van zijn duim. Ik laat het besef dat ik met Max heb gevreeën tot me doordringen en verwacht dat er paniek opkomt. Maar ik ben de kalmte zelve. Ik ben met Max naar bed geweest! Het voelt niet vreemd. Hier lig ik, naakt, in zijn bed, en in mijn hoofd is het... stil. Ik kijk naar de lijnen van zijn handpalm, de hand die ik zo goed ken. Ik leg mijn eigen hand erin en hij knijpt zachtjes. Het vrijen met hem was zo gemakkelijk, als het drinken van een verfrissende slok water in de woestijn – heilzaam en natuurlijk. Ik luister naar zijn doezelige ademhaling, wurm me op mijn zij om naar hem te kunnen kijken.

'Morgen,' fluister ik. Hij snuift, is nog steeds in slaap. Ik onderzoek zijn gezicht: de borstelige, donkere wenkbrauwen en zijn gekrulde wimpers, de gebogen lijn van zijn mond, de grote, rechte neus. Ik heb zo vaak naar dit gezicht gekeken, maar nooit écht. Het kleine litteken bij zijn oor is nieuw voor mij, net als het putje in het kuiltje van zijn kin, dat is overgebleven van een waterpok.

Ik trek aan zijn onderlip en hij pakt mijn hand, glimlachend, de ogen nog steeds gesloten. 'Wat ben je aan het doen?'

'Je hebt best grote oren, hè?'

'Hmm.'

'Ze worden groter met de jaren.' Ik leun op één elleboog, wrijf in mijn ogen en kijk op hem neer. 'Hé!' roep ik.

Zijn ogen gaan open en zijn slaperige blik richt zich op mij. 'Hallo. Wat doe jij naakt in mijn bed?'

Ik leg mijn hoofd in zijn nek en adem een mannelijke geur in van peper en aarde. 'Me verstoppen,' antwoord ik. Zijn vingers gaan op en neer langs mijn ruggengraat. 'Hoe laat is het?'

Hij graait naar zijn telefoon en kijkt erop met samengeknepen ogen. 'Bijna acht uur,' zegt hij, terwijl hij op mijn schouder klopt.

Ik staar naar een streepje bleek zonlicht op het dekbed en bedenk dat ik me zo meteen door de stad naar mijn werk moet haasten. Ik ga weer op mijn rug liggen. 'Ik ga niet naar kantoor.' Hij streelt mijn arm en we blijven liggen in de warme kamer, luisterend naar flarden muziek van vroege radioprogramma's die uit voorbijrijdende auto's klinken, eerst luider wordend dan weer wegstervend; naar hakken die naar de metro rennen en naar sissende bussen.

Hij draait zich naar mij om en streelt mijn haar. 'Viv, over vannacht...'

'Niets zeggen.' Ik trek het dekbed over mijn hoofd.

'Voelt het goed?'

'Ja.'

Hij trekt het dekbed naar beneden. 'Weet je het zeker?'

'Hoezo, geef je me anders mijn geld terug?'

'Retourneren of ruilen is niet mogelijk – heb je de kleine lettertjes niet gelezen? Ik bedoel, ik wil niet dat je denkt dat ik misbruik heb gemaakt van de situatie of zo.'

'Dat denk ik ook niet. Ik nam het initiatief,' stel ik hem gerust.

'Maar misschien had ik dat niet moeten toelaten. Je was overstuur.'

'Max, houd je kop.' Ik geef hem een tikje tegen zijn neus.

'Dus... het voelt goed?'

'Mijn god! Ja! Ik zei toch "ja"? Hoezo? Voor jou niet?' Ik knijp mijn ogen tot spleetjes en kijk hem indringend aan.

'Voor mij voelt het héél goed.' Teder laat hij zijn blik over mijn gezicht glijden en ik realiseer me dat ik grijns als een aap. 'Super.' Hij glimlacht. 'Ik zal koffie voor ons zetten.'

Hij rolt uit bed en terwijl hij naar de keuken loopt, kijk ik naar zijn blote kont en bewonder ik zijn brede, gebruinde rug. Zelfs de lelijke tijgertatoeage op zijn schouder vind ik nu aantrekkelijk. Ik ga weer liggen en glimlach in mezelf. Ik heb met Max geslapen en het was goed. Ik heb met hem gevreeën en ik denk dat ik het nog wel een keer wil. Zolang ik hier blijf, omgeven door zijn warme energie, kan niets mij kwetsen. Het lijkt wel een soort krachtveld. Ik probeer me te concentreren op de ellende van gisteren, de worsteling en het verdriet, maar mijn geest stuitert terug naar Max, naar zijn bed en naar gisteravond.

Hij komt terug met een dienblad, nog steeds naakt. Mijn blik wordt naar zijn penis getrokken, die tegen zijn dij tikt. We gaan in bed zitten met halfvolle bekers sterke, zwarte koffie. Hij schept er voor ons allebei wat suiker in en drinkt de zijne in twee slokken leeg.

'Daar word je wel wakker van!' zegt hij. 'Ik snap theeleuten niet.'

Ik speel met de krulletjes in zijn nek. 'Weet je, ik heb altijd gevonden dat je heel mooi haar hebt.'

'En in al die jaren heb je dat niet één keer tegen me gezegd.' Hij knijpt in mijn been; ik kijk naar zijn bruine hand op mijn bleke huid, me bewust van de elektrische lading die naar mijn tenen trekt.

'Vast wel...' Ik voel zijn vingers op mijn dij. Ze strelen, stoppen, keren terug. Ik beweeg mijn been een beetje zodat hij iets hoger kan komen.

'Goed, ik vergeef het je. Er zijn heel veel dingen die ik nooit gezegd heb, maar die ik nu wel kan zeggen,' fluistert hij.

'O ja? Zoals?'

'Zoals hoe sexy je bent.' Ik kijk naar zijn donkere ogen die over mijn lichaam glijden. Hij kust mijn oor. 'Hoe heerlijk je ruikt.' Een tinteling trekt van mijn hals naar beneden. Zijn hand glijdt over mijn bovenlichaam, omcirkelt mijn borsten. Hij staart naar ze, zijn ogen zwart als waterpoelen. 'Hoe mooi je bent.' Ik lig compleet stil, nauwelijks in staat te ademen door de begeerte en het gewicht van zijn lichaam op het mijne, verwonderd over het effect dat hij op mijn lichaam heeft. Ik voel dat ik me onmiddellijk aan hem overgeef. 'Ik heb zo vaak gedroomd dat ik met je naar bed ging.' Hij duwt mijn benen uit elkaar en dringt langzaam naar binnen. 'En ik heb altijd van je gehouden. Ik houd zoveel van je, Vivienne Summers,' zegt hij in mijn nek.

Ik sta naakt voor de badkamerspiegel en inspecteer mijn weelderige verschijning terwijl ik aan het telefoneren ben. Mijn haar hangt in slordige plukken op mijn rug, mijn lippen zijn rood en kapotgebeten, mijn kin is rauw van zijn stoppels.

'Mijn oma is heel erg ziek,' zeg ik tegen het antwoordapparaat van De Tang, 'en ik ben de enige die voor haar kan zorgen. Ik denk dat ik een paar dagen nodig heb, maar ik bel morgen weer... Nogmaals sorry, dank je wel, dag.' Ik stop de telefoon in mijn tas. Even voel ik me ongemakkelijk en vraag ik me af of het in werkelijkheid wel goed gaat met Nana – tart ik met deze leugen niet het lot? Ik draai de kraan open. De douche komt sputterend tot leven en het water neemt een zwarte krulhaar mee naar het afvoerputje. De ruimte vult zich met stoom. Ik stap onder de krachtige waterstraal en laat hem op mijn rug kletteren. Ik draai mijn gezicht naar de douche, spuug het water uit. Hoe haal ik het in mijn hoofd om te spijbelen, met mijn beste vriend te neuken en te weigeren naar huis te gaan? Ik vind een flintertje zeep en was de geur van seks van mijn tintelende huid. Max heeft gezegd dat hij van me houdt, maar op de een of andere manier bezorgt dat me een onbehaaglijk gevoel. Ik weet niet wat ik aan moet met liefde. Ik voel me bruisend en een beetje roekeloos, en ik heb wat Lucy een net-geneuktgrijns zou noemen. Ik heb met Max geneukt! En wie had verwacht dat het zo fijn zou zijn? Maar aan liefde wil ik niet denken. Ik wil me gewoon goed voelen. Ik verdien het toch om me goed te voelen zonder aan andere dingen te hoeven denken? Ik stap de douche uit en koude druppels condens vallen van de goedkope plafondtegels op mijn schouder. Ik sla een schone handdoek om me heen en loop de badkamer in.

Max zit, nog steeds naakt, op de rand van het bed en tokkelt wat op een gitaar. Hij kijkt door zijn oogharen en er bungelt een sigaret tussen zijn lippen.

'O nee, niet "All Along the Watchtower"!' smaal ik, terugdenkend aan zijn afgang tijdens een talentenjacht op de universiteit. Hij was zo serieus. Het publiek begon met dingen te gooien.

'Misschien was het dat wel. Nu zul je het nooit weten.' Hij laat de gitaar op zijn schoot zakken en dooft de sigaret.

'Dat is toch het enige wat je kunt spelen?'

'Nee, ik kan ook "Happy Birthday".'

Ik zet het raam open om de rook te verdrijven. Er stroomt frisse lucht naar binnen, zoet en helder, ondanks het Londense verkeer. De zon is een bleek oog in een witte hemel. 'Het wordt een warme dag.'

'En hoe wilt u die doorbrengen, mevrouw Summers?' vraagt hij. Ik maak de handdoek los en wrijf er mijn natte haar mee droog.

'Met jou, had ik zo gedacht.'

'Aha. Je gaat ervan uit dat ik alles zomaar uit mijn handen laat vallen omdat jij niet weet wat je met je tijd aan moet?' Hij laat zijn blik over mijn lichaam glijden.

'Inderdaad.'

'Oké.'

Ik loop naar hem toe en kus hem op de lippen. 'Dank je wel. En ik heb zin om naar de zee te gaan.'

'Doen we.' Hij buigt zich voorover om me weer te zoenen, maar ik duik weg.

'Geef me dan maar wat kleren.'

We lopen gearmd over de boulevard van Brighton. De hitte streelt de turkooizen zee en kalmeert hem als een kat. Het water flonkert, verzamelt zich af en toe en stort zich dan op de kust, waarbij de kiezels in het rond vliegen en kinderen gillend wegrennen. Ik draag een spijkerbroek en een T-shirt van Max met de pumps van gisteren eronder, en ik voel me een beetje belachelijk als we in bikini geklede schoonheden op rolschaatsen passeren. Het valt me op dat hij niet eens naar ze kijkt. Hij wilde me geen korte broek geven – we zijn op de motor.

'Ik wil alle traditionele dingen doen, dingen die horen bij een dagje aan zee,' zeg ik.

'Zoals kokkels en mosselen eten?' Hij stopt bij een mosselkraampje.

'Bah nee – die zien eruit als geslachtsdelen.'

'Ik ben er gek op!' Hij koopt een emmer en haalt er met een houten vork een paar druipende, geelgrijze kokkels uit. Hij zwaait ermee voor mijn gezicht. 'Mmm, visje!'

'We moeten fish-and-chips uit een krant eten, en een suikerspin en ijs, en je moet iets voor me winnen op de pier.'

'Is dat jouw definitie van een dagje aan zee?' lacht hij.

'Wat is de jouwe dan?'

'Een ligstoel op het strand, een paar biertjes... een emmertje geslachtsdelen.'

'We moeten een zuurstok kopen.'

'En een schunnige ansichtkaart.'

Ik kijk fronsend opzij naar hem terwijl hij stevig doorstapt in zijn motorjack, de wind in zijn haren. 'Je bent niet goed bij je hoofd,' zeg ik, en hij lacht en slaat zijn arm om me heen.

We gaan naar het strand, betalen voor twee ligstoelen en zetten ze in de zon. Hij gaat liggen, laat zijn armen hangen en richt zijn gezicht naar de zon. Ik rol mijn spijkerbroek op en vraag me af of ik mijn T-shirt moet uittrekken en of mijn beha voor een bikini kan doorgaan. Ik kijk naar een dikke dame die in een met ruches versierd badpak over de keien hobbelt. Haar lompe benen zien eruit als ruw geboetseerde klei. Een paar jonge mannen stoeien wat met elkaar om indruk te maken op een mooi, Spaans uitziend meisje. Ik draai mijn hoofd naar Max en in mijn hart begint iets te fladderen. Zijn grote neus en brede, glimlachende mond vormen zonder meer een sexy combinatie, maar het is meer dan dat. Ik voel me zo thuis bij hem, het is nooit ongemakkelijk. Ik laat mijn vingers over de keien glijden en pak er een op.

'O mijn god, deze steen lijkt precies op jouw hoofd!'

Hij kijkt door zijn oogharen. 'Hij is veel knapper dan ik. Die steen zou zo in een film kunnen.'

'Maar hij had niet genoeg ambitie en nu staat hij op de keien.'

'Leuk!' Hij doet zijn ogen weer dicht. Ik gooi kiezeltjes naar hem, maar mis iedere keer.

Ik kijk naar de golven die over de stenen spoelen en het ritme brengt me tot rust. Na een tijdje hoor ik licht gesnurk.

'Max! Haal nou fish-and-chips voor me,' zeur ik.

Hij rekt zich uit. 'Wil je het hier eten?'

Ik knik en bescherm met mijn hand mijn ogen tegen de zon. Hij klimt met lachwekkende bewegingen over een heuvel van kiezels en de trap op naar de straat. Ik richt mijn blik op de glinsterende horizon voorbij de pier, dan sluit ik mijn ogen en slaak een zucht. Londen met al zijn zorgen is heel ver weg. Ik weet dat ik die zorgen onder ogen zal moeten zien, maar nu niet. Ik denk aan Rob, wat voelt alsof ik mijn tong in het gat van een uitgevallen kies steek. Het doet pijn, ik voel het gemis, maar het is niet meer levensbedreigend.

Max wint een lichtgevende, oranje orang-oetan in de schiettent op de pier. De handen en voeten zijn van vilt, en als ik weiger het beest te dragen wikkelt hij het om zijn lichaam, waar het zich als een idioot grijnzende baby aan vastklampt. Hij noemt hem Maurice en koopt een donut voor hem. Aan het einde van de pier gaan we in een café zitten, waar we een glas koud bier drinken en over de zee uitkijken. Ik voel zijn blik op mij, draai mijn gezicht naar hem toe en glimlach.

'Wat?'

'Ik zou nu een tekening van je willen maken.' We kijken elkaar heel clichématig in de ogen.

'Max, ik wil bij je blijven,' flap ik er plotseling uit, terwijl ik zijn hand pak. 'Ik ben bang. Het voelt alsof je me hebt gered en dat als je me laat gaan alles weer op me afkomt.'

'Ik laat je niet gaan.' Hij knijpt in mijn hand. 'Het is aan jou.'

'Je weet dat ik je nooit pijn zou doen. Ik wil niet... dat wat er tussen ons is gebeurd ertoe leidt dat je gekwetst wordt.' Opeens vullen mijn ogen zich met tranen. Ik leg mijn hand om zijn nek, trek hem naar me toe en druk mijn lippen op de zijne. 'Maar ik ben... ik weet niet goed wat ik met mezelf aan moet.'

'Maak je geen zorgen, Viv,' zegt hij, en hij pakt mijn hand. 'Het geeft niet. Ik weet dat je nog niet weet wat je wilt.' Ik knijp in zijn vingers. 'Ik heb geen haast. Ik houd al jaren van je... vanaf het moment dat we elkaar leerden kennen.'

'Dat komt doordat je me niet echt kent.' Ik trek een rare grimas.

'Ik ken je wel.'

Hij kijkt me in de ogen. Ik wend mijn blik af en leun achterover in mijn stoel. Hij neemt een slok. Als ik weer naar hem kijk, knikt hij even en heft zijn glas.

Op de terugweg door de glooiende Downs druk ik me stevig tegen zijn met leer omhulde rug. Maurice de orang-oetan zit om mijn middel; een van zijn benen hangt los en wappert in de wind. Ik verkeer in een soort dronken roes van vrijheid, tot de drukke straten van Londen zich weer als een val om ons heen sluiten. Max stopt bij een kleine supermarkt om eten te halen en ik wacht bij de motor. Voor het eerst die dag kijk ik op mijn telefoon. Christie heeft gebeld, Nana heeft gebeld, Lucy, en daarna Christie nog een keer. Ik luister naar de berichten.

'Hoi Viv! Met Christie. Ik wilde alleen even weten hoe het met je gaat. Ik heb in je agenda gekeken en er stond een verga-

dering met de leveranciers gepland, dus die heb ik afgezegd.
Laat het me weten als ik iets voor je moet doen. Doeg!' Shit,
die vergadering was ik vergeten. Maar ik maak wel een nieuwe
afspraak. Ik bedoel, als Nana echt ziek was had ik dat ook moeten doen.

Dan de stem van Nana. 'Dag lieverd. Luister, ik geloof dat ik
iets doms heb gedaan. Ik probeerde je net te bellen, maar je nam
niet op, dus heb ik het nummer van je werk gebeld. Blijkbaar
dachten ze dat je bij mij was omdat ik ziek was! Ik wist niet goed
wat ik moest zeggen, dus ik heb gewoon opgehangen. Het spijt
me heel erg als ik je in de problemen heb gebracht. Wil je even
iets laten horen, want nu vraag ik me af waar je bent...'

Ze heeft naar mijn werk gebeld! Ze belt me nooit op het
werk! Ik voel de bekende spanning weer opkomen. Dit is heel
erg. Hier krijg ik last mee.

Dan Lucy, die eet terwijl ze praat. 'Hoi, met Luce. Luister, je
moet me bellen, ik wil weten hoe het bij Rob is gegaan. Ik
hoop dat je je spullen hebt opgehaald en hem nog eens flink de
waarheid hebt gezegd. Ik had daarnet een ongelooflijke ervaring met Reuben – hij deed iets met zijn tong en een klein rub-
beren dingetje dat hij heeft en... mijn god! Afijn, bel me.'

Ik kijk door het raam van de winkel; Max staat in de rij. Lucy
die geweldige seks heeft, dat is geen nieuws. Ik en geweldige
seks daarentegen... Ik zie dat hij zijn boodschappen klaarlegt
voor het meisje achter de kassa. Hij glimlacht en zegt iets, waarna zij haar hoofd schuin houdt en aan haar paardenstaart frun-
nikt. Eigenlijk is Max heel sexy, en opeens, na al die jaren, vind
ik hem erg leuk.

Christie weer. 'Hoi Viv, weer met mij. Sorry dat ik je lastig-
val. Ik wilde je alleen vertellen dat er een of andere ouwe taart
belde die beweerde dat ze je oma was. Ik zei dat dat niet kon,
omdat je oma in het ziekenhuis ligt en jij bij haar bent. Toen
hing die slang weer op! Ik heb geen idee waar dat op sloeg. Hoe
dan ook, De Tang is op oorlogspad en wil weten wanneer je
terugkomt. Bel even!'

Gelukkig had Christie opgenomen – als het iemand anders was geweest, had het er slecht voor me uitgezien.

Ik bel Nana. Een klik en dan volgt de eindeloze boodschap op het antwoordapparaat, beginnend met Nana die iets zegt tegen iemand in de kamer: '... ik weet het niet zeker... Wacht even, ik geloof dat hij aanstaat... Hallo? Hallo, je spreekt met zeven één acht negen dubbel nul. Er is nu niemand thuis. Eh, dit is een opgenomen boodschap. Je kunt je naam en telefoonnummer achterlaten en dan bel ik terug als ik thuis ben... Is het zo goed? Hij heeft niet gepiept...' Ik zeg tegen het antwoordapparaat dat het aan Nana moet doorgeven dat ze zich geen zorgen hoeft te maken, dat ik snel zal bellen om het uit te leggen.

Max verschijnt met een gevulde tas. 'Ik heb eten gekocht.'

'Dat is een yam.'

'Ja, ik vond hem er lekker uitzien.' Hij gooit hem in het koffertje. 'Wat is er gebeurd? Je ziet eruit alsof je net van je papa te horen hebt gekregen dat je geen pony krijgt.' Hij zet zijn helm op.

Ik houd de telefoon op. 'Ach... het leven.'

Hij pakt de telefoon, gooit hem in het koffertje naast de yam, en start de motor. Dan stapt hij op, duwt de motor met zijn benen een stukje naar achteren en gebaart naar mij met zijn hoofd.

'Stap op, schat.' De huid rondom zijn ogen is geplooid door de helm. Ik schuif achter hem op de motor, leg mijn hoofd tegen zijn rug en we vertrekken. Mijn zorgen vliegen als grote, zwarte vogels achter ons aan.

Het stoffige licht in zijn appartement is al aan het wegsterven als we binnenkomen. Dave ligt op de bank en knippert met zijn ogen, maar hij verroert zich niet. Max doet een oude lamp aan en steekt ook een paar kaarsen aan. Ik loop wat rond terwijl hij iets te drinken haalt. Op de ezel staat een nieuw schilderij. Een groot, fascinerend doek met de rug en de enorme billen van een vrouw, geschilderd met grove paarse, gouden en groene streken. Het gezicht is iets naar rechts gedraaid en de rechte neus contrasteert met de voluptueuze rondingen. Een pronte borst wijst naar boven. Ik ben gegrepen door de vrouwelijkheid en sierlijkheid.

Max verschijnt in de deuropening. 'Vind je het mooi?'

'Ik vind het prachtig.' Ik draai me naar hem om. 'Verkoop je veel?'

Hij reikt me een glas wijn aan. 'Meer dan eerst.'

'En hoeveel vraag je hiervoor?'

'Eh... voor jou, tweeduizend.'

'Tweeduizend?' Ik staar naar de kleuren en vraag me af hoe hij het licht heeft geschilderd.

'Goed, duizend, en ik lever het aan huis af.'

'Ik dacht juist dat het duurder zou zijn.'

'Oeps, ik ben niet zo goed in onderhandelen.'

'Heb je geen agent of zo?'

'Daar ben ik mee bezig.'

'Als je meer verkoopt dan eerst, doe je het blijkbaar niet slecht.'

'Nou... eerst verkocht ik helemaal niets.'

Ik loop verder en sta stil om het schilderij van Lula te bewonderen, met haar ivoorkleurige armen en benen en starende blik. Max loopt achter me aan. 'Je bent met haar naar bed geweest.'

'Nee.'

'Ik zie het aan de manier waarop ze kijkt. Ze is verzadigd.'

'Niet door mij.'

'Ik geloof je niet. Je verleidt al je modellen... dat is duidelijk.' Tot mijn schrik klink ik als een jaloers kind.

Hij schudt zijn hoofd. 'Ze is gestoord.'

'Prettig gestoord?' Ik kijk naar de prachtige, parmantige mond.

'Eh... eerder in de zin dat je moet oppassen dat ze je ballen er niet afhakt.'

'En waar is het portret van mij?'

'Niet hier. Het hangt op de expositie.'

'In de academie?' Hij knikt.

'Max!' Hij grijnst, zijn armen hangen losjes langs zijn lichaam. 'Wat geweldig!'

'Ja.'

'Ik hang op een tentoonstelling!'

'Inderdaad.'

'Als je me maar niet lelijk hebt gemaakt.'

'Daar kon ik helaas niet zoveel aan doen.'

Ik sla mijn armen om hem heen. 'Dus je bent toch niet zo'n zielenpoot?'

'O, jawel hoor, dat ben ik nog steeds,' zegt hij met een grijns.

'Ja, dat is zo,' zeg ik. Hij legt zijn voorhoofd tegen het mijne. 'Gefeliciteerd.' Ik raak met mijn lippen de zijne.

'Waarmee? Dat ze me hebben geselecteerd voor de expositie of dat ik jou heb versierd?'

'Eh, je hebt mij niet "versierd".'

'Niet?' Hij knijpt in mijn billen.

'Nee, welbeschouwd heb ik jou versierd.'

'Ook goed,' zegt hij, en ik kus hem teder. Hij antwoordt: 'Ik kan niet geloven dat je hier bent. Bij mij.'

'Nou, het is ook niet te geloven... Wat ben je toch een mazzelaar.' Ik kus hem met halfopen lippen. Hij tilt mijn т-shirt omhoog en ik help hem het over mijn hoofd te trekken. Als ik in mijn beha sta, draait hij me om en maakt hem los, schuift de bandjes naar beneden en kust mijn schouders terwijl de beha op de grond valt. Hij laat een hand over mijn navel glijden. Ik ril. Hij tilt mijn haar op en kust me in mijn nek.

'Je bent zo mooi,' fluistert hij dicht bij mijn oor. Zijn hand glijdt onder mijn riem, de onderzoekende vingers vinden mijn vochtigheid. Als hij zijn vingers tegen me aan drukt begint mijn ademhaling te haperen. 'Mijn mooie vriendin,' fluistert hij terwijl hij mijn riem losmaakt. 'Ik kan niet geloven dat je van mij bent.' De spijkerbroek valt op de grond en ik schop hem weg. Ik hoor dat hij zijn т-shirt uittrekt en voel de warmte van zijn borst tegen mijn rug, en nog steeds is zijn hand tussen mijn benen aan het kneden en strelen. Ik hijg en de opwinding golft door me heen. Ik kijk naar de ezel – de gouden en paarse billen, de puntige tepel en de geheimzinnige glimlach. Max buigt zich

over me heen en bijt in mijn schouder; ik word vooroverge-
duwd en zoek steun op zijn tafel. Mijn handen stoten tegen
potten met penselen. Hij streelt mijn blote billen, ik voel de
warmte van zijn adem daar, als lichte vlinderkusjes. Ik hoor
hem zijn gesp losmaken, het geruis van stof als hij zich uit-
kleedt. Hij zegt niets als hij nog dichter tegen me aan komt
staan. Ik beef vol verwachting als ik me tegen hem aan duw, en
hij neemt me daar in de studio, onder de jaloerse blik van Lula.

Naderhand liggen we op de stoffige vloerplanken. Ik ril en
hij slaat zijn arm om me heen. Met de andere hand steekt hij
een sigaret op. Het komt allemaal iets te ervaren over en plotseling voel ik me dom.

'Doe je dat altijd?'

'Wat?'

'Roken na de seks.'

'Nee.' Hij kust mijn haar. Ik probeer me los te maken, maar
hij drukt me tegen zich aan.

'Hoeveel vrouwen heb je hier gehad?'

'Miljoenen.' Ik draai mijn gezicht naar hem toe, maar hij
staart naar het plafond. 'Ja, ze vallen allemaal voor het idee van
de gekwelde kunstenaar. Ik haal een paar goedkope doeken tevoorschijn en hup, ze komen als vliegen op me af.' Opnieuw
probeer ik me los te wringen, maar hij houdt me stevig vast. 'Ik
geloof dat ik iedereen heb gepakt die ooit een voet in deze studio heeft gezet – mannen én vrouwen.' Ik zie hem glimlachen
terwijl hij een kringetje rook uitblaast. Ik stomp hem op zijn
borst en hij moet hoesten.

'Niet pesten.'

'Viv, waar zie je me voor aan?'

'Ik weet het niet. Ik voel me nogal kwetsbaar.'

'Nou, ik niet. Ik ben zielsgelukkig.' Ik krul me weer tegen
hem aan en we kijken naar het laatste beetje daglicht dat weg-
vloeit. Hij streelt mijn arm. Het is warm maar ik heb toch kippenvel. Hij staat op, steekt nog een paar kaarsen aan en trekt
een muffe sprei over ons heen.

'Max?'
'Ja.'
'Heb je iets te eten?'

Hij rekt zich uit en staat op. Hij kijkt op me neer en glimlacht. 'Eens zien wat ik voor je kan doen.'

Ik blijf liggen onder de sprei en bestudeer mijn spiegelbeeld, dat zich steeds duidelijker aftekent in het donker wordende raam. Ik lig hier naakt in de studio van Max en ik heb het naar mijn zin. Jezus!

Hij pakt brood en kaas, loopt terug om wijn te halen en stalt een kleine picknick uit op de vloer. Ik kan mijn ogen niet van hem afhouden. Met een enorm mes snijdt hij plakjes kaas af. Hij kijkt op en ik besef dat ik vol verwondering naar hem lig te staren en elk woord dat hij zegt wil opzuigen.

'Wat doe je met een yam?' vraagt hij. 'Weet jij dat?' Ik schud mijn hoofd en kijk toe terwijl hij een schuin stuk brood afsnijdt. Hij legt het voor me neer met een plakje kaas erop. Dan schenkt hij het vaasje-glas voor me vol. 'Proost,' zegt hij met zijn zachte Ierse accent, en hij kijkt me in de ogen. Hij ziet er nu ongelooflijk mooi uit, met het licht dat zijn naakte huid laat glanzen. Zijn ogen stralen humor en seks en... leven uit. Plotseling ben ik me bewust van een verschuiving in de machtsverhoudingen; het voelt alsof hij me zou kunnen doden door alleen maar een beetje koeltjes te doen.

Zijn brede, sexy glimlach verschijnt op zijn gezicht. 'Wat is er?'

'Niets. Gewoon... jij.'
'Wat?'
'Nou ja... wie had dit gedacht?'
'Ik. Ik wist het allang.' Hij lacht.
'Al die tijd...'
'Maar jij wist het niet.'
'Maar waarom heb je het me dan niet verteld?'
'Dat heb ik wel gedaan – de hele tijd.'

Daar moet ik over nadenken en ik besef dat ik altijd heb geweten dat hij me wel leuk vond. Ik heb gewoon nooit op die manier over hem gedacht. Een ploeterende kunstenaar was niet mijn idee van de ideale man en bovendien deed hij dit ook met andere vrouwen, vrouwen die hem belden en huilden dat ze hem weer wilden zien. Hoe kan het dat je door seks zo anders naar iemand gaat kijken? Hij is nog steeds onverzorgd en slordig... en arm. Maar als ik naar de ronde lijn van zijn schouder kijk, naar de rommelige studio, het mooie doek, zie ik alleen maar zijn talent.

Die ochtend word ik vroeg wakker. Het is licht buiten en ik kleed me aan terwijl Max nog half slaapt. Voordat ik vertrek loop ik naar hem toe om hem een kus te geven. Met een grom slaat hij het dekbed open.
　'Blijf bij me.'
　'Ik moet naar mijn werk.'
　'Kom hier.' Hij klopt op het bed.
　'Ik moet gaan, maar later kom ik weer langs.' Ik aai over zijn borst.
　'Blijf bij me.'
　'Ik zal vanavond iets te eten voor ons klaarmaken.'
　Hij rolt op zijn buik en legt zijn handen achter op zijn hoofd terwijl ik mijn tas zoek. 'Als je weggaat, ga ik dood.'
　'Ik zal je bellen,' zeg ik lachend.
　'Vivienne!' roept hij als ik wegloop.
　'VIVIENNE!' Dave schrikt zo van het gebrul dat hij ophoudt zijn anus te likken. Hij zit naast het gehavende lichaam van Maurice de orang-oetan en knippert hooghartig als ik de deur dichttrek.

Een nieuwe, zomerse ochtend in Noord-Londen komt langzaam tot leven. Forenzen haasten zich naar de metro; een bestelbusje met grote platen vol croissants staat met draaiende motor voor een koffietentje. Ik denk aan mijn werk en stel in mijn hoofd een takenlijst op. Ik wacht op de vertrouwde paniek, maar er komt niets. Zelfs als ik aan Rob denk blijf ik kalm. Natuurlijk is het een verschrikkelijk cliché, maar voor het eerst in maanden loop ik bijna dansend over straat. Ik ben vrolijk. Max heeft me gewekt uit een nachtmerrie en ik realiseer me dat als ik bij hem ben, alles mooi en blinkend en vol kleur is.

18

Passen jullie bij elkaar?

1. Vinden jullie elkaar echt leuk en proberen jullie elkaar vaak te zien?
2. Spelen jullie om beurten de rol van minnaar en beminde?
3. Kunnen jullie allebei sorry zeggen en praten over hoe jullie relatie hechter kan worden?
4. Lachen jullie om dezelfde dingen?
5. Kunnen jullie over geld praten zonder ruzie te maken?
6. Zijn jullie beiden in staat om de gewoonten waar de ander zich aan stoort af te leren?
7. Hebben jullie dezelfde verwachtingen en levensdoelen?
8. Vormen jullie sterrenbeelden een van de volgende combinaties: Leeuw + Ram, Stier + Maagd, Tweelingen + Weegschaal of Kreeft + Schorpioen?

Antwoorden:
Vooral ja Jullie passen uitstekend bij elkaar.
Vooral nee Doe geen moeite.

Om acht uur zit ik aan mijn bureau; het kantoor is verlaten. Ik heb maar één dag gemist – zoveel kan er toch niet verkeerd zijn gegaan? Ik lees mijn mails. Niets van Rob. Een paar leveranciers kunnen niet de prijzen bieden die ze hadden beloofd. Een concurrent heeft alle Schotse-ruitstof ter wereld opgekocht en De Tang wil me onmiddellijk spreken. Ik spreek een poeslieve boodschap in op haar antwoordapparaat, vooral om haar te laten weten dat ik er al om acht uur was.

Al snel zit ik uit het raam naar de blauwe lucht te staren. Ik kijk naar mijn telefoon om te zien of er een bericht van Max is. En dat is het geval.

Vivienne! Oogverblindende schoonheid. Ik ruik je op mijn huid. M x

Mijn lichaam reageert meteen en ik schrijf terug: *Neem een douche! V xx*

Ik klik een spreadsheet open, kijk naar een paar kostenberekeningen en probeer uit te zoeken of we ons deze productenlijn nog kunnen veroorloven, met de nieuwe prijzen. Maar mijn gedachten dwalen af. Ik besluit de website eens goed te bekijken. Daar heb ik tot nu toe geen gelegenheid voor gehad. Ik tik de link in die Michael me heeft gegeven en er verschijnt een nog niet gepubliceerde webpagina; de titel, opgemaakt in een donkerblauw, handgeschreven lettertype, staat tegen een lichtgrijze achtergrond. De homepage is heel aantrekkelijk, met het kopje 'Beste tips' en daaronder een lijstje met categorieën waarop je kunt doorklikken. Ik kies 'Hoe maak je het uit?' en er verschijnen een lijst en een forum waar je je eigen verhaal kunt posten en advies kunt geven. Ik klik op 'Maak een afspraakje met mijn ex', en daar staat een foto van Michael. Hij kijkt plechtig voor zich uit en heeft wel iets weg van een high school-schutter. Ik kan me niet voorstellen dat dit profiel is geschreven door een ex van hem: *Als je van seks en lol houdt, dan is dit de man voor jou. Bij hem staat plezier voorop en hij is zeer wel geschapen.* Ik bekijk het liefdesverdrietforum, waar mensen met elkaar over hun verbroken relaties kunnen praten. Daar is de 'Lieve Lucy'-pagina met mijn levensverhaal als voorbeeld van deze week. Bij iedere pagina word ik enthousiaster. Ik stuur Michael een mail om hem te bedanken en te vragen wanneer de site online kan. Hij antwoordt: *Staat nu online;).* Ik tik het adres in en daar is hij!

Ik klik op het 'Waar denk je aan?'-forum, waar je kwijt kunt wat je wilt. Ik schrijf een berichtje aan Max: *Het is alweer twee uur geleden. Ben je dood of zo?* Ik stuur hem het adres van de site en vermeld erbij dat hij even moet kijken.

Het is nu negen uur en de bureaus raken bezet. Ik sluit de

pagina af alsof ik een geheime boodschap opvouw en ga verder met mijn mails checken.

Er is een nieuwe van De Tang: *Kom nu naar mijn kantoor, Vivienne.* Ze heeft hem om kwart over acht gestuurd.

Als ik schuchter naar de glazen wand van haar kantoor loop, zit ze aan de telefoon, maar ze wenkt me naar binnen. Ik ga zitten in de stoel tegenover haar bureau, sla mijn blocnote open, strijk het eerste vel glad en leg mijn pen erop, in een poging uit te stralen dat ik alles onder controle heb en zeer efficiënt bezig ben. Ze heeft haar benen om elkaar heen geslagen. De zon die door haar panoramaraam naar binnen schijnt, belicht een pluisje op haar zwaar bepoederde gezicht. Ik kijk even naar haar voeten: vandaag draagt ze een soort kruising tussen een sandaal en een enkellaarsje over lichtbruine panty's waarvan de naad bij de tenen zichtbaar is. Het doet me een beetje aan Nana denken – ik krijg een flashback naar de zweterige, huidkleurige kniekousen die ze altijd als dode muizen liet rondslingeren.

De Tang kijkt me uitdrukkingsloos aan, haar rode lippen op elkaar geperst terwijl ze naar de persoon aan de andere kant van de lijn luistert. Ik kijk rond in haar keurige kantoor en zie tot mijn verbazing een paar boeken over assertiviteit op de plank staan. De gebouwen buiten blikkeren in de hitte. Ik denk aan Max en zie opeens weer voor me hoe hij op me lag.

'Vivienne!' zegt De Tang beslist terwijl ze ophangt. 'Fijn dat je je bij ons kunt voegen.'

'Goedemorgen.' Ik glimlach.

'Voelt je oma zich beter?'

'Veel beter, dank je.'

'Ja, ze klonk ook goed toen ze gisteren belde.' Ze glimlacht, haar ogen fonkelen.

Nu snap ik het niet meer. Met wie heeft Nana in godsnaam gesproken? 'Heeft ze hiernaartoe gebeld?'

'Inderdaad. Ze was op zoek naar jou.'

'O, ze is een beetje... in de war.'

Ze glimlacht eindeloos lang en ziet eruit als een gestoorde

kat. Als ze weer spreekt klinkt haar stem raar laag. 'Vivienne, als ik ook maar één seconde zou denken dat je niet de waarheid sprak, schopte ik je eruit. Er zijn genoeg mensen die maar al te graag jouw werk willen doen en toch is het blijkbaar te min voor jou.' Ik voel me alsof ik vijftien ben en in het kantoor van de rector zit. Mijn wangen gloeien. 'De afgelopen periode zijn je prestaties zienderogen achteruitgegaan. Ik weet dat je problemen hebt in je privéleven...' ze glimlacht neerbuigend, '... maar toch.' Daar is die bevroren grimas weer; het duurt even voordat ik doorheb dat ze wil dat ik iets zeg.

'Ik begrijp wat je wilt zeggen...'

'Wat ik wil zeggen is dat ik je een mondelinge waarschuwing geef,' snauwt ze.

Ik doe mijn mond open en weer dicht. 'Goed, oké. Waarom? Omdat ik een dag vrij heb genomen om voor mijn oma te zorgen?'

'Nee, vanwege je prestaties van de laatste tijd.'

'Kun je misschien wat specifieker zijn?'

'Ja hoor.' Ze haalt een dossier tevoorschijn en leest data op gevolgd door opmerkingen als 'te laat', 'ziek gemeld', 'vroeg vertrokken', 'vergadering vergeten'. 'Moet ik verdergaan?'

'Nee.'

'Dus, voor de duidelijkheid, dit is een mondelinge waarschuwing, hierna volgt er een schriftelijke waarschuwing en daarna hebben we het recht je te ontslaan.'

'Is dat wat jullie doen in plaats van mensen boventallig verklaren? Ze gewoon de zak geven? Dat is zeker gemakkelijker en goedkoper, hè?'

'Vivienne, je toon staat me niet aan...'

'Je weet dat ik altijd keihard heb gewerkt. Dat weet je heel goed.'

'Ik heb het over je prestaties van de laatste tijd.'

Ik sta op. 'Dit slaat nergens op.' Ik doe de deur open. 'Het slaat nergens op,' herhaal ik als ik naar buiten storm. Ik voel vuurrode woede in mijn borst kloppen en opklimmen naar mijn keel. Verdomme, een mondelinge waarschuwing! Wat is dit voor kut-tent? Hoe vaak heb ik niet iets uit de hoed getoverd om de repu-tatie van De Tang te redden? Ik been terug naar het kantoor en achter de grijze tussenwandjes komen gezichten omhoog die als konijnen snel weer wegschieten. Paul van techniek steekt zijn fretachtige neus in de lucht.

'Goedemorgen, spijbelaar!'

'Rot op, Paul,' snauw ik, waarna hij als een schooljongetje be-gint te gniffelen. Eindelijk kom ik bij mijn bureau. Christie zit te typen; haar haar is verdeeld in twee vlechten die ze heeft opge-rold over haar oren, en ze heeft zilveren eyeliner op – haar versie van futuristisch chic. Ze draait zich glimlachend naar mij om. 'Wat is er gisteren in godsnaam gebeurd, Christie?' vraag ik dwingend, en de glimlach verdwijnt snel van haar gezicht. 'Want ik heb zojuist een mondelinge waarschuwing gekregen.'

Er verschijnt een verwarde en daarna bezorgde uitdrukking op haar gezicht. 'Daar wist ik niets van!' Ze draait haar stoel naar me toe en schudt haar hoofd. 'Maar ik weet wel hoe je je voelt, Viv – ik heb ook een mondelinge waarschuwing gekre-gen.'

'Dat weet ik! Die kreeg je van mij!'

'Nou, misschien heeft het dan iets met rechtvaardigheid te maken.'

'Heb jij gisteren met mijn oma gesproken?'

'Nee.'

'Jawel Christie! Ze heeft naar kantoor gebeld – die ouwe taart, weet je nog?'

'O, ik dacht dat het iemand anders was.'

'Nou, het was haar wel. Maar hoe wist De Tang dat?'

'O!' Ze houdt haar vinger omhoog als een eurekagebaar. 'Waarschijnlijk doordat ze vlak achter me stond toen ik dat te-lefoontje kreeg. Ik denk dat zij dacht dat het echt je oma was.'

'Dat was ook zo!' Even verschijnt er een diepe frons op haar voorhoofd. Ik zink neer op mijn stoel en mijn woede slaat om in wanhoop. 'Maak je er maar niet druk over, Christie,' zucht ik.

'O-ké.' Ze houdt haar handen op. 'Maar ik kwam gisteren ook in de problemen.'

Ik leg mijn kin op mijn handen en bestudeer haar gezicht. Er zit een zilveren puntje aan iedere oogwimper. Hoe lang is ze daarmee bezig geweest?

'Ik heb onze ideeën voor de zoet & pikant-lijn gepresenteerd. De leuzen voor de slipjes? Nou, De Tang vond het niks. Ze zei dat ze te grof waren. Eigenlijk ging ze nogal over de rooie.'

'Onze ideeën?'

'Ja, je weet wel, "Pittige kerst" en zo.'

'Ja, jóuw ideeën.'

'Nou, ik heb ze aan jou voorgelegd en "Wat zijn uw ballen wonderschoon" was jouw idee.'

'Je gaat me toch niet vertellen dat je de woorden "Wat zijn uw ballen wonderschoon" hebt gezegd waar De Tang bij was?'

'Ik hoef het je niet vertellen... maar het is wel zo.' Ze knippert met haar ogen.

Ik kijk rond naar de bekende achterhoofden van de afdeling Financiële administratie, de zoemende lampen, de brommende airconditioner, en dan weer naar Christies lijkbleke gezicht. Ik zie voor me hoe De Tang rustig luistert naar de leuzen en voel iets van hysterie in mijn neus prikken. Ik glimlach, begin dan te grinniken en vervolgens te proesten, nauwelijks in staat om te spreken. 'Heb je echt gezegd... "Wat zijn uw ballen wonderschoon"?' piep ik.

'Ik heb ze allemaal opgesomd,' zegt ze met een uitgestreken gezicht. Ik leg mijn handen op mijn buik en voel de tranen in mijn ogen springen terwijl ik het voor me zie. 'Het is niet grappig, Viv.' Ik knik en probeer op adem te komen. Ik zucht en veeg mijn ogen af. Met een strak gezicht kijk ik haar aan.

'Wat zijn uw ballen wonderschoon!' roep ik en ik krijg weer een lachbui. Het duurt vrij lang voordat ik me weer tot Christie wend, maar als ik dat doe zie ik dat ze een beetje boos is. Ik kom weer tot bedaren. 'Het geeft niet,' lieg ik, 'we hebben allebei een slechte beurt gemaakt, maar we maken het wel weer goed.

Maak je geen zorgen, Christie. Goed?' Ze lijkt niet overtuigd. 'Goed?' Ze knikt. 'Jij en ik zijn het topteam van productmanagement en als ze dat niet inzien, nou...' Ik weet niet hoe ik de zin moet afmaken. 'Nou, dan is dat hun probleem!'

'Oké.' Ze glimlacht.

Op het moment dat we elkaar een high five geven, dringt de realiteit zich aan me op: we hebben allebei een waarschuwing gekregen en het bedrijf moet bezuinigen. Maar ik ben optimistisch.

Ik zucht een keer diep en bel Nana.

'Zeven één acht negen dubbel nul?'

'Hoi, Nana.'

'Lieverd! Sorry van gisteren, dat ik je kantoor heb gebeld. Zit je nu in de nesten?'

'Niet heel erg. Met wie heb je gesproken, weet je dat nog?'

'Het meisje dat de telefoon opnam kwam nogal dom over.' Ik kijk naar Christies haar met de keurige scheiding en voel genegenheid opkomen. 'Het leek wel of we volledig langs elkaar heen praatten, en toen kwam er een nogal kille dame aan de lijn die allerlei vragen stelde.' Ik wrijf over mijn voorhoofd. 'Om eerlijk te zijn klonk ze niet erg vriendelijk.'

'Nee. Tja... ik denk dat het beter is als je niet naar mijn werk belt.'

'Ik heb eerst je mobiel geprobeerd, maar je nam niet op...'

'Nana, ik was de hele dag met Max op stap. Ik heb tegen ze gezegd dat ik bij jou was, dat je ziek was,' fluister ik.

'O!' fluistert ze terug.

'Waarom belde je? Is er iets aan de hand?'

'O... ik had alleen een beetje pijn in mijn borst en werd bang. Alles is weer in orde, niets om je zorgen over te maken.'

'Weet je het zeker? Heb je de dokter gebeld?'

'Nee, nee. Reg kwam langs. We hebben een cognacje gedronken en de pijn trok weer weg. Maar waarom heb je gespijbeld om met Max op stap te gaan? Daar wil ik het mijne van weten.'

'Lang verhaal.' Ik glimlach.

'Oké, neem hem zondag maar mee.'

'We zien wel. Luister, ik moet ophangen. Ik spreek je snel weer.'

Ik hang op en leun achterover op mijn stoel. Mijn gedachten dwalen af naar gisteren, naar de studio van Max, naar het verlangen, en ik herbeleef de momenten met hem. Mijn hart begint te bonzen alsof ik een verliefde bakvis ben; belachelijk. Ik klik op mijn website en open de pagina 'Waar denk je aan?'

Vivienne Summers,
Had ik de hemelse, geborduurde stoffen,
Verweven met gouden en zilveren licht,
De blauwe en de schemerige en de donkere stoffen
Van de nacht en het licht en het halflicht,
Dan zou ik die stoffen uitspreiden onder je voeten:
Maar ik ben arm en heb alleen mijn dromen;
Dus heb ik mijn dromen uitgespreid onder je voeten;
Betreed ze zachtjes, want je betreedt mijn dromen.

Ik wil jou. Ik heb je altijd gewild en ik wil nooit stoppen jou te willen. M

Snel klik ik de pagina weg, dan open ik hem opnieuw en lees de tekst nog een keer, terwijl ik de warmte door mijn lichaam voel stromen. Ik denk aan zijn sexy vingers die die woorden hebben getikt en stel me voor hoe het zou zijn om met hem te vluchten naar een bohemienachtige wereld waarin we ons leven wijden aan de liefde en de kunst. Maar ik ben als de dood om verliefd op hem te worden. Ik herinner me de korte periode waarin mijn moeder en ik in een aftands kamertje woonden en niets bezaten. Ik weet heel goed dat je met romantiek de huur niet kunt betalen en dat de liefde je al helemaal niet warm houdt. Ik denk aan Rob en het leven dat ik had gepland. De pijn van het verlies van die veilige toekomst voelt nog steeds als een stomp in mijn maag. Jezus, wat ben ik toch een zielig geval dat ik me laat verblinden door eenzaamheid en wellust.

Nee, het zou leuk zijn om me helemaal te laten meeslepen, maar poëzie en dromen kunnen de veilige toekomst die ik ben kwijtgeraakt niet vervangen. En nu raak ik waarschijnlijk ook nog mijn baan kwijt. Ik ben gewoon in de war, dat is alles. Er is veel gebeurd en het beste wat ik kan doen is kalm blijven en proberen alles goed op een rijtje te zetten. Ik heb tijd nodig om over de dingen na te denken. Ik sluit de pagina zonder te antwoorden en concentreer me eindelijk op mijn werk.

Het is zes uur als ik het gebouw verlaat. Zon en schaduw werpen lichte en donkere vlekken op straat. Ik loop een klein delicatessenwinkeltje binnen op de laatste hoek voor het station en koop lekkere dingen – kleine paprikaatjes gevuld met roomkaas, ambachtelijk brood, dure salami en wijn. Dit heb ik altijd al eens willen doen: sensueel voedsel kopen. Ik stel me een picknick met Max voor. Ik weet dat ik even op de rem moet staan om na te denken, maar ik wil gewoon wat in huis hebben voor het geval dat. Ik ben geen slaaf van mijn impulsen. De kans is groot dat ik hem afbel en de avond alleen doorbreng. Ik wil in ieder geval een lijst maken van mijn levensdoelen en van de voor- en nadelen van seks met mijn beste vriend.

Als ik aan zijn naakte, gebruinde lichaam in mijn bed denk, aan hoe hij eruit zou zien tegen het gesteven, witte katoen, voel ik een lichte rilling en ik sta versteld van het effect dat hij op me heeft.

Ik ben net op tijd voor de metro en wring me tussen een forse vrouw en de schuifdeuren. Ik kijk op mijn telefoon en lees zijn berichten.

Hoe laat kunt u mij ontvangen, mevrouw? M xx

Wat heb je met me gedaan, heks? Ik kan niet werken, ik kan niet denken! M

Vivienne! Mijn hart! M

Ik wil je weer proeven… M

Oei, sommige berichtjes zijn een beetje grof. Als de metro schommelend wegrijdt, kijk ik in het roze gezicht van de vrouw. Haar ogen schieten weg van mijn telefoon, ze trekt een wenkbrauw op en glimlacht. Ik slik en voel een blos opkomen terwijl ik naar de achtergevels van de voorbijflitsende villa's kijk en me afvraag waar ik aan begonnen ben. Ik wil dat dit heerlijke verlangen eeuwig voortduurt en stuur hem een sms'je.

Ik geloof dat ik vanavond even alleen moet zijn, om alles op een rijtje te zetten. V. Ik ril even van de banaliteit van deze woorden.

Wat is 'moeten' nou voor woord? 'Moeten' bestaat niet. Doe wat je wilt, antwoordt hij. En dan: *Wat wil je?*

Ik antwoord zonder nadenken: *Jou.*

'Fijne avond,' zegt de metromevrouw als ik het perron op stap. Ik loop stoïcijns weg. Als de trein hortend en stotend op gang komt, kijk ik op en ontmoet haar blik. Ze knipoogt.

Het is schrikbarend hoe slecht ik mezelf in de hand heb. Ik kan niet wachten om hem te zien. Er dansen puberale vlinders in mijn buik. Het is duidelijk dat dit niet verstandig is. Het is pure wellust en het zal eindigen in een ramp, maar ik ben machteloos. Ik moet de dingen laten gebeuren en dan maar zien hoe ik me naderhand voel. In een paar passen ren ik de straat over, mijn voeten glijdend in mijn pumps. Ik neem de korte route door een zijstraatje. Zodra ik thuis ben zal ik een douche nemen en mijn haar wassen en dan smeer ik me in met die dure bodylotion die ik met Kerstmis van Lucy heb gekregen. Ik wil mijn lange zomerjurk aandoen – Max heeft een keer gezegd dat hij hem mooi vond. Als ik bijna bij mijn huizenblok ben, loop ik het steegje in en zie mijn gebouw. Er staat iemand in het portiek.

Hij leunt in hemdsmouwen tegen de muur. Het licht glanst op zijn bruine armen en weerkaatst tegen zijn platina horlogebandje. Hij heeft het profiel van een klassiek standbeeld, zoals hij daar naar de straat staat te turen. Zijn rechte neus, tuitende lippen en designzonnebril zouden een volmaakte fotosessie opleveren. Ik sta stil en staar naar hem. Blinkend als goud staat hij bij mijn deur en ik vrees het mes dat hij ergens verborgen moet houden, zet me schrap voor een nieuwe aanval. Hij draait zich om, ziet me en recht zijn rug. Hij zwaait en roept naar me, net als in mijn dromen.

'Hoi, Viv,' zegt hij met zijn kinderlijke glimlach.

'Rob! Wat doe jij hier?'

19

Wat vrouwen willen*

*Nou, nu je het toch vraagt... [haalt diep adem]
Ontbijt in bed, weekendjes weg, schone lakens, kaarsen, orale
seks, Manolo Blahniks, een telefoontje, een schoonmaakster,
leuke dingen doen, van achteren omhelsd worden, een man
die goed kan autorijden en die met één hand aan het stuur
achteruit kan rijden, een man die dingen kan repareren en
weet hoe hij een baby bezig moet houden, brede schouders,
een plan, iemand met praktische kennis van de vrouwelijke
anatomie, obscene fluisterpraat tijdens het eten, een goed
boek, een comfortabele beha, liefdesbrieven, bloemen,
'raindrops on roses and whiskers on kittens'.*

* Uitsluitend vandaag geldig

Rob loopt langzaam naar me toe, strekt zijn armen naar me uit
en omhelst me, zijn armen stevig om mijn middel geslagen. Ik
staar over zijn schouder en houd de boodschappentassen omhoog tot mijn biceps beginnen te branden. Hij snuift de geur
van mijn haar op. Ik maak me los.

'God, wat heb ik je gemist, Viv.'

'Eh...' zeg ik. Ik probeer hem te negeren en maak de deur
open. Mijn hart klopt in mijn keel.

'Mag ik mee naar binnen?' vraagt hij. Ik draai me om. Hij is
het echt. Hij is hier. Hij wil met me mee naar binnen. Wat
moet ik doen? Wat moet ik doen?

'Oké,' antwoord ik.

Als we de trap op lopen hoor ik zijn dure brogues over het goedkope tapijt glijden. Wat wil hij? Waarom is hij hier? Zien mijn billen er goed uit? Ik maak mijn deur open en hij zet een paar stappen naar binnen, alsof hij een galerie binnenkomt en de schrijn van mijn leven inspecteert. Dan nog een paar stappen, hiel-teen, hiel-teen over de houten vloer. Op één voet draait hij zich om, als een acteur.

'Mooi, Viv. Heel... sjofel-chic,' luidt zijn ongevraagde oordeel.

'Dank je wel.' Ik kijk naar zijn ogen, naar het fonkelende blauw. Hij kijkt me indringend aan. 'Wat wil je precies?' Mijn stem klinkt iel.

'Jou,' zegt hij. Ik zet de boodschappen neer, wrijf mijn handen tegen elkaar en wacht op de clou en de pijn. 'Toen je laatst langskwam besefte ik het, plotseling, in een flits. Ik wil haar, dacht ik. Ik kon alleen maar aan jou denken. Ik moet bij je in de buurt zijn. Laten we trouwen, Viv!' Opeens ligt hij op zijn knieen, met mijn oude verlovingsring in de hand. De diamant geeft vonkjes licht af. Ik heb die ring altijd prachtig gevonden en het voelt alsof ik een oude vriend weerzie. Ik wil hem uit zijn hand grissen en ermee wegrennen als een soort Gollem. Op zijn knieen schuift hij naar me toe. Ik doe mijn ogen dicht en weer open. Hij ligt aan mijn voeten met een glimlach op zijn gezicht. Ik ben een beetje duizelig en vraag me af of ik hallucineer; misschien ben ik oververhit of zo. Ik raak zijn haar aan; het is echt.

'Sta alsjeblieft op, Rob,' zeg ik. Hij komt overeind en houdt als een hypnotiseur de ring op. Ik zet een paar stappen richting de bank en zoek steun bij de leuning. 'En Sam dan?'

'Dat is voorbij. Precies zoals jij wilde.' Hij gaat naast me zitten en pakt mijn hand. 'Ik vind het zo erg dat ik je pijn heb gedaan.' Ik staar naar zijn knappe gezicht. Misschien ben ik aangereden door een taxi en word ik over vierentwintig uur wakker op de spoedeisende hulp. Misschien is het allemaal maar een grap en zit Sam ergens giechelend toe te kijken via de webcam.

'Is dit een grap?'

'Ik ben nog nooit zo serieus geweest.'

'Want het is niet grappig. Ik doe je wat als je me voor de gek houdt.'

'Trouw met me, Vivienne.' Hij wacht en ik staar hem aan.

'Ik weet niet wat ik moet zeggen.'

'Zeg ja!' Zijn gezicht straalt verontrustend, met de tandpasta-glimlach en de volmaakte kaaklijn. Ik laat de vertrouwdheid van dit gezicht op me inwerken, dit gezicht waarvan ik zo lang heb gehouden en waarnaar ik zo lang heb verlangd, en ik voel iets verschuiven in mijn hart.

'Dit is nogal onverwacht...' zeg ik.

Hij staat op en loopt naar het raam. 'O, kom op Viv! Wat wil je dan? Je zei dat je me terug wilde en nu zit ik hier op mijn knieën! Ik weet echt niet wat ik nog meer zou moeten doen...' Hij leunt tegen de vensterbank en slaat zijn enkels over elkaar.

'Je kunt hier niet zomaar binnenvallen en zeggen dat je met me wilt trouwen.'

'Maar dat heb ik zojuist gedaan.'

'Nou, zo werkt het niet.'

Hij kijkt naar het plafond en lacht. 'Oké, het spijt me, daar ga ik weer. Zeg jij het maar, liefste. Zeg jij maar hoe het werkt, Viv.'

'Ik weet het niet.' Wat is er in godsnaam aan de hand? Mijn hart gaat als een razende tekeer.

'Wil je dat ik je smeek? Dan smeek ik. Ik zou mijn ballen af-snijden met een verroest broodmes als ik dacht dat dat is wat je wilde.'

'Nee! Dat is niet nodig. Ik weet het niet. Een paar minuten geleden was ik nog bezig om over je heen te komen.'

'Snap je het dan niet? Het spijt me. Het spijt me zo, en ik ben hier om alles goed te maken.'

'Maar je kunt niet alles een-twee-drie goedmaken.' Ik knip met mijn vingers. Hij blijft rustig staan en glimlacht. Ik kijk naar hem, kijk weg, kijk terug en zie al mijn dromen van een leven met hem voorbijkomen. Ik zie ons toen we net samen waren, toen hij nog geen rijke zakenman was, toen hij gewoon Rob was, mijn Rob, gekleed in spijkerbroek en gympen. Hij was grappig. We hadden plannen. We zouden een hond nemen. We hadden al namen verzonnen voor onze kinderen (hoewel ik nooit helemaal zeker was van Horatio). We wilden leren tuinieren en onze eigen sla verbouwen. We hadden zelfs een kruidenhoekje aangelegd op de patio, maar alle planten gingen dood. Waar is die man gebleven? Ik kijk naar de Rob van nu en herken hem nauwelijks in zijn designerpak.

'Ik ben het echt. Ik ben hier. Ik ga niet weg,' verkondigt hij, terwijl hij op zijn lichaam klopt.

'Ik moet wat drinken,' mompel ik half tegen mezelf.

Hij steekt zijn hand in zijn tas en haalt er een fles Bollinger uit. 'Laten we deze openmaken. Hij is koud... ik wist dat je ja zou zeggen.' Deskundig ontkurkt hij de fles en ik herinner me dat ik al mijn flûtes kapot heb laten vallen. Ik loop weg om wijnglazen te pakken.

Wat gebeurt er in godsnaam? Als ik die champagne drink, betekent dat dan dat ik ja zeg op zijn aanzoek? En Max dan? Ik sta in de keuken, versteend, met de glazen in mijn handen. 'Shit!' fluister ik tegen de afwasmachine. 'Wat doet hij hier? Verdomme!' Ik hoor hem zijn keel schrapen in de woonkamer en ga snel terug.

'Op ons,' zegt hij, terwijl hij met zijn glas tegen het mijne tikt. Ik kijk naar het bruisende vocht en dan naar zijn wonderbaarlijke ogen.

'Denk je dat we zomaar weer terug kunnen naar hoe het was?' vraag ik.

Hij pakt mijn hand en drukt er een zachte kus op. 'Nee, niet naar hoe het was. Ik hield niet op de juiste manier van je. Dit keer maak ik je de gelukkigste vrouw ter wereld. Ik beloof het, Viv. Ik was je bijna kwijt en dat heeft me veranderd. Ik heb me vergist en dat zie ik nu in.' Ik blijf roerloos staan terwijl hij dichterbij komt en mijn haar streelt. 'Het spijt me echt.'

Ik ruik de bekende zoute geur van zijn huid. Hij kust mijn

oogleden. Zijn warme adem raakt mijn mond en hij kust me zachtjes op de lippen, en dan opnieuw. Lichte, tedere kussen. De kussen waarnaar ik zo heb verlangd.

'Je hebt me pijn gedaan. Ik weet niet of...'

'We hebben elkaar pijn gedaan, liefje. Mensen die van elkaar houden doen dat nou eenmaal.' Hij kust me opnieuw op de mond en dit keer reageer ik, als een alcoholist die van de drank af was maar nu weer voor de bijl gaat. Ik kus hem en voel iets in mijn maag branden, alsof ik zuur heb gedronken. Hij pakt mijn gezicht vast. 'Laten we weggaan met zijn tweetjes. Gewoon een vliegtuig pakken en wegwezen.'

'Waar naartoe? Bali of zo?'

'Nou, er zijn twee ongebruikte eersteklastickets. Vijfsterren-hotel met sauna, veertien dagen – waarom zouden we ze niet gebruiken.' Hij glimlacht. Ik besef dat hij het meent.

'Ik geloof niet dat ik naar Bali wil, Rob.'

'Nee, dat begrijp ik. Nou ja, we hoeven nu nog niet te beslissen.'

Ik zet een stap naar achteren. 'Zeg alsjeblieft niet "we". Even kalm aan alsjeblieft.'

'Sorry! Sorry, Viv. Je hebt gelijk, we moeten er eerst over praten. Ik weet het. Ik wil alleen zo graag de verloren tijd inhalen.' Ik staar naar het donkerder wordende raam. Het is allemaal erg surrealistisch. Hij gaat zitten en legt zijn voeten omhoog. 'Je had gelijk dat je bij me wegging, lieverd. Dat was net het duwtje dat ik nodig had.'

Ik kan het niet geloven. Hoe vaak heb ik me voorgesteld dat hij hier zat? Hoe vaak heb ik dit moment niet beleefd in mijn hoofd? Maar nu ben ik eigenlijk vooral geïrriteerd.

'Ik moet even naar de wc,' zeg ik en ik maak me uit de voeten. Ik graai in mijn tas, vind mijn telefoon en bel Max.

'Wat is er, lekker ding?' zegt hij.

'Max, luister, er is iets gebeurd, dus je moet niet hierheen komen. Oké?'

'Alles in orde?'

'Ja, prima.'

'Echt? Je klinkt een beetje... vreemd.'

'Nee, nee, er is niets aan de hand, alleen... ik leg het je later wel uit. Je moet niet komen – ik ben er niet.'

'Oké, zoals je wilt... maar ik mis je.' Ik knijp mijn ogen dicht en luister. Het komt wel goed; ik zal het Max later uitleggen.

Rob klopt op de deur. 'Viv! Met wie zit je te praten? Kom, ik heb een verrassing voor je!'

Ik leun tegen de muur. 'Ik mis jou ook,' fluister ik en ik hang op terwijl Rob luider begint te bonzen.

'Viv!' roept hij. Ik doe de deur open. 'Tegen wie zat je te praten, lieverd?'

'Gewoon, tegen mezelf.' Hij pakt mijn hand en voert me mee naar de bank. Hij heeft de etenswaren die ik heb gekocht uitgestald op de salontafel en de glazen nog eens volgeschonken. Naast mijn glas staat een mooi turkooizen doosje met een witte strik.

'Maak open,' zegt hij geëmotioneerd. Mijn handen trillen als ik de strik lostrek. Ik maak het doosje open en zie een zacht zakje met een koordje. Ik kijk naar hem; zijn ogen stralen. Hij kijkt toe terwijl ik het koordje losmaak. Een filigreinen ketting glijdt als vloeistof in mijn hand, met een fonkelende diamant in smaragdslijpsel. Ik kijk naar zijn oogverblindende glimlach.

'Doe hem om.' Ik maak het haakje open en houd mijn haar op, terwijl hij de ketting achter in mijn nek vastmaakt. De diamant valt zwaar op mijn huid. Zijn ogen gaan van de hanger naar mijn gezicht en er schiet een beeld door mijn hoofd van Max die boven op me ligt, zijn donkere ogen en brede schouders.

'Dit kan ik niet aannemen...'

'Je moet wel, ik heb hem voor jou gekocht. Dat is een van de voordelen van succesvol zijn: ik kan mijn meisje overladen met juwelen.'

'Je meisje?'

'Ja. Wil je weer mijn meisje worden?'

215

'Dat kan niet... Ik weet het niet.'

'Weet je, die ketting mag je sowieso houden, als blijk van mijn respect. Ik sta erop.'

Ik kijk naar de grond.

'Dank je wel Rob, maar ik...'

'Zoen,' zegt hij, en hij tuit zijn lippen.

Ik buig me naar hem toe en hij drukt zijn tong in mijn mond. Ik voel zijn hand langs mijn borst strijken. Ik deins terug, ga rechtop zitten en raak met mijn vingers de koele, zware steen aan.

'Deze is toch smaragd geslepen?' vraag ik en ik neem een slok champagne.

Hij leunt achterover. 'Ik geloof het wel.'

'Hij is heel mooi.'

'En kostte maar liefst tweeduizend pond, Viv.'

Ik voel aan de ketting. 'Weet je zeker dat ik hem mag houden?'

'Daarom heb ik hem aan je gegeven.' Hij pakt mijn hand. 'Viv, mag ik vannacht hier blijven?' Hij kijkt me aan met een intense blik. 'Ze is aan het verhuizen, snap je, en het is beter dat ik niet in de buurt ben.'

'O.' Ik denk aan de dag waarop ik bij hem wegging en heb bijna medelijden met haar. Ik kijk naar deze prachtige man die bij me is teruggekomen en peil mijn hart, weeg mijn gevoelens af en wil dat ze onveranderd zijn. Maar hij lijkt kleiner dan ik me hem herinner, ieler. In mijn hart was Rob een god, maar hier is de man van vlees en bloed, die het heeft uitgemaakt met zijn verloofde, een vreemde met het gezicht van iemand die ik heb liefgehad. Het is onmogelijk dat ik niet van hem houd... Het is de schok, dat is alles – na alles wat we samen hebben doorgemaakt.

'Eigenlijk heb ik een adres nodig waar ik een paar dagen kan overnachten. Ik bedoel, ik zou naar een hotel kunnen gaan, maar... Viv, ik wil de rest van mijn leven bij jou zijn, dus waarom zouden we daar nu niet alvast mee beginnen?' Ik kijk naar zijn hand die de mijne vasthoudt en denk terug aan hoe het voelde toen hij zijn eerste aanzoek deed. Ik was in de wolken, gelukkiger dan ooit. Ik vraag me af of ik me weer zo zou kunnen voelen.

'Rob, natuurlijk mag je blijven...'

'Je bent een engel!' Hij kust me weer. Ik probeer iets te voelen, kus hem terug met mijn ogen open en kijk naar zijn volmaakte lange wimpers die mijn wang raken. Zijn tong duwt tegen de mijne – en ik kan alleen maar aan Max denken. Ik duw Rob weg.

'Wat is er?'

'We moeten het rustig aan doen.' Hij laat zijn hoofd hangen en de bekende paniek knijpt mijn keel dicht. Misschien gaat hij weg! Misschien raak ik hem weer kwijt. 'Maar ik ben blij dat je hier bent,' voeg ik er zachtjes aan toe, en hij glimlacht als een jongetje dat voor aan de rij in de snoepwinkel staat.

We eten met mes en vork en borden. Met een steek van schuldgevoel denk ik aan de sensuele picknick die ik had gepland, en ik merk dat ik geen trek heb. Hij zet een paar romantische nummers klaar op de computer, steekt waxinelichtjes aan alsof dit zijn huis is en gaat zitten om me over Sam te vertellen, alsof ik een robot ben die geen pijn voelt. Ik snoer hem de mond. Ik wil niet weten hoe hij haar een week na mijn vertrek heeft leren kennen. Ik wil niet weten hoe ondersteboven hij van haar was. En ik wil ook niets horen over haar mungbonendieet en haar domme vriendinnen.

Dan vertelt hij over zijn werk. Als alles goed gaat wordt hij dit jaar partner, en hij is hard op weg om voor zijn veertigste miljonair te worden. Ik kijk naar het zonlicht dat langzaam vervaagt en voel dat een deel van mijn ziel over de daken vliegt, op weg naar Max, als een vlieger rukkend aan een touw. Robs telefoon gaat, het geluid van een zoemende mug.

'Sorry, deze moet ik even nemen,' zegt hij, terwijl hij zijn mobiel openklapt en hem met een vloeiend, geroutineerd gebaar tegen zijn oor legt. 'Rob Waters.' Ik kijk rond in de schemerige kamer en luister naar zijn gedempte stem. 'Oké, rustig maar.' Hij loopt naar de gang. Ik breng de borden naar de keuken, vul de gootsteen met water en laat ze erin glijden. Ik zie ze naar de bodem zakken en kijk op mijn telefoon. Er is een bericht van Max.

Kun je me even bellen? Is alles in orde? Word je op zolder vastgehouden door een behaarde gorilla? Ik heb het gevoel dat ik naar je toe moet komen.

Ik antwoord snel. *Niets aan de hand. Kom alsjeblieft niet hierheen. Ik leg het je morgen uit.* Ik loop terug naar de woonkamer waar een gevoelig nummer klinkt uit de computer: een vrouw zingt met een keelstem over haar verloren liefde. Ik zet het geluid af en hoor Rob ruziemaken. Hij sist iets. Ik denk iets te horen als: 'Als je dat maar laat!', en dan: 'Waag het niet.' Ik loop langzaam rond in de kamer en mompel tegen mezelf.

'Ongelooflijk: hij is hier! Hij wil me terug!' Ik raak de diamanten hanger aan en laat hem langs de ketting glijden. Het leven dat ik had gepland ligt weer voor het grijpen: een veilig leven als echtgenote van een knappe, rijke man. Ik zou uitgebreide etentjes organiseren in een gigantische keuken. Er zouden kinderen zijn, en honden... en de liefdevolle blik van Max.... Ik bedoel Rob – de liefdevolle blik van Rób. Ik speel de hele film nog een keer af, maar nu met andere kinderen omdat ik besef dat ze eruitzagen als mini-Maxjes.

Ik kijk in het steegje en zie een kat die een beetje op Dave lijkt, met geelbruine tijgerstrepen. Hij trippelt langs de bakstenen muur, stopt en kijkt me recht aan, met ogen die een soort griezelige energie uitstralen en me vastnagelen aan de grond. Dan verdwijnt hij in de schaduw. Wat is Max nu aan het doen? Mijn gedachten keren steeds naar hem terug. Ik mis hem heel erg en dat komt natuurlijk door de situatie, toch? Dit is nou niet bepaald normaal. Hij is mijn dierbare vriend en we hebben zojuist seks met elkaar gehad. Natuurlijk denk ik een beetje aan hem. Maar als ik mijn oude leven terug wil, moet ik me op Rob concentreren. Ik loop weer een rondje door de kamer; hij praat nu op dwingende toon tegen iemand. 'Als ze denkt...'

Ik tik de URL van gebrokenharten-online in en voel weer de opwinding als de site op het scherm verschijnt. Tjonge, Michael heeft het echt geweldig gedaan! Ik ga naar 'Waar denk je aan?' Geen nieuwe berichten, maar ik lees de tekst van Max nog een keer. Ik denk dat ik een antwoord ga sturen. Mijn telefoon gaat en de naam van Lucy verschijnt op het schermpje, net het moment dat Rob terugkomt, duidelijk van slag. Hij gebaart dat ik moet ophangen. Ik schud mijn hoofd en hij slaat zijn ogen ten hemel terwijl ik naar de slaapkamer loop.

'Hallo? Hallo?'

'Ja, hier ben ik, Luce.'

'Godsamme, wat ben je moeilijk te bereiken! Waar heb je gezeten?'

'Dat geloof je nooit. Raad eens wie er nu in de andere kamer zit?'

'Eh... de Kerstman? Jezus?'

'Rob!'

'O.'

'Hij heeft gevraagd of ik met hem wil trouwen!'

'Origineel.'

'Hij is weg bij Sam en heeft een ketting met een diamant voor me gekocht.' Ik zwijg en het blijft stil. 'Dus ik ben nogal overdonderd! Ik ben volkomen in de war... Ik weet niet wat ik moet doen.'

'Zeg nee. Hij heeft zijn kans gehad. Schop hem eruit.'

'Ik heb tegen hem gezegd dat hij hier mag logeren tot zij is verhuisd.'

'Bah. Wat vreselijk.'

'Dat vind ik zo leuk aan jou – je hebt zo'n vrouwelijke kant, bent zo begripvol.'

'Sorry, maar ik heb een hekel aan die kerel. Hij is niet goed voor je, schat.'

'En ik ben ook met Max naar bed geweest.'

'Jezus!'

'Een paar keer. Drie keer, om precies te zijn.'

'Echt waar? Jij en Max?'

'Ja.'

'Vertel dan – hoe was hij?'

'Geweldig, toevallig.'

'Ik wist het! Ik wist dat je het in je had.'

'Maar nu is Rob terug.'

'O, alsjeblieft, je gaat me toch niet vertellen dat je er zelfs maar over denkt om weer iets met Rob te beginnen?'

'Ik weet niet wat ik moet doen.'

'Kom op meid, dat spreekt toch vanzelf – schop Rob de deur uit. Hij is een sukkel en je hebt altijd van Max gehouden. Sinds de universiteit.'

Ik kauw peinzend op de zijkant van mijn duim. Zoals zij het zegt klinkt het zo eenvoudig. Ik speel met mijn nieuwe diamant. Lucy had het altijd over hoeveel Rob verdiende en ze vond dat hij te stom was om daar recht op te hebben. Opeens vind ik het dom van mezelf dat ik er met haar over ben begonnen.

'Je kent Rob niet echt.'

'Wel waar. Hij is een lul.'

'Hoe dan ook...' Ik verander van onderwerp. 'Hoe is het met jou?'

'Mijn god! Reuben! Hij maakt me helemaal gek.'

'Echt waar?'

Rob klopt op de deur. 'Wat ben je aan het doen, schat?' roept hij.

'Luister Luce, zullen we morgen gaan lunchen?' fluister ik.

'Zeg tegen hem dat je aan de telefoon bent!'

'Ik bel je morgen. Dan gaan we lunchen, oké?'

'Niet oké.' Ik hoor aan Robs voetstappen dat hij weer naar de kamer loopt.

'Oké, hij is weg,' zeg ik tegen haar. 'Ga verder. Ja? Reuben...'

'Viv, hij is gewoonweg de beste minnaar...'

'Ik ben blij dat je gelukkig bent. Ik moet gaan. Zie ik je morgen?'

In de woonkamer zit Rob achter de computer, hij is aan het typen. Als hij mijn aanwezigheid voelt, sluit hij het scherm, staat op en slaat zijn armen om me heen.

'Wie was dat?' vraagt hij, terwijl hij kleine kusjes geeft in mijn nek.

'Lucy.'

'Ben je nog steeds met haar bevriend?'

'Ja.'

'Ze is een beetje een slet, hè? Ze heeft een keer geprobeerd me te versieren.'

'Ach, ze is ook maar een mens. Heb je mijn website gezien?' Ik knik naar de computer. Hij laat me los en ploft neer op de bank.

'Nee. Je website? Ik was iets juridisch aan het opzoeken.' Hij wrijft over zijn neus en zucht.

'Werk?'

'Nee, Sam die denkt dat ze recht heeft op mijn geld,' zegt hij tegen de tafel. 'Mochten jij en ik gaan trouwen, dan doen we dat sowieso op huwelijkse voorwaarden.' Hij staart in het niets. Ik leun tegen de muur en kijk naar hem. Hoezo 'mochten'? Een minuut geleden kon hij niet zonder mij leven.

'Dat is toch bedoeld voor beroemdheden?'

'Het is bedoeld voor iedereen die liever niet kaalgeplukt wil worden.'

'O.'

Hij kijkt me even aandachtig aan. 'Kom hier jij.' Hij glimlacht. Ik ga naast hem zitten en hij neemt mijn handen in de zijne, die koel en glad zijn. Ik kijk naar onze voeten. Zijn sokken van kasjmier naast mijn nagellak uit de koopjesbak. Onze rollen zijn zo vertrouwd. Hij moet aanbeden worden, want hij is machtig, rijk en knap, en ik moet gelukkig en dankbaar zijn. Ik denk dat ik vijf jaar lang inderdaad zo iemand was, en nu ben ik... nou ja, nu ben ik tot mijn verbazing niet meer zo. Hij strijkt een plukje haar uit mijn gezicht. 'Viv?'

'Hmm?'

'Heb je... iemand anders gehad?'

'Hoe bedoel je? Sinds wij uit elkaar zijn gegaan en Sam bij je is ingetrokken en jullie besloten te gaan trouwen?'

Hij lacht een beetje, maar kijkt me nog steeds met puppy-ogen aan, wachtend op een antwoord.

'Wat?' zeg ik.

'Ik moet het weten.'

'Waarom?'

'Gewoon... Nou?'

'Nee, ik heb hier iedere avond jouw naam op mijn ondergoed zitten borduren.'

Hij knijpt in mijn vingers. 'Hoe zit het met Max?'

'Hoe zit wat met Max?' Ik voel een blos van mijn hoofdhuid naar beneden trekken, alsof ik betrapt ben op winkeldiefstal.

'Heb je... je weet wel, met hem?'

Ik sta op en loop door de kamer, zodat de salontafel tussen ons in staat. 'Ik wil het hier niet over hebben, Rob. Ik bedoel, daar heb je niets mee te maken.'

'Nou, welbeschouwd heb ik er wel wat mee te maken. Nu zijn wij weer een stel, dus...'

'We zijn vijf jaar een stel geweest, je vroeg me ten huwelijk, toen zei je dat je niet klaar was om te trouwen en daarna verloofde je je met iemand anders. Nu zeg je dat je weer met mij wilt trouwen.' Ik staar naar hem. 'Je hebt mijn hart alle kanten op laten stuiteren, als een ballon. Ik kan het maar net aan om je hier te hebben. Ik ga jou niet vertellen met wie ik al dan niet heb geneukt toen jij weg was, goed?'

'Oké.' Hij lacht. 'Maar gezien je heftige reactie moet je wel seks hebben gehad!' Ik kijk naar zijn grijns. Hij ligt achterover, ontspannen, benen uit elkaar, en heeft het blijkbaar prima naar zijn zin. Hij bekijkt me van top tot teen. 'Maar we zullen wel weer een stel zijn, Viv. Dat weet jij net zo goed als ik. Je hebt nooit weerstand aan me kunnen bieden.'

'Je bent wel heel zeker van jezelf.' Ik pak een kussen op en gooi het naar hem. 'En ik ben blij te zien dat je je thuis voelt op de bank, want vannacht slaap je daar, knul.'

20

Tien geboden bij het verbreken van je relatie

1. *Gij zult uw ex recht in de ogen kijken en sterk en eerlijk zijn.*
2. *Gij zult geen afgezaagde uitspraken doen.*
3. *Gij zult het snel doen.*
4. *Gij zult voorkomen dat uw ex u betrapt met een ander.*
5. *Gij zult niet bellen. (Gij kunt er niets aan veranderen.)*
6. *Gij zult uw redenen eerlijk uit de doeken doen maar u niet laten meeslepen in uitvoerige discussies... voor de zoveelste keer.*
7. *Gij zult geen seks hebben uit nostalgie en het dan weer uitmaken.*
8. *Gij zult geen geschenken en uitnodigingen voor etentjes aanvaarden van degene die gij dumpt.*
9. *Gij zult niet uw toevlucht nemen tot schelden of schreeuwen, wat er ook wordt gezegd; gij zult juist kalm blijven.*
10. *Gij zult niemand slaan met een stilettohak.*

Wauw. Twee mannen willen mij. Ik heb er altijd van gedroomd om me in zo'n situatie te bevinden. Nou, niet precies deze situatie: in mijn droom kwamen er ridders en steekspelen aan te pas, of iets in die richting.

Het voelt niet zo goed als je misschien zou denken. Ik kan niet ontkennen dat het idee iets opwindends heeft, maar eigenlijk, als ik echt eerlijk ben, vind ik dat stiekeme gedoe maar niks en voel ik me een achterbakse, laffe trut.

Max stuurde om middernacht een sms'je: *Houd morgenavond vrij voor mij, schoonheid. Ik heb een verrassing voor je. M x*

God, ik moet Max zien. Ik moet het hem rustig uitleggen, hem vertellen dat ik tijd nodig heb om te bedenken wat ik wil. Hij begrijpt het vast wel. Hij zal geduld hebben.

Rob heeft vanochtend een briefje achtergelaten bij de voordeur: *Vanavond neem ik je mee uit. Trek iets moois aan.*

Hij was allang weg toen ik vanochtend wakker werd. Ik vond zijn illegale toilettas bij de wastafel en een paar schoenen als brandmerk bij de deur. Ik dacht dat alles hetzelfde zou zijn als hij terugkwam – beter zelfs –, maar nu vraag ik me af of het wel weer wat kan worden. Het is niet hetzelfde, en al helemaal niet beter; het is raar.

Waarschijnlijk vergt het gewoon tijd om op een nieuwe manier met elkaar te leren omgaan... Ik denk aan Max.

Ik stap in de bus naar mijn werk. Tussen de haltes suizen de straten van Londen voorbij. De hemel is grijsgeel, de lucht warm en bedompt, net als mijn hoofd. Is er een mogelijkheid om ze vanavond allebei te zien? Bijvoorbeeld eerst met Rob afspreken en dan naar Max gaan? Ik bel Max, laat de telefoon een paar keer overgaan, maar hij neemt niet op. De bus dendert voort langs de groene zoom van Regent's Park, de joggers volgen de gele paden, de toeristen staan in de rij voor een rondrit met de open bus. We rijden langs Marylebone High Street; ik tel de Ferrari's en denk aan Rob. Sissend rijden we Baker Street in en bij de volgende halte stap ik uit. Ik loop op een drafje langs Angelo's, zonder naar binnen te gaan voor een beker koffie – we hebben meteen een vergadering met de hoofden inkoop – en steek twee rijbanen vol verkeer over naar mijn gebouw. Ik bekijk mijn spiegelbeeld in de donkere glazen deuren – ik had gemikt op een klassiek chique Audrey Hepburn-look, maar nu vraag ik me af of de sjaal om mijn nek niet een beetje overdreven is.

Ik steek nog net mijn hand tussen de liftdeuren voordat ze sluiten, wat een paar mensen binnenin een zucht ontlokt. Een man met stug haar drukt verwoed op de 'deuren dicht'-knop, alsof die bankbiljetten afgeeft. Ik kijk verontschuldigend rond in de krappe ruimte en zie Michael. Hij grijnst, knikt en kauwt kauwgum – allemaal tegelijk – en staat tegen de zachte, hamachtige arm van De Wrat aan gedrukt. Als de liftbel gaat bij zijn verdieping, zie ik dat hij haar een kneepje in haar dij geeft. Terwijl hij langs me loopt in een wolk van patchoeli knikt hij naar mijn verbaasde gezicht en hij slentert weg door de gang terwijl de deuren dichtglijden. Ik draai me om naar De Wrat. Ze glimlacht; er zit lippenstift met de kleur van gestold bloed op haar tanden.

'Hoi Viv. Twaalfde verdieping, toch?'

Alle ogen richten zich op mij.

'De vergadering? Ja.'

De ogen draaien naar haar.

'Laten we hopen dat er ontbijt is!' buldert ze. Ik glimlach en bestudeer het knoppenpaneel. Het lampje gaat langzaam van twee naar tien en de lift wordt steeds leger. Als we bij twaalf zijn, lopen we samen naar de vergaderzaal. Ze is snel op haar verbazend kleine voeten en stapt kittig voort op haar roodfluwelen pumps.

'Dus jij kent Michael?' Ik kan me niet inhouden.

'Bedoel je in Bijbelse zin?' Ze laat haar klaterende lach horen. 'Ja, toevallig ken ik Michael. Heel goed, om eerlijk te zijn. Jij?'

'Een beetje.' Ik moet bijna kokhalzen.

'Nou, ik ben heel blij dat ik hem ken!' Ze lacht weer. In mijn hoofd verschijnt een verontrustend beeld van hen beiden in elkaar verstrengeld, als puppy's rollebollend over een satijnen bed terwijl op de achtergrond de stem van Barry White klinkt.

Ondanks de airconditioning ruikt de vergaderruimte naar muffe lichamen. Er staat een verloren serveerwagentje met kannen oploskoffie, heet water voor thee en een schaal zoete broodjes. Met een abrikozenbroodje in haar mond schenkt De Wrat voor zichzelf zwarte koffie in en neemt ze plaats aan het hoofd van de ovale tafel. Haar lichaam puilt over de zitting van haar stoel. Ze slaat een kartonnen map open en gooit een stapel geprinte agenda's op tafel.

'Wil je zo lief zijn om deze even uit te delen?' Ik leg er voor iedere stoel één neer en kijk ondertussen naar de vergaderpunten. De eerste kwestie die aan de orde komt is 'Bezuinigingen'. Ik kan vandaag maar beter scherp zijn. Christie en De Tang komen vlak na elkaar binnen. De Tang, gekleed in een opzichtige omslagjurk vol piepkleine, gele stijgbeugels, kniekousen met een patroon van rode hartjes en groene suède sandalen, knikt naar me. Christie ziet er hip uit, met een zwart vest en een satijnen harembroek. Ze gaat naast me zitten en ik ruik zomerbloemen.

'Alles in orde?' fluistert ze.

Ik wijs naar de agenda. Haar gezicht vertrekt.

De Wrat begint. 'Ons is gevraagd een schema op te stellen voor de bezuinigingen. Tijdens de reorganisatie moeten wij de kosten omlaag brengen. Dat betekent geen marktonderzoek meer, geen declaraties voor taxiritjes of lunches met leveranciers. We brengen de collectie terug met een derde en concentreren ons op de pr.'

'Viv, ik wil dat jij de contacten met de pers op je neemt. Ik wil dat er in alle zondagssupplementen en in ten minste drie glossy's aandacht wordt besteed aan een product uit de collectie.'

'Hoe zit het met weggevertjes?' vraag ik. De Tang maakt een aantekening, wat me nerveus maakt. 'Ik bedoel, dat verwachten ze wel een beetje.'

De Wrat knikt. 'Doe wat je moet doen om aandacht te krijgen.'

De Tang onderstreept iets en legt met een nadrukkelijk gebaar haar pen neer. Ze gaat de hele collectie af, product voor product, en vertelt welke lijnen worden geschrapt. 'Het eetbare ondergoed... daar gaan we mee door, maar niet met de ideeen die al zijn geopperd. Viv, hoewel het Christies project is, vinden we dat jij de leiding moet nemen.'

Ik knik en voel plaatsvervangende schaamte voor Christie. Ik kijk snel naar links, maar ze lijkt onaangedaan en schrijft 'zelf-bruiner' en 'nagellakremover' op een boodschappenlijstje.

'De kaarsen met het Scandinavische motief vervallen,' gaat De Tang verder. Plotseling gaat Christie rechtop zitten en schrijft iets op mijn blocnote.

'Ik heb er tienduizend besteld!' Ze tekent een bezorgd gezicht ernaast.

Ik voel mijn borstkas verkrampen en schrijf terug: 'Heb je uitgezocht hoe het zit met die gevangenen?'

'Vergeten,' antwoordt ze en ze tekent een sip gezicht.

O shit. De huid van mijn nek begint te prikken. 'Annuleren!' krabbel ik.

'Ik heb al getekend voor akkoord!'

Ik haal diep adem en kijk rond. Ik kijk naar De Tang en denk aan de mondelinge waarschuwing. Plotseling krijg ik de aandrang om te lachen. Zal ik haar onderbreken en rustig uitleggen dat we het weer hebben verknald en dat er op dit moment tienduizend onethische kaarsen op weg zijn naar de centrale opslag? Doe je mond open. Zeg iets.

'Eh, over die kaarsen...' De Tang kijkt me over haar bril aan. 'Ik dacht dat we die wel zouden doen, en ik geloof dat ze al in bestelling zijn.' Ik glimlach.

'Annuleer ze dan,' zegt ze kortaf.

'Dat kunnen we natuurlijk doen, maar House of Fraser heeft een geweldige aanbieding met kaarsen, dus ik denk dat wij in onze collectie ook kaarsen moeten hebben. Deze zijn beter – en goedkoper.'

'Heeft House of Fraser kaarsen?'

'O ja,' roept Christie opeens. 'Met glitter en kerstgeur. Als je ze aansteekt verspreiden ze een kerstsfeer door je hele kamer.'

'Maar onze kaarsen zijn chic, minimalistisch; ze passen bij de nieuwste interieurtrends. Ik geloof dat er een artikeltje over komt in het volgende nummer van *Living Today*,' lieg ik, maar ik ken een redacteur bij *Living Today*. De Tang kijkt op haar spreadsheet en schrijft iets op.

'Oké, we nemen er tweeduizend en wachten af hoe het gaat.'

O shit – we zijn de pineut.

Ik kijk naar De Wrat, die bezig is aan haar derde broodje. Ik kijk naar Christie, die spiraaltjes krabbelt op haar blocnote. Ik kijk naar het vierkantje blauwe lucht voor het raam en denk met een siddering van opwinding aan Max. Dan denk ik aan Rob. Rob, de liefde van mijn leven, degene aan wie ik maandenlang onophoudelijk heb gedacht, wil vanavond met me uit. Natuurlijk ga ik, maar... ik wil Max heel graag zien. Ik ben benieuwd naar zijn verrassing... De Tang praat maar door en ik probeer enthousiasme op te brengen voor de verpakking van de leren spiegeldoosjes en voor de vraag welke geschenken we in de drie-voor-de-prijs-van-tweeaanbieding doen, maar ik ben ver weg. Ik denk na over wat ik vanavond aan moet en voor wie ik moet kiezen.

De afdeling pr belt. Ik haat ze. Ik moet proberen een verhaal te verkopen over onze schrale kerstcollectie. Het pikante aspect van de eetbare slipjes! De hypermodieuze accessoires! Ik moet zorgen dat het niet wanhopig klinkt, ook al scheelt het niet veel of we liggen als een gestrande walvis, met onze buik de lucht in, op het strand van High Street. Ik pak mijn lijst met tijdschriften en namen van contactpersonen, en controleer of er bekenden op staan. Ik geloof dat ik Donna van de *Sunday Read* ken. Was zij niet degene met die adembenemend knappe vriend, die het over haar aanstaande bruiloft had op het persfeestje voor Valentijnsdag? Ik bel haar als eerste.

'Donna Hayes?' Ze overvalt me, ik had de voicemail verwacht.

'O, hoi Donna. Met Vivienne Summers van Barnes & Worth.'

'Hallo.'

'Hoi. We hebben elkaar ontmoet op het valentijnsfeestje van b&w. Ik weet niet of je je dat nog herinnert?'

'O ja... dat was een leuke avond.'

'Ach, iemand moest toch al die roze champagne opdrinken, hè?'

'Hmm, het was heel gezellig.'

'En hoe is het met die razend knappe verloofde van je?' Het blijft stil en ik vraag me af of ik per ongeluk de verbinding heb verbroken. 'Wanneer is je grote dag?'

'Hij... eh... ik... eh. We zijn uit elkaar.'

O shit. Ik zet uitroeptekens achter haar naam. 'Wat erg voor je,' zeg ik.

'Ja, het bleek dat hij niet wilde trouwen.'

'O nee.' Dit gaat helemaal mis. Hoe kan ik het gesprek op eetbaar ondergoed brengen?

'Maar nu gaat hij met iemand anders trouwen. Ik bedoel, vijf maanden nadat wij uit elkaar gingen.' Haar stem klinkt geknepen.

'Mij is precies hetzelfde overkomen!'

Veertig minuten later heeft Donna van *Sunday Read* toegezegd een verhaal te plaatsen over gebrokenharten-online.com. Geweldig nieuws! Maar met werk heeft het niets te maken. Het is bijna lunchtijd en ik pen een paar mogelijke koppen neer: 'B&W kiest voor pikant deze winter', 'Lingerie om van te smullen bij B&W'. Ik bel Graham van *Weekend*. Ik weet zeker dat hij geïnteresseerd zal zijn in het verhaal, zeker als we er foto's bij leveren van mannelijke modellen in ondergoed.

'Graham Jackson...'

'Hoi, Graham! Met Viv Summers van Barnes & Worth.'

'... kan uw telefoontje op dit moment niet beantwoorden. Spreek alstublieft een boodschap in of probeer het later nog eens.' Ik spreek een boodschap in over twee mogelijke artikelen, maar als ik heb opgehangen realiseer ik me dat ik alweer meer heb verteld over mijn website dan over B&W. Ik raak geobsedeerd. Ik denk dat er op het forum een topic moet komen over hoe het is om twee relaties tegelijkertijd te hebben – misschien begin ik er zelf wel een. Ik ga nu gewoon lunchen en daarna bel ik alle kranten op de lijst en zal ik het Barnes & Worth-verhaal eens flink promoten.

De telefoon gaat. Lucy. Die heeft ongetwijfeld een geweldig adresje in haar hoofd om te lunchen.

'Hoi, Viv. Luister, vind je het erg als we een andere keer gaan lunchen?'

'Ja, eigenlijk wel. Ik moet met je praten.'

'Weet je... ik heb heel veel werk liggen en ik kan vanavond niet overwerken. Afspraak met de liefdesgod.'

'Dus je stelt je eigen seksuele bevrediging boven onze vriendschap.'

'Ja, ik geloof het wel... sorry.'

'Je bent een slechte vriendin.'

'Ik weet het. Ik zal het goed maken. Je wilt het trouwens toch alleen maar over Rob hebben, of niet soms?'

'Ja, nou en?'

'Nou, het enige wat ik dan zou hebben gezegd is: schop die klootzak eruit. En verder?'

'Nou, Max.'

'Doen!'

'O, oké. Natuurlijk, het is allemaal ook zo simpel!'

'Niet boos zijn. Ik geloof dat ik verliefd ben!'

'Fijn voor je.'

'Dat is best bijzonder. Hij is geweldig, Viv. In seksueel opzicht is hij de mannelijke tegenhanger van mij, behalve dat hij smeermiddel en cockringen heeft.'

'Fantastisch! Is het fantastisch?'

'Nou, hij brengt me steeds heel dicht bij een climax en als ik dan eindelijk echt klaarkom, barsten mijn ogen bijna uit hun kassen.' Ik weet dat er nu een uitgebreid verslag gaat komen en ik geloof niet dat ik dat kan verdragen. 'Hij doet iets met zijn tong...'

'Weet je, jij wilt toch niets over Rob horen? Nou, ik wil niet – voor de zoveelste keer – horen hoe en waar je een meervoudig orgasme hebt gehad. Het kan me niet schelen wat hij met zijn tong doet en hoe groot zijn lul is. Het is gewoon... saai!' Er volgt een lange stilte. Ik vraag me af of ze er nog is.

'Nee. Jij bent saai, Viv.'

'Ik zit midden in een crisis en het kan je geen moer schelen.'

'Natuurlijk kan het me wel schelen, Viv. Ik probeer je al maanden te steunen. Maar nu heb ik eindelijk iemand gevonden en wil ik erover praten. Jij zit verdomme altijd midden in een crisis!'

'Niet waar.'

'Je vindt het lekker om in een crisis te zitten.'

'Dat neem je terug!'

'Nee.'

'Jezus, wat ben je toch een egoïst! Ik weet dat je niet dol bent op Rob, maar ik dacht dat je mij tenminste wel mocht.'

'Weet je, op dit moment mag ik je helemaal niet.' Ze hangt op.

Ik kan nauwelijks geloven dat ze gewoon heeft opgehangen. Shit, shit, shit. Het liefst zou ik een potje gaan janken. Ze denkt alleen maar aan zichzelf. Maar dat wist ik toch al? Gedurende onze hele vriendschap heb ik me altijd aan haar aangepast. Zij is degene die succes heeft; zij is degene met het belangrijkste liefdesleven. Mijn problemen zijn voor haar alleen maar vermakelijk. Ze... ze kleineert me. Ze negeert mijn gevoelens, dat is wat ze doet. Nou, ik bel haar mooi niet terug. Altijd midden in een crisis? Ik gebruik seks tenminste niet als drugs! Ik pak mijn tas en laat expres mijn telefoon liggen, voor het geval dat ze belt. Dat zal haar leren. Ik neem niet op. Ik neem de lift naar beneden, ga door de draaideur naar buiten en loop haastig naar het hoofdfiliaal van Barnes & Worth.

Ik dool rond op de make-upafdeling en voel me al heel snel beter. Ach, wat kan die trut van een Lucy me schelen! Ik heb een nieuwe lippenstift nodig voor vanavond, iets met glittertjes. Een man bij Chanel met ongelooflijke wenkbrauwen overtuigt me ervan dat ik paarsrood moet kiezen met bijpassende nagellak. Dan zie ik een rek met lingerie. Na de aankoop van een marineblauw, satijnen lingeriesetje met felroze lintjes ben ik klaar om terug te gaan naar kantoor. In de lift staat een vrouw die me een beetje aan Nana doet denken. Ik overweeg het met Nana over de kwestie Max versus Rob te hebben, maar ik weet al wat ze zal zeggen. Bovendien is ze de laatste tijd niet helemaal fit, dus ik wil haar niet ongerust maken. Ik moet haar eigenlijk bellen om te horen hoe het met haar gaat.

Terwijl ik aan mijn bureau zit en boven aan de perslijst 'Nana bellen' schrijf met een dikke streep eronder, komt er een sms'je binnen. Dat is vast Lucy die haar excuses wil aanbieden.

Hoi Viv, dan laten we vanavond maar zitten, geloof ik. M

Dat is raar. Wat heeft dat te betekenen? Ik bel hem.

'Met Max. Laat een berichtje achter.'

'Hé, wat doe je cryptisch. Ik begrijp je sms'je niet. Waar zit je?'

Ik hang op en bel nog een keer voor het geval hij de telefoon niet heeft gehoord, maar hij neemt nog steeds niet op. Dan laten we vanavond maar zitten? We hebben elkaar vandaag niet eens gesproken. Is hij boos omdat ik niet op zijn sms'je van gisteravond heb gereageerd? Ik wil hem heel graag zien en moet hem nodig spreken. Ik bel nog een keer, maar ik krijg weer de voicemail. Ik hang op. Een vreemd gevoel van onheil bekruipt me. Ik vraag me af of hij het weet van Rob... Ik spreek nog een berichtje in.

'Max, bel me. Het is dringend.'

Ik ben de lippenstift aan het testen op de rug van mijn hand als Christie terugkomt en een kartonnen beker vol stinkende bruine bouillon op tafel zet.

'Wat is dat in godsnaam? Het lijkt wel afvoerwater.'

'Aha! Misosoep met zeewier en tofoegelei. Dat is zóóó goed voor je.'

'Ik moet ervan kokhalzen.'

Ze slurpt de soep op met een plastic lepel en glimmende groene slierten glibberen over haar onderlip. Ik kijk uit het raam en maak me zorgen over Max. Ik hoop dat alles oké is en dat hij niet boos op me is. Jemig, wat een gedoe! En ik heb niemand om mee te praten. Ik kijk weer naar Christie.

'Rob is gisteravond bij me teruggekomen.'

'O mijn god!' Ze geeft haar pogingen om met de lepel te eten op en tilt de beker naar haar mond. Hij verbergt even haar gezicht en laat een geleiachtige streep achter op haar neusbrug.

'Er zit iets op je neus.'

Ze dept haar gezicht met een papieren zakdoekje. 'Wat is er gebeurd? Hij ging toch trouwen met dat fotomodel?'

'Ze zijn uit elkaar. Hij wil met mij verder.'

'O mijn god, en hij is heel rijk, toch?'

'Ja.'

'En heel knap?'

'Ja.'

'Tjonge, wat ben je toch een bofkont.'

'Vind je?'

'Nou en of.' Ze schraapt een paar klontjes gelei van de bodem van haar beker. 'Ik wou dat ik zo iemand kon vinden. Ik bedoel, daar droomt iedere vrouw toch van?' Ik glimlach naar haar. Ze haalt een spiegel tevoorschijn en kijkt of er zeewier tussen haar tanden zit. 'Dus jullie zijn weer bij elkaar?'

'Ik weet het niet,' zucht ik.

'O mijn god, ik zou meteen toehappen!' Ze brengt glinsterende, beige lipgloss aan waardoor het lijkt of haar lippen bedekt zijn met een laagje suiker. Ze kijkt over de rand van het spiegeltje.

'Is dat zo?' vraag ik.

'Ja! Ik bedoel, daar hoef je toch niet lang over na te denken?' zegt ze zonder een spoor van ironie.

Ik draag een nieuwe, strakke zwarte jurk van jersey en hoge hakken, en ik probeer de ketting met de diamant vast te maken. Ik schrik als de taxichauffeur op de intercom drukt. Rustig, rustig. Het is maar een afspraakje. Oké, checken of er geen lippenstift op mijn tanden zit en een jas aandoen die net de zoom van de jurk niet haalt. Nee, dat zou Rob niet mooi vinden – dan maar geen jas. Ik loop voorzichtig naar beneden, ga op de achterbank van de wachtende Mercedes zitten, trek het kruis van mijn nieuwe onderbroek goed en vraag waar we naartoe gaan.

'Nee, nee, mevrouw! Bij de boeking staat dat het een verrassing is.' Hij glimlacht in het achteruitkijkspiegeltje. Daar hangt een klein dennenboompje dat de chemische geur van wc-reiniger afgeeft. We voegen ons in het verkeer en rijden richting West End. 'Bent u jarig, mevrouw?' Hij glimlacht en onthult een gebit als een verbrand woud.

'Eh, nee.'

'Dus hij wil gewoon indruk op u maken!' Ik probeer me voor te stellen dat Rob ergens op me wacht en indruk op me wil maken, maar het beeld wil niet komen. Dit soort dingen is een tweede natuur voor hem. Hij twijfelt nooit aan zijn vermogen om indruk te maken. Even flitst de gedachte door me heen dat ik de taxi naar Max kan sturen. Het baart me zorgen dat hij niet op mijn telefoontjes en sms'jes reageert. Dat is nooit eerder gebeurd – daar is hij veel te nieuwsgierig voor. Ik bijt op mijn duim en pijnig mijn hersenen. Ik heb niets gedaan waar hij boos om zou kunnen zijn, dus eigenlijk is hij nogal onbeschoft.

Ik concentreer me op Rob. Ik zal proberen te ontspannen en te genieten van de avond met de man van wie ik houd – nou ja, van wie ik ooit hield, en nu misschien nog steeds.

De auto parkeert bij de dubbele deuren van een restaurant in Soho. Iemand in een marineblauw pak doet de deur open. Ik zoek mijn portemonnee om te betalen.

'Nee, mevrouw,' zegt de chauffeur. 'Dat is al geregeld.'

'O, oké,' mompel ik.

'Prettige avond.' Hij glimlacht. Ik stap op het trottoir en de man in het pak doet de deur van het restaurant voor me open. Ik loop over een loopbrug van industrieel staal en kijk neer op een gigantische ruimte vol tafels waar echo's van stemmen en gelach klinken. Enorme spots werpen hun licht op pijpen die langs de muren en het plafond kronkelen. Een belachelijk knappe jongen glimlacht naar me vanuit de garderobe. De loopbrug buigt naar rechts en komt uit op een balkon dat zich uitstrekt over de hele lengte van de muur. Achter de bar van geborsteld staal staan piekfijn verzorgde mannen in gesteven wit linnen. Rob zit aan een van de tafeltjes. Ik voel de nerveuze energie door me heen stromen als hij zijn glas neerzet en opstaat om me te begroeten. Als we elkaar kussen heb ik er spijt van dat ik geen lagere schoenen heb aangetrokken; we kijken elkaar gênant recht in de ogen. Hij kijkt met een vleugje jongensachtige charme onder zijn wenkbrauwen vandaan en zoals gewoonlijk ben ik weer verbluft door zijn schoonheid.

'Je ziet er prachtig uit,' zegt hij, terwijl hij een stoel voor me naar achteren schuift. 'Twee wodka-martini's,' zegt hij tegen de om ons heen hangende ober, zonder zijn blik van mij af te wenden.

'Eigenlijk wil ik liever witte wijn, graag!' roep ik naar de rug van de weglopende ober. 'Mag ik een droge witte wijn?' vraag ik aan Rob.

'Nee. Je zit niet in je stamkroeg. Ik wil dat vanavond bijzonder wordt.' Hij pakt mijn hand en wrijft met zijn duim over mijn vingers. 'Ik had gehoopt dat je je ring zou dragen.'

Ik trek mijn hand weg met het gevoel dat ik nu al een standje heb gekregen. 'Ik kan het niet.' En als ik zijn teleurstelling zie, voeg ik eraan toe: 'Maar dat komt wel... heel snel.'

'Ik wil dat de wereld kan zien dat je van mij bent, Viv.' Hij pakt mijn hand weer en wrijft erover alsof er een geest uit zal opstijgen. Ik glimlach. Maar ik ben niet meer van hem en die gedachte maakt me zo verdrietig dat ik hem snel diep begraaf. Het zal gewoon wat tijd kosten om weer van hem te gaan houden en hem weer te vertrouwen, dat is alles.

Ik kijk omlaag naar de kuil vol etende mensen. Obers in witte jasjes lopen haastig heen en weer tussen de tafels en de open keuken. Op een soort podium in het midden staat een gerant die alles overziet.

'Het ziet er prachtig uit. Ik ben hier nog nooit geweest.'

'Het is een besloten club.'

'Aha, vandaar.'

'Achtduizend per jaar.'

'Wauw. Sinds wanneer ben jij lid?'

'Eh, sinds ongeveer twee maanden, geloof ik.'

Onze drankjes worden gebracht in zware glazen met deukjes. De ober zet ze neer, samen met een paar schaaltjes gezouten amandelen en een soort krullende, gebakken koekjes.

'Proost!' zegt Rob terwijl hij zijn glas heft.

Ik neem een klein slokje van het ijskoude vocht. De chemische geur bedwelmt me en de pure alcohol slaat op mijn luchtwegen. Ik pak een handje koekjes ter verzachting, maar ze zijn bestrooid met hete chili. Ik neem een grote slok en slik het afschuwelijke mengsel door terwijl de tranen in mijn ogen staan. Ik glimlach naar Rob en hij lacht.

'Je moet nog even wennen, hè?'

'Nee hoor, ik vind het heerlijk.' Ik glimlach en neem nog een slok martini om het te bewijzen. Ik heb een verfijnde smaak – ik heb een keer oesters gegeten. Met een rilling slik ik door. Zijn ogen kijken me geamuseerd aan en hij duwt de koekjes naar me toe.

'Wil je er nog een paar?'

Ik kijk naar de kom en zie nu de dikke laag rood poeder.

'Nee, dank je,' zeg ik met een glimlach.

'O Viv, ik moet zo om je lachen!' Hij pakt zijn glas en kijkt me aan terwijl hij het in één teug leegdrinkt. Met zijn andere hand wenkt hij de ober. Ik kijk naar de volmaakte huid van zijn keel die zich spant als hij slikt. Hij kijkt naar mij en likt zijn lippen af, voordat hij zijn blik wegdraait om te bestellen. 'De dame wil graag een sancerre.'

'En een glas kraanwater!' voeg ik eraan toe. De ober knikt en zet nu zelfs eerst een paar stappen achteruit voordat hij zich omdraait. Rob kijkt naar me en schudt zijn hoofd.

'Wat?' vraag ik.

Hij brengt mijn hand naar zijn mond, draait hem om en ruikt aan mijn pols. 'Je ruikt heerlijk,' mompelt hij en ik barst bijna in lachen uit. Ik moet me concentreren. Hij neemt de diamanten hanger tussen duim en wijsvinger. 'Deze staat je prachtig.'

'Dank je wel. Ik heb hem gekregen van een oude vriend,' grap ik.

'Dat moet wel een heel, heel goede vriend zijn,' bromt hij en ik krijg een vreemd, opgejaagd gevoel.

De wijn komt en we worden via de trap naar beneden geleid en overgedragen aan de gerant. Hij laat zijn blik over mij glijden en glimlacht veelbetekenend naar Rob.

'Goedenavond, meneer Waters. Uw vaste tafel staat voor u klaar.'

'Dank je wel, Patrick.' Rob knipoogt en drukt een opgevouwen bankbiljet in zijn hand. We volgen een trippelende ober tussen de tafeltjes door en worden naar een zitje achterin gevoerd. Rob glijdt op het artistiek oud gemaakte leer tegenover mij en bestelt onmiddellijk meer wijn en voorgerechten voor ons allebei. Ik kijk rond in de amfitheaterachtige ruimte, lichtelijk geïrriteerd. Ik weet dat hij alleen maar indruk op me wil maken, maar hoe lang zit hij al bij deze club, als hij een 'vaste tafel' heeft?

'Dit is een mooi tafeltje,' zegt hij, terwijl hij de menukaart dichtslaat.

Ik glimlach. 'Je vaste tafel, blijkbaar.'

'Nou, ik ben lid, zoals ik al zei, dus ik kom hier regelmatig. Ik bedoel, anders zou het het niet waard zijn.'

'En ik maar denken dat je me naar een bijzondere plek had meegenomen,' lach ik.

Zijn gezicht krijgt een kille uitdrukking. 'Dit is bijzonder, Viv! Ben je ooit in zo'n tent geweest?' Een klein vlokje spuug landt op mijn wang. Ik veeg het weg met mijn damasten servet, en als ik hem aankijk is hij weer kalm. Hij strekt een arm uit onder de tafel en pakt mijn linkerknie alsof hij zijn hand wil warmen. 'Vivienne, luister, jij bent mijn leven... Ik wil met je trouwen en je alles geven.'

'Dat rijmt,' zeg ik stompzinnig. De hand glijdt van mijn knie. Hij kijkt naar de zaal en een spier in zijn kaak spant zich aan.

'Viv, luister, vergeef me. Ik geloof dat ik een beetje aan het opscheppen ben. Ik zie dat je niet onder de indruk bent.'

'Jawel, dat ben ik wel. Echt waar. Ik geloof dat ik je gewoon mis. De oude jij, vóór al het... succes en zo.'

'Maar nu ben ik succesvol. Dat is wie ik ben.'

'Ik weet het.' Ik kijk naar mijn handen. 'Herinner je je nog de tijd van de shepherd's pie met bier?'

'Ik ben nog steeds dezelfde.'

'Carpaccio van octopus met jeneverbes, mevrouw?' De ober zet een kunstig opgemaakt bord neer. 'Mijnheer?' Rob slaat zijn servet open om ruimte te maken. Hij pakt zijn mes en vork en snijdt een stukje af van iets wat eruitziet als dungesneden pens. Hij propt het naar binnen, waarbij het een witte rozet vormt op zijn lippen.

'Heerlijk.' Hij neemt een slokje wijn. 'De sancerre past er perfect bij.'

Ik kijk naar mijn bord en voel me uitgeput.

Het diner sleept zich voort. Iedere gang is een machtsstrijd, waarbij Rob dingen bestelt die exotisch, rauw of beide zijn. Tegen de tijd dat we bij het dessert zijn aanbeland – iets met ei-dooiergelei –, is mijn maag hevig aan het protesteren. Eindelijk zet hij zijn handtekening op de rekening en worden we naar een wachtende taxi gebracht.

Ik kijk naar Rob. Hij doet zo zijn best om indruk op me te maken, dat zie ik wel en ik neem het besluit dat ik plezier ga hebben, verdomme. Als we allebei ontspannen zijn komen we misschien wel weer in ons ritme.

Ik moet niet meer toelaten dat mijn gedachten naar Max af-dwalen. Ik heb op mijn telefoon gekeken, maar er is nog steeds geen berichtje van hem. Het voelt vreemd om me zorgen over hem te maken. Ik bedoel, bij Max was ik altijd degene die de bovenhand had, maar nu verlang ik wanhopig naar een bericht van hem, net als alle meisjes met wie hij is geweest. Ooit nam ik de telefoon op toen er één belde. Ze zei dat ze de zee in zou lo-pen als hij niet met haar praatte. 'Dat moet ze vooral doen als ze wil,' had hij gezegd, en toen hij mijn gezicht zag voegde hij eraan toe: 'Ze doet het toch niet.' Ik heb een halfuur met dat kind zitten praten, om te proberen haar te laten inzien wat een eikel Max is. Nu ben ik dat meisje...

Als we achter in de taxi stappen, zegt Rob dat hij een verrassing voor me in petto heeft. Ik heb geen idee waar we naartoe gaan; ik kijk uit het raam, zie Piccadilly Circus voorbij zoeven, en voel de opwinding die zich altijd van me meester maakt als ik in het centrum van Londen ben. Mijn hoofd is wollig van de wijn. Rob strekt zich lui uit op de bank, zijn profiel wordt af en toe verlicht door naderende koplampen. Hij klopt op mijn heup.

'Heb je genoten van de maaltijd, lieverd?' vraagt hij.

'Het was heerlijk.' Ik glimlach.

'Ga je me nog bedanken?'

Ik kijk hem aan om te zien of hij een grapje maakt. 'Wat?'

'Ik zei, ga je me nog bedanken voor de maaltijd waarvoor ik daarnet heb betaald?'

Ik voel dat ik begin te blozen. 'Heb ik dat niet gedaan in het restaurant?'

'Neuh.'

'Nou, dank je wel voor een heerlijke maaltijd, Rob.'

'Brave meid,' mompelt hij. Ik kijk weer uit het raam. Zijn hand ligt als een vogelspin op mijn dij. De taxi maakt zich los van het verkeer en scheurt ervandoor, alsof hij eindelijk de vrijheid heeft gevonden. Door de snelheid word ik naar achteren geduwd. Rob kijkt naar mijn laag uitgesneden jurk, naar de plaats waar de diamanten ketting nu een beetje heen en weer wiebelt, en hij glimlacht. Zijn ogen ontmoeten de mijne en ik glimlach ook, terwijl ik mijn jurk rechttrek. Wat is er met me aan de hand? Het liefst zou ik wegrennen! Dit is de man naar wie ik zo heb verlangd, de man om wie ik maanden heb gehuild. Nu is hij hier en doet hij precies wat ik van hem wilde, en het enige wat ik voel is irritatie. De taxi stopt bij de stoeprand. Het duurt even voordat ik weet waar we zijn. Rob pakt mijn arm en we lopen een binnenplaats op. Er is een kraampje waar hij champagne koopt en dan staan we bij een groep mensen bij de balie van een galerie. Ik zie een poster over een expositie.

'Waar zijn we, Rob? Is dit de kunstacademie?'

'Het is de zomerexpositie. Ik wil dat je een werk kiest en dan koop ik dat voor je.'

'O nee. Daar kan ik niet naar binnen.'

'Het is er heel druk, ik weet het. Maar er is vanavond een meet-and-greet met de kunstenaars. Waarschijnlijk stikt het van de beroemdheden. Wat zei je?'

'Ik voel me niet helemaal lekker. Kunnen we niet een stukje gaan lopen?'

'Doe niet zo raar, Viv. We gaan toch lopen – door de galerie. Ik weet dat je van kunst houdt, dus ik heb dit geregeld als verrassing. Hmm?' Hij geeft een tik op mijn billen.

'Misschien heb ik iets verkeerds gegeten. Ik heb het een beetje warm.'

'Kom op, zo meteen voel je je vast beter.' Hij leidt me naar de eerste zaal. 'De meeste kunstenaars zijn aanwezig. Ik vind het heel interessant om te zien wie wat heeft gemaakt.' We staan voor een enorm ei van blauw glas.

Ik kijk rond, op zoek naar Max. Dit moet de verrassing zijn waar hij het over had. Hij had me hier mee naartoe willen nemen. Hij wilde mij naast zich hebben en ik heb niet eens de moeite genomen om te antwoorden. Shit! Hoe heb ik zo stom kunnen zijn? Dit was zo belangrijk voor hem en ik had het niet eens door. En ík vroeg me af waarom hij niet op mijn telefoontjes reageerde. Mijn hart bonkt. Wat er ook gebeurt, ik mag hem niet tegen het lijf lopen als ik bij Rob ben.

Op twee doeken in geel en blauw na staan er alleen maar sculpturen. Als we hier blijven kan ik hem misschien ontwijken.

'Wauw, wat een mooi beeld.' Ik knijp in Robs arm en houd hem tegen. We stoppen bij een grote figuur van verroest metaal. Het verwrongen lichaam lijkt te smelten. De vormen gaan aan de onderkant over in ribbels die in een poel van zout druipen. 'Fantastisch,' zeg ik. 'Ik denk dat het een commentaar is op de mensheid.'

'Maar het is wel een beetje foeilelijk. Ik bedoel, zou je het in je woonkamer willen hebben?'

'Ik weet het niet. Ik vind het mooi,' zeg ik terwijl ik de zaal afspied.

'Meen je dat?' Hij kijkt me aan. 'Ik dacht eerder aan een mooi schilderij. Laten we daarheen gaan.' Hij gebaart met zijn champagneglas naar de gebogen doorgang die naar de volgende zaal leidt. In die zaal is het druk.

Ik wuif mezelf koelte toe met het gidsje. 'Poeh, ik voel me zo slap.' Overal om me heen hangen affiches waarop meet-and-greets worden aangekondigd, met foto's van glimlachende, hippe kunstenaars. Ik hoop van harte dat we er geen ontmoeten. Ik zak neer op een bankje. 'Het komt vast door de drank.'

Rob kijkt me fronsend aan. 'Wat is er aan de hand, schat? Zoveel heb je niet gedronken.'

'Ik denk dat ik wat frisse lucht nodig heb,' zeg ik. Hij kijkt rond en ziet nog een doorgang.

'Laten we daar eens kijken; daar is het minder druk. Kom.' Hij trekt me overeind. In de volgende zaal heeft zich een klein groepje verzamelaars en critici verzameld voor een enorm doek. Trillend op mijn benen loop ik ernaartoe, geleid door Robs hand tegen mijn rug. Als we bij de deuropening komen, laat ik mijn blik over het groepje glijden. Een man in een tweed pak zet een stap naar achteren en mijn hart krimpt pijnlijk ineen als ik Max denk te zien – een lange figuur gekleed in een zwarte spijkerbroek en een T-shirt, met donkere, naar achteren gekamde krullen. De man zet nog een stap en ontneemt me het zicht. Ik sta stil.

'O, ik denk niet dat we hier iets zullen vinden,' zeg ik. 'Dit is niet echt onze stijl.' Rob pakt me bij de arm en duwt me naar voren.

'Laten we gewoon even kijken, goed?'

'Au, je knijpt in mijn vel!'

Hij laat los en legt zijn arm om mijn middel. De man in het tweed stapt opzij. Max draait zich om, kijkt mijn kant op en weer weg, voordat hij doorheeft wat hij zojuist gezien heeft. Dan draait hij zich weer naar ons toe, en wat ik op zijn gezicht zie snijdt me door het hart: schrik, pijn, teleurstelling en dan woede. Hij komt met grote passen op ons af en duwt mensen uit de weg. Als hij voor me staat bestudeert hij mijn gezicht met een moordzuchtige blik, en ik voel me de slechtste mens op aarde.

'Max!' Ik strek mijn arm uit om zijn gezicht aan te raken en voel dat Rob zijn greep om mijn middel verstevigt.

'Waag het niet om mij aan te kijken terwijl je met hem bent, Vivienne.' Zijn lip krult op alsof hij een grommende wolf is.

'Het is niet wat je denkt, Max. Ik heb geprobeerd je te bellen...'

'Wat kan het jou schelen wat ik denk? Denk je nou echt dat ik gek ben?' Zijn ogen flitsen over mijn gezicht. Ik raak zijn arm aan, maar hij schudt mijn hand weg.

'Ik wil niet dat je zo tegen mijn verloofde praat!' zegt Rob en Max wendt zich tot hem.

'Ik zweer het, als je dat kutwoord nog één keer zegt, geef ik je een knal op je bek. Dit is tussen haar en mij.' Hij staart me aan alsof ik een monster ben dat net zijn ware aard heeft laten zien.

'Wat heb ik misdaan?' Ik voel tranen prikken.

'Je hebt me verraden,' zegt hij kalm, terwijl hij van mij naar Rob kijkt en weer terug. 'Ik wens jullie allebei veel geluk.' Ik zie de pijn in zijn ogen voordat hij zich omdraait en wegbeent door de menigte. Trillend blijf ik achter.

'Nou, dat was wel een beetje raar!' Rob glimlacht. 'Ik dacht dat hij een vriend van je was.' Ik trek me los en probeer Max in te halen. De mensen staren me aan en klakken met hun tong als ik me tussen hen door wring.

'Max, wacht!' roep ik in het wilde weg, maar ik zie hem niet. Ik draai zoekend om mijn as; de kunstwerken en vergulde lijsten vervagen. 'Max!' roep ik weer. Maar hij is verdwenen.

21

Liefdesdrankjes

Liefdesdrank nr. 1 – Gebrokenhartmix
Schenk een eenheid wodka in een shaker en twee lepels suiker
en verse munt. Stamp fijn met cocktailstamper, voeg er ijs en
een scheutje sodawater aan toe en tot slot een paar druppels
limoensap. Schud het geheel, en voilà, je liefdesverdriet is
verdwenen!

Monique, Londen

Liefdesdrank nr. 2 – de Verleider
Schenk een eenheid tequila in een hoog glas. Voeg er ijs,
gemberbier en limoensap aan toe. Roeren en serveren aan je
slachtoffer.

Lizzie, Braintree

Liefdesdrank nr. 3 – de Seksbom
Vermeng twee delen Baileys met een deel cognac en schenk dit
over wat ijs. Je kunt ook naakt op een stoel met een hoge
rugleuning gaan zitten met een groot glas whisky in je hand en
kijken wat er gebeurt.

Caroline, Perth

Ik zit als een zielig hoopje op de bank en voel me afschuwelijk.
Er rommelt iets in mijn maag – is het de drank, angst of beide?
De scène in de galerie speelt zich steeds opnieuw af in mijn
hoofd en ik probeer alles te zien vanuit het oogpunt van Max.
Hij wilde dat ik met hem meeging naar de meet-and-greet; na-

tuurlijk wilde hij dat, en ik had moeten weten dat dat vanavond was.

Misschien was hij boos omdat ik niet meteen op zijn sms'je had gereageerd, misschien was dat de reden waarom hij zei dat we vanavond dan maar moesten laten zitten en dat hij niet op mijn berichten reageerde. En toen stond ik opeens in de galerie met Rob... Maar iets klopt er niet. Het is niets voor hem om zo lichtgeraakt te zijn.

Ik begrijp niet waarom hij niet eens met me wilde praten. En dan zijn reactie toen hij me zag: het was alsof hij me haatte! En nu neemt hij zijn telefoon niet eens op. Ik zal dus moeten wachten tot hij wat tot bedaren is gekomen. Ik moet er gewoon achter zien te komen wat ik heb misdaan en dan bied ik net zolang mijn excuses aan tot hij weer met me wil praten.

En Rob Waters is een klootzak. Hij dwong me naar binnen te gaan terwijl ik zei dat ik dat niet wilde. Waar is hij eigenlijk? Ik geef mijn ogen even rust; ik ben een beetje misselijk.

Max blijft maar in mijn hoofd zitten, net als het beeld van de pijn op zijn gezicht toen hij wegliep. Ik haat mezelf. Ik weet dat hij denkt dat ik expres met Rob naar de galerie ben gekomen. Blijkbaar denkt hij dat ik tot zoiets in staat ben. Ik heb hem erg veel pijn gedaan, en dat is juist wat ik niet wilde.

Rob verschijnt en geeft me een cognac. Ik schud mijn hoofd en de kamer kantelt. Verdomme, ik moet hartstikke zat zijn, maar ik voel me nuchter. Hij gaat naast me zitten en streelt mijn haar.

'Gaat het?' vraagt hij zachtjes. Ik knik. 'Ik zal een klacht indienen, ik zal ervoor zorgen dat zijn kutschilderijen worden weggehaald.'

'Nee!'

'Dat hij zo agressief tegen je doet, alleen omdat wij weer bij elkaar zijn.'

'We zijn niet... Daar ging het niet om.'

'Luister, sst, je bent nu hier, bij mij. Alles is oké. Ik zal voor je zorgen.'

Zijn mooie gezicht is heel dichtbij, zijn lachende ogen, de geur van zijn eau de cologne. Als ik probeer mijn blik scherp te krijgen, doen mijn ogen pijn. Hij kust me op de wang. Ik kan niet laten zien hoeveel ik om Max geef, hoe graag ik hier weg wil, hoe graag ik naar hem toe wil. Ook als Max niet meer om me geeft, moet ik hem uitleggen hoe ik met Rob in de galerie terechtkwam.

Iets scherps in die gedachte blijft steken: 'als Max niet meer om me geeft'. Dat kan ik me niet voorstellen. Natuurlijk geeft hij wel om me. Maar waarom deed hij dan zo? Misschien was het wel heel verstandig van me dat ik al die jaren niets met hem ben begonnen.

'Het probleem is dat hij zo gepassioneerd is,' zeg ik hardop, tot mijn eigen verbazing.

'Hmm, maak je geen zorgen, konijntje,' fluistert Rob. Hij kust me in de nek, zijn hand kruipt langzaam omhoog langs mijn been, onder mijn jurk. Ik kijk naar die hand alsof hij iemand anders aanraakt. Ik leg mijn hoofd tegen de leuning maar de kamer draait en ik word misselijk. Ik leun weer voorover.

'Ik ben zo opgewonden,' zegt hij tegen mijn dijen.

Dus al die onzin die Max uitkraamde over dat hij van me hield? Hij houdt niet van me. Als dat wel zo was, had hij vandaag de telefoon opgenomen en me verteld waarom hij boos is. Hij heeft vanavond zomaar afgezegd, via een berichtje! Dat doe je niet als je van iemand houdt.

Bah, ik heb een akelige zure smaak in mijn mond. Ik zal zo opstaan om een glas water te halen. Rob trekt kleine cirkeltjes om de roze lintjes van mijn nieuwe slipje. Dat setje was een goede aanschaf. Het is zo mooi. En dan ook nog met twintig procent personeelskorting. Rob heeft echt mooi haar en het valt prachtig naar voren. Hij kust me op mijn been en ziet er een beetje uit als een vogel die maïs pikt.

Ik hem verraden! Hoe heb ik hem dan verraden? Hij was degene die schreef: 'Dan laten we vanavond maar zitten.' Hij is degene die mij heeft gedumpt! Het is gewoon heel erg kinder-

achtig dat hij weigerde met me te praten. Als ik door mijn oogharen naar links blijf kijken en niet denk aan die walgelijke octopus die ik heb gegeten, voel ik me misschien beter. Rob zit
op zijn knieën tussen mijn voeten en maakt zijn broek open.
Hij trekt een witte, gesteven boxershort naar beneden. Best een
mooi uitzicht. Aantrekkelijk.

De telefoon gaat en mijn hart maakt een sprongetje. Dat zal
Max zijn! Mooi, dan kunnen we het er allemaal uit gooien en
de lucht klaren. Ik wil de telefoon pakken maar Rob houdt me
tegen. Hij zit op zijn knieën voor me en opeens zie ik dat hij
zijn pik in zijn hand heeft.

'Kom op, konijntje. Pijp me,' fluistert hij. Ik kijk naar de telefoon en dan weer naar Rob.

Het antwoordapparaat klikt aan.

Objectief gezien ziet hij er zonder meer volmaakt uit, met
zijn gebruinde benen en platte, gespierde buik. Het voelt alsof
ik van een afstandje naar mezelf kijk en ik ben me er maar vaag
van bewust hoe moe en verdrietig ik ben. Hij legt een hand tegen de muur achter de bank terwijl zijn andere hand zijn pik
naar mijn gezicht leidt. Ik kijk het ding recht aan, maar herken
het niet meer. De zeep ruikt nieuw, duur. Op het moment dat
ik mijn mond opendoe, meen ik Nana's stem te horen op het
antwoordapparaat.

22

Wijsheid

'Kijk aan, je ligt ter aarde. Sta op en stof jezelf af. Dat je valt doet niets af aan je waarde, maar blijven liggen, dat is laf.'
Edmund Vance Cooke

'Waarom zoek je toch overal naar iets wat je nooit vinden zal. Als je ontdekt dat je zonder kan, denk je d'r nooit meer an.'
Baloe de beer, *Jungle Boek*

Ik kan er niet omheen: over je nek gaan op je werk is een slechte manier om de dag te beginnen. Naderhand ga ik rechtop in het wc-hokje zitten om na te gaan hoe ik me voel... Mijn hoofd bonkt, ik heb een giftige maagpijn, mijn ogen branden en... waarom is het toch zo warm?

Eén ding dat ik goed kan met Rob, is me zo bezatten dat ik niets meer weet. Hij moedigt me aan. Jakkes, ik kan er niet aan denken zonder weer te moeten kokhalzen. Ik zou me moeten schamen en dat doe ik ook. Heel diep. Ik bedoel, wat is er met me aan de hand? Is dit wat ze 'ontspoord' noemen? Ik trek door en leun tegen de deur. O god, er is geen wc-papier. Misschien heb ik zakdoekjes in mijn tas. Ik voel mijn telefoon in het voorvakje en kijk of ik berichten heb. Wie weet, misschien heeft Max gebeld. Maar nee – niets. Ik bel zijn vaste nummer.

'Met Max. Spreek een boodschap in.'

'Alsjeblieft Max, praat met me. Ik voel me verschrikkelijk...' Ik wacht voor het geval hij alsnog opneemt, maar ik hoor alleen maar de ruis van de open lijn. 'Het spijt me zo. Ik wil alles uitleggen. Ik wil je zien. Max... ik... ik mis je.' Ik hang op en snuit mijn neus in een oud bonnetje.

Rob lag vanmorgen in mijn bed. Ik kan me niet herinneren hoe dat is gebeurd. Ik vraag me af of we hebben...? Ik staar net zolang naar de geometrische patronen op de wanden van het wc-hokje tot ze beginnen te zwemmen. Terwijl ik probeer het weer stabiel te krijgen door met mijn ogen te knipperen, hoor ik iemand binnenkomen: het geklik van hakken en geneurie. Het hokje schudt even als ze de deur dichtslaat. Onder het wandje zie ik een enkel die oranje is van de zelfbruiner, en een sandaal van gevlochten touw.

'Christie?'

'Hallo, wie daar?' zingt ze.

'Help me.'

Aspirine in limonade, dat is Christies remedie. Ik zit sip aan mijn bureau en drink kleine slokjes terwijl zij met Paul flirt.

'Nee, niemand heeft me ooit een parelketting gegeven,' zegt ze.

'Ach, kom. Echt niet?'

'Nee. Ik vind parelkettingen ook een beetje ouderwets. Die moet je niet dragen als je in de twintig bent.'

Paul probeert zijn lachen in te houden en zijn gezicht wordt rood.

Ik kom tussenbeide: 'Christie, ga er niet op in. Hij maakt een schunnig grapje.'

'O. Ik begrijp het niet.' Ze staart hem aan met haar zwaar opgemaakte ogen.

'Natuurlijk niet. Ik leg het later wel uit.' Ik leg mijn hoofd op het koele bureaublad.

'Vivienne! Ik snap niet wat je bedoelt. We hebben het gewoon over sieraden,' zegt Paul.

'Ja, en ik ben de stand-in van Angelina.' Ik vraag me af of ik me beter voel als ik mijn ogen dichtdoe. Oef, nee. Nee! Ik concentreer me op een vast punt.

'Je ziet er een beetje pips uit, Viv. Zware nacht gehad?' Ik draai mijn ogen om hem aan te kijken. Hij grijnst en lijkt met zijn kleine hoofdje, lange nek en afhangende schouders wel wat op een wezel.

'Bemoei je met je eigen zaken,' zeg ik met een koele glimlach.

'Kijk goed, Christie. Drankmisbruik: niet slim en al helemaal niet aantrekkelijk.'

'Wat doe je hier nog? Ga ergens de techneut uithangen. Dat is toch zogenaamd wat je bent?' rasp ik. Hij lacht, blaast Christie een kusje toe en loopt terug naar zijn bureau. De aspirinelimonade kolkt gevaarlijk in mijn maag. Ik vind een pakje crackers in mijn la en knabbel er eentje op. Christie zit haar e-mail te lezen en ik verwonder me over haar nautische outfit.

'O nee. De Wrat wil ons zien zodra we binnen zijn.' Ze draait zich snel om. 'Denk je dat het met die kaarsen te maken kan hebben? Die kunnen ieder moment geleverd worden.'

Ik kijk naar haar en dan uit het raam, en vraag me af of ik nog even moet overgeven voordat we gaan.

'Maak je geen zorgen, Christie. Wat is het ergste dat er kan gebeuren?' Ik kom uit mijn stoel en begin te lopen om te voorkomen dat ik omval. 'Laten we maar gaan kijken wat ze wil.'

De Wrat ziet eruit als een driehoek van mosgroen linnen. Ze oogt ontspannen en tuurt naar haar scherm. We staan een paar tellen onnozel bij haar open deur te treuzelen voordat ik klop.

'Kom binnen!' roept ze, en met een mollige hand gebaart ze dat we moeten gaan zitten. Niet kijken naar de wrat in haar nek, niet kijken. Terwijl we plaatsnemen op de stoelen kijkt ze aandachtig naar haar taps toelopende vingers. Dan kijkt ze ons aan met een afgemeten vriendelijke uitdrukking en – hop! – het ding plopt in het zicht, als een drol in de zee. Ik kan mijn blik er niet van afhouden, staar gebiologeerd naar de haren, tot ik het gevoel krijg dat ik misschien wel moet braken over de tafel. Ik ga verzitten en slik.

'Luister, ik wilde jullie samen spreken omdat jullie een team vormen.' Christie knikt en glimlacht alsof ze zo meteen een prijs uitgereikt zal krijgen. 'Het gaat over de geplande ontslagen.' Mijn hart bonst pijnlijk. De bleke ogen van De Wrat flitsen van mij naar Christie, op zoek naar een reactie. De kersenrode lippen zijn te klein voor haar gezicht en lijken van plastic, alsof ze uit een knalbonbon komen.

'Ik geloof niet dat ik dat wil. Ik ga niet vrijwillig ontslag nemen,' flapt Christie eruit terwijl ze vanuit haar ooghoeken naar mij kijkt. Ik voel een laagje zweet op mijn huid prikken en probeer me te concentreren op de rand van het bureau. Als ik mijn hoofd stilhoud, ga ik misschien niet over mijn nek.

De Wrat neemt een slok water, slikt langzaam en drukt haar hand tegen haar borst om een paar oprispingen te onderdrukken. 'Nee schat, dat hoeft ook niet.' Ze trekt een grimas, kijkt naar de papieren op haar bureau en dan weer naar ons. 'Er zullen geen vrijwillige ontslagen als zodanig zijn...'

'O, wat een opluchting! Ik heb al een reis naar Thailand gebockt,' piept Christie.

'Luister... ik zal er niet omheen draaien. Kunnen jullie me één goede reden geven waarom ik jullie niet zou ontslaan?'

Wauw. Dat had ik nou niet zien aankomen. Christie kijkt naar mij en dan weer naar De Wrat. Ik houd mijn hoofd stil en staar recht voor me uit.

'Wat zei je?' Christie grijpt met haar hand naar de matrozenkraag van haar blouse.

'Je weet dat het bedrijf moet snijden in het vet.' De Wrat kijkt me onderzoekend. Als ik mijn ogen beweeg om haar aan te kijken, draait mijn maag zich om. Probeer niet aan vet te denken. Niet aan vet denken. Ik slik krachtig en proef het limonade-aspirinebrouwsel. 'Nou, misschien zijn jullie wel het vet, als het ware.'

'Wij zijn het vet?' vraagt Christie.

'Ja.'

'Wij zijn het vet,' herhaalt ze, terwijl ze het op zich laat inwerken. 'O.'

'Het spijt me,' zegt De Wrat. 'We hebben jullie prestaties eens onder de loep genomen. De te veel bestelde kaarsen,' ik voel dat Christie een snelle blik op me werpt, 'die idiote leuzen voor het ondergoed, het vele verzuim... Zo zou ik nog wel even door kunnen gaan, maar dat doe ik niet. Ik geef jullie allebei een laatste waarschuwing. Als jullie het nog één keer verknallen, vliegen jullie eruit.'

'Volgens mij kunnen ze dat niet zomaar doen, Viv. Dat kunnen jullie niet doen!'

'Natuurlijk staat het jullie vrij om naar P&O te gaan als jullie vragen hebben.' Er glijdt een schaduw over haar voorhoofd terwijl ze twee enveloppen over de tafel naar ons toe schuift. Ik weet dat het misgaat als ik niet stokstijf blijf zitten. 'We hebben ondertussen onze voorwaarden op papier gezet.' Ze bestudeert mijn gezicht. 'Heb je iets te zeggen, Vivienne?'

'Ik geloof dat ik moet overgeven.' Ik sta op, sla mijn hand voor mijn mond en ren weg.

De schriftelijke waarschuwingen liggen ongeopend op onze bureaus. Ik draai de prullenbak om en zet mijn voeten erop. Soms voel je je beter als je hebt overgegeven. Ik kan nu een kop thee verdragen.

'Onvoorstelbaar, hoe durft ze ons vet te noemen. Ik bedoel, heb je gezien hoe dik zij is? Die vette koe, ze is...'

'Sst!'

'Nou, dat hele gedoe met de kaarsen was mijn schuld! Waarom krijg jij dan een waarschuwing?'

'Omdat ik jou moet begeleiden.' Zuchtend maak ik de brief open. Waarom heb ik er zo de kantjes af gelopen? Ik lees dat we niet meer afwezig mogen zijn zonder geldige doktersverklaring. We moeten creatieve manieren vinden om onze kaarsen in de loop van het jaar te verkopen. We moeten over al onze producten uitgebreide dossiers aanleggen en daar inzage in geven. Het ziet er niet goed uit. 'Zo erg is het niet – we zijn onze baan nog niet kwijt.'

'Ik heb geld nodig voor Thailand.'

'En ik moet de huur betalen.'

'Jij redt het wel, jij hebt een rijke verloofde.' Ik begrijp niet meteen wat ze bedoelt. Dan besef ik dat ze het over Rob heeft.

'Mannen zijn niet te vertrouwen,' mompel ik.

'Ja, maar ik durf te wedden dat je blij bent dat hij terug is, of niet soms?' Ik herinner me de schok die ik voelde toen ik wakker werd en hij naakt naast me in bed lag. Dat ik naar de badkamer sloop om een pyjama aan te trekken. Ik denk terug aan het ontbijtkommetje dat hij in de gootsteen had laten staan en aan de badmat die hij doornat had gemaakt. Hoe heeft het zover kunnen komen? Ik sluit mijn ogen en voel me ongelooflijk moe.

'Viv?'

'Wat?'

'Je bent zeker de sterren aan het bedanken dat ze je zo goedgezind zijn?'

'Zoiets.' Ik kijk naar de gebogen hoofden achter de grijze scheidingswandjes in de kantoortuin. Ik zou inderdaad de sterren moeten bedanken. En wel onmiddellijk. Ik moet ze ervoor bedanken dat dit niet mijn toekomst zal zijn, omdat ik de droom van iedere vrouw heb waargemaakt; net als Assepoester heb ik een rijke, knappe man aan de haak geslagen die me uit deze ellende haalt. 'Je houdt niet van hem!' schreeuwt iets in mij, voordat het wordt overmeesterd als een gijzelaar. Nee, ik houd wel van hem. Echt waar. En het enorme voordeel daarvan is dat ik nu niet ongerust hoef te zijn. Had ik niet genoeg van deze baan? Schaamde ik me zelfs niet voor wat ik hier doe en wilde ik niet dat er iets zou veranderen? Nou, hier dient die verandering zich aan, in de vorm van een rijke verloofde... de jackpot.

Maar... Er is geen maar.

Terwijl ik dit overdenk en uit het raam zit te staren, begint mijn telefoon zoemend over het bureau te schuiven. Het is een nummer dat ik niet herken. Max! Misschien belt hij vanuit een telefooncel.

'Hoi!' zeg ik.

'Vivienne, met Reggie, de buurman.' Hij is niet mijn buur-man. Belachelijk om zich zo voor te stellen.

'Hallo.'

'Het gaat over je oma, lieverd.' Zijn stem trilt van ouderdom, rare ouwe knakker. 'Luister, ik ben net terug uit het ziekenhuis. Ik denk dat je maar beter hierheen kunt komen.'

'Wat is er gebeurd?'

'Nou, ze... ze is er slecht aan toe.'

'Slecht aan toe?'

'Ja, ze houden haar daar. Longontsteking, zeggen ze. Ze wil-de niet dat ik de dokter belde...'

De trein naar Kent schudt en wiebelt en stopt in elk gehucht. Verwaarloosde achtertuinen met scheve schommels en uitbou-wen met openslaande deuren glijden voorbij.

Het komt wel goed met Nana; ze is een taaie. Ik kan me niet herinneren dat ze ooit ziek is geweest. Ze is een keer gevallen en toen ontdekten ze dat ze artritis had, maar zoiets als dit heeft ze nooit gehad.

Mensen kunnen doodgaan aan longontsteking. Oude men-sen kunnen eraan doodgaan. Ze gaan het ziekenhuis in en ko-men er nooit meer uit.

Maar Nana is niet oud. Ze is net zeventig geworden. Ze zeg-gen dat zestig het nieuwe veertig is, dus... En ze heeft nooit ge-rookt – tot die ene keer, laatst. Haar longen zijn sterk.

Maar ze is te mager. Eigenlijk weegt ze te weinig. Ik heb me de laatste tijd wel zorgen gemaakt over hoe frêle ze is. De ge-dachte aan een leven zonder haar besluipt me als een grimmige schaduw. Ze stond mijn hele leven voor me klaar. Mijn moeder liet me bij haar op de stoep achter toen ik zeven was, en Nana pakte mijn hand en heeft die nooit meer losgelaten, ze hielp me overal doorheen. Ik denk aan hoe kalm en liefdevol ze was toen ik op mijn zestiende dacht dat ik zwanger was. En toen opa stierf was zij degene die mij troostte. Mijn ogen vullen zich met tranen; zij is de enige constante in mijn leven. Ik heb altijd gesteund op haar liefde en vriendelijkheid. Ze is de aardigste persoon die er is. Iedereen heeft het altijd over hoe aardig ze is. Ik denk terug aan een miljoen voorbeelden van haar goedhartigheid, ga steeds verder terug in de tijd. Ik verzamel die voorbeelden als magische krachten die het beeld van Nana in mijn hoofd steeds helderder en sterker maken en de schaduw wegduwen, tot de trein bij het eindstation aankomt.

In het ziekenhuis neemt Reggie me in een soort houdgreep. Ik voel een bot in mijn ruggengraat kraken terwijl ik recht in zijn harige oor kijk. Hij heeft gehuild.

'Waar is ze?'

'Afdeling twaalf.' Ik kijk op het informatiebord. 'Ze is buiten bewustzijn.' Zijn vochtige ogen glinsteren tussen de diepe rimpels.

'Hoe lang ligt ze hier al?'

'Sinds middernacht.'

'Waarom heb je niet eerder gebeld?'

'Ze zei dat ze een bericht heeft ingesproken. Ze wilde niet dat ik je lastigviel, zeker niet op je werk.' Ik begin door de pastelkleurige gang te rennen en volg de bordjes naar afdeling twaalf. Als ik links afsla, bots ik tegen een man op en plet ik zijn treurige bos chrysanthen. De afdeling is afgesloten. Ik rammel twee keer aan de deur en zie dan pas de intercom. Ik druk op de bel en een vrouw antwoordt.

'Ik kom voor mijn oma... Eve Summers, ligt ze hier?' De stem vraagt me even te wachten. Een paar tellen later gaat de deur open en komt er een verpleegster met donker haar naar buiten. Ik wil de deur openhouden, maar ze trekt hem rustig dicht.

'Hallo. Ben jij Vivienne?' vraagt ze zachtjes.

'Ja. Mijn oma heeft een longontsteking. Ik hoorde dat ze op afdeling twaalf ligt. Is dit twaalf? Ligt ze daarbinnen?' De verpleegster voert me met lichte druk tegen mijn elleboog naar een klein tafeltje met stoelen. Ik ga zitten en klem mijn handen om de huidkleurige bekleding.

'Ik ben Claire, een van de verpleegsters van vandaag. Ik wil even met je praten, Vivienne, en dan mag je naar je oma.' Ik probeer te glimlachen en voel me heel klein en machteloos. Een ziekenhuisgeur van gekookte kool drijft door de gang. 'Gaat het wel?' vraagt ze.

'Ik wil haar gewoon zien,' zeg ik met trillende onderlip.

'Ik weet het. Maar je moet weten dat het niet goed met haar gaat. We behandelen haar met antibiotica, dus ze ligt aan een infuus. Ze heeft ook een infuus met vocht.' Ze kijkt aandachtig naar mijn gezicht. Ik knik maar durf niet naar het medeleven in haar ogen te kijken. 'En we geven haar zuurstof om haar te helpen ademen, dus ze heeft ook een masker op.'

'Komt het weer goed?'

'Op het moment is ze stabiel. Zodra de arts er is, zal ik hem vragen even met je te praten.' Ze knijpt in mijn hand en haar onderarm ziet er sterk en capabel uit naast de mijne. Ze is een held, maakt zich nuttig voor de maatschappij en is verstandig. Ik voel een steek van schaamte als ik aan de laatste vierentwintig uur van mijn leven denk.

'Is ze wakker?'

'Ze is niet bij bewustzijn.' Ik kijk naar de glanzende, roze vloer. 'Goed, nu is het belangrijk dat je je handen steriliseert, en dan gaan we naar binnen.' Ze toetst een code in op het paneeltje op de deur en hij klikt open.

De afdeling is lichtgroen en er hangen hardblauwe gordijnen. Het ruikt er naar poep en ontsmettingsmiddel. Aan beide zijden staan bedden en in elk bed ligt een figuurtje dat lijkt op een lege huls, als iets wat in een spinnenweb is achtergelaten. Terwijl ik achter de verpleegster aan loop, kijk ik naar links en naar rechts. Deze mensen hebben niets met mijn Nana te maken – waarom hebben ze haar hier gebracht?

We stoppen bij een graatmagere man die een nootbruine huid heeft, alsof hij uit een sarcofaag is gehaald. Hij tuurt mismoedig over zijn zuurstofmasker heen. Ik kijk in zijn gelige ogen en probeer met een beleefde glimlach mijn afkeer te verbergen. Hij knikt. De verpleegster trekt de gordijnen voor een van de bedden weg en daar ligt ze: mijn Nana. Mijn levendige, prettig gestoorde, drukke Nana, op haar rug, armen langs haar zij en handpalmen naar beneden gedraaid, stiller dan ik haar ooit heb gezien. Mijn adem stokt in mijn keel.

'Wil je een kopje thee?' De verpleegster legt een hand op mijn schouder.

'Eh, ja graag.' Ik voel een traan over mijn gezicht glijden. Ik ga op de bezoekersstoel zitten, pak zachtjes huilend haar hand en wrijf met mijn duim over haar gevlekte huid en haar arme, artritische gewrichten. Haar amandelvormige vingernagels zien er vreemd kaal uit zonder de felle nagellak waar ze zo dol op is. Het is de eerste keer dat ik in deze hand knijp zonder dat er een reactie komt. Ik kus haar koele, marmergladde huid. Er vallen een paar tranen en ik veeg ze weg. Het witte zuurstofmasker bedekt haar neus en mond; haar ogen zijn vredig gesloten. Ik raak de rimpels aan de zijkant van haar gezicht aan.

'Nana.' Ik kus haar voorhoofd, strijk haar haar opzij en druk haar hand tegen mijn gezicht. Ik kijk naar haar langzaam rijzende en dalende borstkas. Vanuit een zakje druppelt vloeistof geluidloos een slangetje in dat is vastgemaakt in de crêpeachtige huid van haar arm. Op die plaats is een blauwe plek aan het ontstaan. Ik kijk naar haar polsbandje. *Eve Summers. geb. 07-05-42.* Deze persoon, die mij zo dierbaar is, deze Eve Summers, is het anker van mijn wereld. 'Waarom heb je de dokter niet laten komen?' Ik veeg mijn ogen weer af. 'Reg zei dat hij de dokter niet mocht bellen.' Ik kus de knokkels van haar vingers. 'En nu lig je hier.'

De verpleegster brengt een kartonnen bekertje met thee. 'Oké?' vraagt ze.

'Wanneer komt ze weer bij?'

Ze kijkt naar Nana. 'Moeilijk te zeggen. Ik zal ervoor zorgen dat de arts naar je toe komt zodra hij op de afdeling is.'

Ze glimlacht, loopt weg en laat de gordijnen zwaaien. Het beademingsapparaat sist en zucht terwijl het Nana's longen vult met lucht, maar ze geeft geen teken van leven. Ik leg mijn hoofd naast de met het laken bedekte benen en sluit mijn ogen.

'Word beter. Word beter, oké?' zeg ik tegen haar. 'Laat me niet alleen.' De hartmonitor piept zacht. 'Laat me niet alleen.'

Het is donker als ik het ziekenhuis uit kom. De laatste bezoekers waaieren uit over de parkeerplaats, motoren worden gestart en de lichtbundels van koplampen zwiepen over het plaveisel. Ik loop terug naar het station. Ik vind het verschrikkelijk om haar hier achter te laten, maar ze wilden me niet laten blijven. De buitenwereld doet vijandig en koud aan.

Ik denk aan Max en wenste dat hij hier was. Dat hij me op de motor hiernaartoe had gebracht en nu met zijn brede lach op me stond te wachten. Ik graai in mijn zak en zet mijn telefoon aan. Er is een sms'je van Rob: *Moet overwerken, engel. Je hoeft niet voor me te koken.* Ik verwijder het bericht en bel Max.

'Met Max. Spreek een boodschap in.'

'Max, met mij. Ik... bel alleen om, nou ja, om hallo te zeggen en te horen of het goed met je gaat... dus bel me alsjeblieft.' Wat moet ik anders zeggen? Mijn oma ligt in het ziekenhuis, leef alsjeblieft met me mee? Ik verbreek de verbinding en loop langzaam de trap van het station op naar het verlaten perron, waar een eenzame wind het piepende 'richting Londen'-bord heen en weer zwaait.

Als ik de sleutel omdraai is de flat gehuld in duisternis. Het is na tienen. Ik vind een zakje champignonsoep en zet een ketel water op. Dan zet ik de laptop aan, tik 'longontsteking' in op de zoekmachine en stel een lijst vragen op naar aanleiding van de informatie die ik tegenkom. Het grootste gevaar blijkt bloedvergiftiging te zijn – de kans daarop is twee keer zo groot bij mensen boven de zestig. De arts heeft het daar niet over gehad. Is dat een goed teken? Ik schenk heet water op het poeder en roer. Champignons stijgen als vlokjes leer naar de oppervlakte. Als ik weer achter de laptop zit, ga ik naar gebrokenharten-online.com om te kijken of Max nog iets heeft geschreven. Ik ga naar 'Waar denk je aan?' en zie dat er enige activiteit is geweest. Het laatste commentaar is gisteren geplaatst: *Ik geef toe dat het nogal hard is, maar niemand wil een watje!* Ik scroll omhoog, op zoek naar de naam van Max, maar ik moet helemaal terug naar zijn gedicht. Daaronder heeft iemand die zich Smiley noemt geschreven: *Prachtig! Mijn favoriete gedicht.* De volgende reactie luidt: *Wat een idioot! Hij is platzak en het enige wat hij heeft zijn zijn dromen. Je mag ze houden, schat, daar kun je de huur niet van betalen! Wat gênant en aanstellerig om een gedicht te citeren! M – blijf bij me uit de buurt, ik heb me vergist. Ik wil jou en je dromen niet! Vivienne*

Ik lees de tekst nog een keer. Mijn naam. Ik begin te trillen en staar naar de woorden in een poging het te begrijpen. Alleen iemand die als mij is ingelogd kan mijn naam gebruiken. Ik probeer me de laatste keer dat ik op de site zat te herinneren... Ik had het gedicht op mijn werk gelezen. Heb ik de site niet afgesloten? Kan het Michael zijn geweest? Hij kan het wachtwoord hebben omzeild en als mij hebben ingelogd, maar waarom zou hij dat doen? Max moet het hebben gelezen. Ik zoek het berichtje dat hij me heeft gestuurd. *Hoi Viv, dan laten we vanavond maar zitten, geloof ik. M*

Ik begin als een bezetene te tikken. *Max, dit heb ik niet geschreven! Ik weet niet hoe het is gebeurd, maar iemand moet als mij hebben ingelogd.* De cursor knippert. Maar wat ik ook schrijf, het is gênant. Ik pak mijn jas en ren de deur uit.

Ik bel Max, en als zijn voicemail begint probeer ik het nog een keer. Ik neem een taxi naar zijn huis. Wat zal hij wel niet denken? Eerst zeg ik dat hij niet naar me toe moet komen, dan leest hij dat bericht en dan ziet hij me met Rob in de galerie. Mijn lieve Max. Wat zag hij er gekwetst uit. Het tafereel in de galerie speelt zich steeds weer af in mijn hoofd en ik voel een scherpe pijn.

De taxi stopt, ik spring eruit zonder te betalen en laat het portier openstaan. De motor blijft draaien terwijl ik bij Max aanbel. Ik druk een paar keer ritmisch op de bel: drukken, wachten, drukken, wachten. Niets. Ik ren om het gebouw heen en kijk omhoog naar het keukenraam. Geen licht. Zijn motor is er niet. Ik probeer het nog een keer bij de voordeur, houd de bel ingedrukt en druk hem dan nog een paar keer stevig in. De taxichauffeur leunt over de passagiersstoel.

'Hé, schat. De meter loopt! Wil je dat ik blijf wachten?'

Ik kijk naar de donkere, lege ramen van het gebouw.

'Ik kom al,' zeg ik.

Als de taxi wegrijdt, kijk ik nog een keer naar het lege raam en ik voel me verloren. Het besef dringt tot me door dat Max misschien wel is vertrokken. Wie weet voorgoed. Ik stel me mijn leven voor zonder hem, en het ziet er ellendig uit.

23

Terug naar je ex

Straatpizza: Ik overweeg het weer te proberen met mijn ex-vriend. Hij blijft vragen of ik met hem wil afspreken. Ik voel me heel eenzaam zonder hem, maar ik ben bang dat het niet gaat werken. Hoe voorkom ik dat het weer misgaat?

Looneytunes: Iemand anders worden?

Catwoman: Je zegt er niet bij hoe lang jullie uit elkaar zijn, Straatpizza. Als je lang genoeg geen contact hebt gehad, kun je misschien opnieuw beginnen; zo niet, dan gaan jullie gewoon verder waar jullie gebleven zijn.

Debbo: Ik zou zeggen: bedenk goed of je het wel echt wilt. Mijn ex is weer bij me ingetrokken nadat we zes maanden uit elkaar waren. Na ongeveer twintig minuten besefte ik dat ik haar niet kon uitstaan.

Gringo: Ik dacht dat ik heel veel seks met andere vrouwen zou hebben als ik het uit zou maken met mijn vriendin. Toen dat niet gebeurde ben ik weer naar haar teruggegaan. Maar lang zal het niet duren.

Catwoman: Lang zal het niet duren? Meen je dat? Wat ben jij een egoïstische eikel, Gringo.

Gringo: Nou en.

Wat is dat voor verschrikkelijk gejank? Ik ga rechtop in bed zitten – hoe laat is het? De wekker zegt zes uur. Rob is aan het zingen in de douche. Ik sta op en bel het ziekenhuis. Geen verandering, zeggen ze, ze is nog buiten bewustzijn. Ik ga op het bed zitten en staar in het niets.

Rob komt tevoorschijn en lijkt zo uit een scheercrèmereclame te zijn weggelopen. Hij heeft een handdoek om zijn middel en zijn lichaam geeft wolkjes stoom en douchegelgeur af.

'Hé, konijntje,' zegt hij met luide stem. 'Heb ik je wakker gemaakt?'

Ik wrijf over mijn voorhoofd. 'Rob, hoe lang blijf je hier?'

Hij houdt op met zich afdrogen en kijkt me aan met een meewarige frons, alsof ik gek ben dat ik die vraag stel. Hij gaat naast me op het bed zitten. 'Wat is er aan de hand, konijntje? Ben je boos omdat ik gisteren moest overwerken?'

'Nee.' Hij probeert me te kussen. Ik sta op. 'Ik vind alleen dat er nog een heleboel onopgeloste kwesties tussen ons in staan en ik denk niet dat we daaruit komen als jij hier woont. Jij wel?' Hij laat het hoofd hangen. 'Ik bedoel, wanneer vertrekt ze?'

'Daar wilde ik het met je over hebben,' zegt hij, terwijl hij me met zijn puppyogen aankijkt.

'Heb jij iets op mijn website geschreven?'

'Wat?'

'Mijn website. Iemand heeft er iets op geschreven onder mijn naam. Ik had de website open laten staan op die avond dat je terugkwam. Je zei dat je er niet naar hebt gekeken, maar ik kan niet bedenken wie het anders geweest kan zijn.'

Hij houdt zijn hoofd schuin. Aan zijn oogwimpers hangt water en er vallen druppels van zijn haar op zijn borst. Zijn ogen zijn ongelooflijk blauw in het schemerige zonlicht.

'Oké. Je hebt me betrapt.' Hij houdt zijn handen omhoog.

'Wat?'

'Ik was het.'

'Jij?' Opeens weet ik niet wat ik moet zeggen. Ik zou hem het liefst in zijn gezicht slaan. 'Waarom? Waarom heb je dat gedaan?'

'Nou, ik wil toch niet dat Max je probeert te versieren? Gedichten schrijven aan de vriendin van een ander – dat doe je niet. Wie denkt hij wel dat hij is met al zijn mooie woorden? Ik wil je helemaal voor mezelf. Ik ga me niet aan de kant laten zetten door een opgewonden dichter.' Hij lacht zijn oogverblindend witte lach.

Ik staar hem aan. 'Hij heeft dat gedicht niet zelf geschreven, hij citeerde Yeats.'

'Ja, dank je, dat was me bekend.'

'Hoe kun je zoiets doen?' Ik spuug de woorden uit. 'Hoe durf je je zo met mijn leven te bemoeien?'

'Luister, konijntje, ik houd van je. Zo simpel is het, en alle rivalen zal ik van me afslaan. Het is net als met beren...'

'Nee, het is niet net als met beren! Hoe durf je!' Hij loopt door de kamer naar me toe en slaat zijn armen om me heen. Ik duw tegen zijn borst. Zijn volmaakte biceps spannen zich aan als hij zijn greep verstevigt. 'Laat me los!' Ik geef hem een stomp op zijn schouder.

'Konijntje, kom op... het spijt me! Het spijt me, oké? Ik houd van je. Ik had het niet moeten doen.' Ik worstel om los te komen en zijn handdoek valt af. Ik kijk naar zijn lichaam, een fractie van een seconde afgeleid. Hij is zonder meer beeldschoon, en dat weet hij – zelfs nu staat hij te poseren. 'Het was verkeerd. Dat zie ik nu in.'

'Het is onvergeeflijk! Hoe komt het dat je zo bent geworden? Hoe komt het dat je zo manipulatief en gemeen bent geworden?'

'Ik wil niet gemeen zijn.' Hij slaagt erin een beschaamde blik op zijn gezicht te toveren.

Een afschuwelijke gedachte valt op zijn plaats, als een munt in een gleuf. 'Wist je dat hij die avond in de kunstacademie zou zijn? Is dat de reden dat we daar naartoe zijn gegaan?' Hij perst zijn lippen op elkaar en glimlacht. 'Jezus, Rob!'

'Ik geef het toe, dat had ik ook niet moeten doen, oké? Ik heb hem gegoogeld en zag dat hij daar zou zijn en ik kon het niet laten. Ik heb het voor ons gedaan. Soms heb jij iemand no-dig om je tegen jezelf te beschermen!' roept hij tegen mijn rug.

Ik storm naar de keuken en zet met een klap de espressopot op het gas, zo razend van woede dat ik bijna niet kan ademen. Hoe heeft hij dat kunnen doen en hoe kon hij denken dat ik het goed zou vinden? Ik loop naar de laptop en beweeg de muis heen en weer. Niets. Geen woord van Max.

De koffie borrelt; ik loop terug naar de keuken en schenk een kop vol. Rob verschijnt, gekleed in een lilakleurig, geruit overhemd en een perfect passende, donkergrijze broek. Hij gaat dicht bij me staan en kijkt me aan zonder iets te zeggen. Ik kook van woede en kan hem niet aankijken. Dan barst ik in tranen uit.

'O, lief konijntje, niet huilen!'

'Dit is heel erg, Rob.' Hij haalt voorzichtig de koffie uit mijn handen en trekt me naar zich toe, en opeens lig ik tegen zijn geruite schouder te snotteren.

'Het spijt me,' zegt hij. 'Het spijt me.' Hij omklemt me nog steviger. 'Ik ben zo'n eikel. Weet je wat, ik zal hem wel even bellen. Ik zal zeggen dat ik het was.' Ik duw hem van me af. 'Ik koop zelfs een van zijn schetsjes als je het me vergeeft.'

'Je hebt geen idee wat je hebt gedaan, hè?'

Hij kijkt op zijn horloge. 'Kom op Viv.'

'Je weet niets van vriendschap of vertrouwen of liefde... of van alles wat goed is.'

'Nou, dat is niet helemaal eerlijk, vind je niet? Ik houd van jou.'

'Nee. Niet echt.'

'Viv, luister, alles is in orde. Het is toch geen kanker. Ik weet dat je boos bent, maar alles is in orde. Ik ben nu bij je...'

'Alles in orde? Nana ligt in het ziekenhuis, ik sta op het punt ontslagen te worden en nu ben ik door jou mijn beste vriend kwijtgeraakt. Het is absoluut niet in orde.'

'Hoezo word je ontslagen?'

'Uiteraard is dat het eerste wat je eruit pikt.' Ik storm naar de slaapkamer om me aan te kleden en trek snel een jurk en laarzen aan. Ik speld mijn haar naar achteren en sprenkel water over mijn gezwollen ogen. Het laatste wat ik nu kan gebruiken is een domme ruzie. Ik moet naar het ziekenhuis. Rob klopt zachtjes op de badkamerdeur.

'Viv?'

'Wat?'

'Kun je alsjeblieft naar buiten komen?' Ik open plotseling de deur en hij schrikt. 'Luister, ik wil met je praten. Ik heb naar mijn werk gebeld en ik heb een halfuur de tijd.' Ik snuif om dit gulle gebaar, maar loop toch met hem mee naar de bank. 'Oké, ik weet dat ik je veel pijn heb gedaan en dat spijt me. Het spijt me echt, Viv. Maar ik wil bij je zijn. Ik weet dat ik het verkeerd aanpak, maar het kan slagen.' Hij pakt een los plukje haar en schuift het weer in het speldje. 'Echt waar.' Ik kijk naar mijn in-eengestrengelde vingers. 'Hmm?' Hij heeft de diamanten ketting in zijn hand. 'Hier, doe deze om.' Hij maakt hem vast om mijn nek als een vlooienband. 'De huizenprijzen kelderen, dus ik ga mijn huis verkopen.' Ik kijk in het hypnotiserende blauw van zijn ogen. 'Wat ik wil is bij jou intrekken en zo snel mogelijk trouwen.' Ik voel een luid 'Nee!' opkomen, maar wat hij me hier probeert aan te smeren is iets waar ik heel lang naar heb verlangd. Zijn stem sust me. Hij klopt op mijn buik. 'En dan zorgen we dat hier een baby in komt, oké? En maak je maar niet ongerust over je werk – ik bedoel, je had toch geen echte carrière en je hoeft niet te werken... tenzij je dat wilt. Ik kan je onderhouden, Viv. Ik kan ons een goed leven geven, het zal je aan niets ontbreken. We zullen geld in overvloed hebben en je zult heel snel zwanger zijn.' God, wat laat hij het allemaal gemakkelijk klinken. Ik zou me gewoon kunnen overgeven, op mijn rug kunnen gaan liggen en alles kunnen krijgen waarvan ik al die tijd heb gedroomd. Hij knijpt in mijn dijbeen.

'Ik... ik kan het er nu niet over hebben. Ik moet naar het ziekenhuis,' antwoord ik.

Hij buigt zijn hoofd. 'Ja. Ik moet aan het werk.' Hij pakt zijn jasje en doet de deur open. 'Maar denk na over wat ik heb gezegd.' Hij loopt naar buiten en steekt dan zijn hoofd weer naar binnen. 'En kop op. Ik ben er voor je. Doe je oma de groeten.' De deur slaat dicht en ik luister naar zijn voetstappen die ritmisch de trap af rennen.

Ik pak zijn half leeggedronken koffiemok op en smijt hem op de grond. Hij knalt tegen het geverfde hout. Twee helften stuiteren op en laten een natte vlek achter.

'Dat zou ik wel willen, maar ze is buiten bewustzijn,' zeg ik rustig.

Ik blijf even zitten en kijk naar de straat. De gebouwen weerkaatsen het zonlicht als een soort code. Hoe kan ik Max ooit duidelijk maken dat ik hier niets mee te maken heb?

Maar... ik had er wel iets mee te maken. Ben ik niet degene die hiervoor verantwoordelijk is? Ik heb Rob binnengelaten. Ik had hem die avond kunnen wegsturen, maar dat heb ik niet gedaan en hij is er nog steeds. Dus natuurlijk is het mijn schuld dat Max gekwetst is. Hij zal het niet begrijpen. Ik begrijp het zelf bijna niet. Ik loop door de kamer en probeer manieren te bedenken om het goed te maken. Ik zal hem dwingen met me te praten. Ik zal hem mailen. Ik zal kamperen voor zijn huis. Dan zie ik het knipperlichtje van het antwoordapparaat. Ik loop ernaartoe, in de hoop de stem van Max te horen, haal diep adem en druk op afspelen.

'Hallo Viv, lieverd, het is Nana maar. Luister, ik voel me niet zo goed. Ik heb een vervelende pijn in mijn borst en ben een beetje duizelig. Hoe dan ook, Reg vindt dat ik naar het ziekenhuis moet... Viv? Ben je daar? Ze neemt niet op... Dag, lieverd... Veel liefs.'

Ik luister nog een keer met tranen in mijn ogen. Natuurlijk, het berichtje van Nana! Ze wilde met me praten, ze klonk zo bang en dapper en ze probeerde om hulp te vragen. En wat was ik aan het doen? Ik ril als ik eraan terugdenk en vertrek naar het ziekenhuis.

24

Liefde

'Als de liefde wenkt, volg haar dan, ook al zijn haar wegen moeilijk en steil. En als haar vleugels je omhullen, geef je dan aan haar over, ook al kan het zwaard dat tussen haar veren verborgen zit je verwonden.'

Kahlil Gibran

'Liefde is als de persoon die de ander in jou ziet beter is dan wie je bent en je die kloof heel graag wilt dichten.'

Jem, 19, Poole

'Probeer niet op de liefde vooruit te lopen; het gaat nooit zoals je denkt dat het zal gaan. Vroeger deed ik er heel dramatisch over. Maar ik heb ontdekt dat de liefde kalm en vriendelijk kan zijn, en passie stil en diep. Geluk komt voort uit zekerheid. Mijn geliefde is de staf waarop ik leun na een van de zware beklimmingen van het leven. Hij is stabiel en eerlijk, vergeeft snel en is prettig gezelschap. Zijn schoonheid zit in zijn waardigheid, zijn vertrouwen, zijn mannelijkheid en zijn manier van bewegen. Hij maakt me aan het lachen en lacht met en om mij. Dat verandert nooit en we zijn al veertig jaar bij elkaar.'

Rose, 62, Yorkshire

'Hallo, met Vivienne Summers. Ik wil alleen even zeggen dat ik vandaag niet kom...'

'Hallo, Vivienne.' De Tang onderbreekt het antwoordapparaat. Shit!

'O, hoi. Goedemorgen, ik...'

'Zei je nou dat je niet komt?' zegt ze bits.

'Ja. Mijn oma ligt in het ziekenhuis.'

'Je meent het? Wat is het deze keer?'

'Ze heeft een longontsteking.' Nu ik het zo zeg, wordt het opeens reëler en ik krijg een enorme brok in mijn keel.

'Je meent het?' zegt ze weer, met verveelde stem.

'Ik moet bij haar zijn.'

'Ze is nogal ziekelijk, hè, je oma?'

'Dus ik kan niet komen.'

'Oké!' zegt ze op dreigende toon en ze hangt op.

Ik druk op 'Verbinding verbreken'. Werk is van later zorg.

In de ochtend is het druk op de afdeling. De gordijnen bij de bedden zijn weggetrokken en de verpleegsters van de nacht- ploeg maken plaats voor die van de dagploeg. Ik vraag me af hoe het met de sarcofaagman gaat en zie dat ze zijn bed aan het afhalen zijn. Reggie zit aan Nana's bed met haar hand in de zij- ne. Ik blijf even achter hem staan.

'Ik dacht erover om de rododendron te snoeien, maar ik heb het niet gedaan. Ik weet dat je die bloemen zo mooi vindt, lief- je.' Hij streelt de rug van haar hand met zijn grote ruwe klauw, en dan begint hij te zingen: '*La la la la la... exchanging glances... hmm hmm, what were the chances...* Die kat die je steeds te eten geeft was er vanochtend weer. Hij keek alsof hij zijn laatste oor- tje versnoept had.... Als hij er straks nog is, zal ik hem wat ge- ven.'

'Ze kan je niet horen, weet je,' zeg ik luid.

'O, hallo Viv.' Hij kijkt op van onder zijn borstelige wenk- brauwen. 'Ik weet het niet... ik geloof dat het me helpt om te denken dat ze het misschien toch hoort.' Zijn tanden zijn nico- tinegeel. Ik loop naar het bed, trek de dekens omhoog en zet bloemen neer. Ik kus haar op de wang; haar huid is droog en warm.

'Hoe lang ben je hier al?'

'Ongeveer een uur.'

'Nou, je kunt wel gaan als je wilt. Ik ben er nu.'

Er glijdt een schaduw over zijn gezicht en hij kijkt naar Nana. 'Nee, ik denk dat ik nog even blijf.' Hij glimlacht. 'Ik heb beloofd bij haar te blijven. Ze heeft een hekel aan ziekenhuizen.'

'Ja, ik weet het.' Ik ga dicht bij hem staan. 'Dan haal ik nog een stoel.' Ik hoor hem weer neuriën als ik over de afdeling loop. Waarom begrijpt hij niet dat ik met haar alleen wil zijn? Ik sleep de stoel naar de andere kant van het bed, pak haar hand en druk er een zoen op. 'Is de arts al langs geweest?'

'Nog niet.' Hij glimlacht even verdrietig, alsof ik de indringer ben.

'Waarom heb je de dokter niet laten komen voordat ze zo ziek werd?'

'Ach... dat wilde ze niet.'

'Je had haar moeten dwingen,' mompel ik, terwijl ik met gefronst voorhoofd naar het paars rondom de infuusnaald kijk.

Hij glimlacht weer. 'Je weet best dat je Eve nergens toe kunt dwingen.'

'Overhalen dan, of zoiets. Ik weet het niet. Maar ze hoort hier niet te liggen.'

'Je hebt gelijk.' Hij wrijft met zijn stompe duim over haar pols en kust haar hand. Plotseling wil ik hem wegslaan. Ik moet degene zijn die op haar past.

'Zeg eens, Reg: hadden jij en mijn oma al iets met elkaar toen opa nog leefde?'

Hij leunt achterover en zuigt lucht naar binnen. Goed zo, een reactie. 'Ik heb altijd van haar gehouden, Viv. Sinds de eerste dag dat ik haar zag.'

'Ja... maar dat was niet mijn vraag.'

'Ze hield van je opa.'

'Maar hij was vaak weg, hè? Maakte dat het gemakkelijker voor je? Wachtte je tot jouw Alice weg was, of maakte dat niet uit?'

Bij zijn slaap verschijnt een klein, kloppend adertje. 'Dit is niet het moment, Viv,' fluistert hij bijna.

'Volgens mij is dit het perfecte moment. Je zit daar alsof ze de liefde van je leven is!'

Het beademingsapparaat sist. Iemand op de zaal hoest vocht op.

'Dat was ze ook... is ze ook. We hadden het over trouwen voordat dit gebeurde.'

'Jezus! Dat slaat echt alles! Waarom?' Ik moet bijna lachen.

Met zijn waterige ogen kijkt hij verlangend naar haar. 'Nou, Vivienne, als je dat moet vragen, heb je nooit van iemand gehouden,' zegt hij zacht. 'Je hebt geen idee.' Hij schudt zijn hoofd en staat op. 'Je hebt geen idee.' Hij loopt weg.

Nu heb ik wat ik wilde. Ik ben alleen met Nana, maar die vervelende kerel heeft me een rotgevoel bezorgd. Trouwen! Dat zou ze me wel hebben verteld. In een poging het holle gevoel te laten verdwijnen, sta ik op en borstel Nana's haar een beetje. Het is vettig. Ik wil het graag voor haar wassen. Ik kijk naar haar kale wimpers en besluit wat make-up voor haar te kopen voor als ze bijkomt. Als ik de dekens rechttrek en er een druppel in haar nek valt, besef ik dat ik huil.

Ik weet wel wat liefde is. Ik weet hoe het voelt om van iemand te houden en hoe het voelt om te denken dat je diegene kwijtraakt.

Later dool ik door de gangen en volg mijn neus naar de ziekenhuiskantine. Misschien moet ik maar even iets eten. Het warme voedsel ligt kleurloos en ellendig te zweten. Overal zijn mensen die soep morsen en met dienbladen schuiven. Je zou verwachten dat een ziekenhuiskantine iets vrolijker zou worden ingericht. Hij zou oranje moeten zijn en vol moeten liggen met verse, gezonde etenswaren. Je zou een gratis glas tarwegras moeten krijgen bij iedere alfalfawrap.

Ik neem koffie en een witte sandwich die krult aan de randen, zoek een stoel aan een leeg tafeltje en bel nog een keer naar Max. Weer luister ik naar zijn voicemail. De derde keer spreek ik een bericht in.

'Hoi Max, met mij. Ik neem aan dat je niet met me wilt praten – dat soort dingen heb ik altijd heel snel door. Maar ik vroeg me af of je me de kans zou willen geven om het uit te leggen. Bovendien zijn er wat dingen gebeurd en... nou ja, ik heb een vriend nodig en jij bent mijn beste vriend. Ik ga ervan uit dat je die functie nog steeds wilt vervullen? Ha ha, eh... Alsjeblieft, Max, bel me.'

Als ik de telefoon dichtklap trekt iets mijn aandacht, als een zwaan in een vijver vol eenden: een okergele jurk met een mooie snit, lange, bruine armen en benen, en glanzend haar. Ze wacht bij de kassa en zwiept met haar haar als ze zich omdraait. Robs ex-vriendin, Sam.

O, shit. Ik kijk naar de tafel in de hoop dat ze me niet heeft gezien, maar uit mijn ooghoek zie ik dat ze naar me toe komt, trippelend op haar chique sandalen. Ze laat een spoor van betovering achter en veroorzaakt een rozerode gloed op de wangen van de halfdoden die haar met hun blik volgen. Het zou me niet verbazen als ze werd gevolgd door een zwerm zangvogels en een roedel Bambi's. Ik bestudeer het etiket van de sandwich en luister naar haar hakken. Klik, klik, klik. Loop maar gewoon voorbij, schat! Ze staat stil; ik wacht.

'Vivienne, toch?'

Ik zet mijn gezicht op aangename verrassing en kijk op. 'Hallo?' zeg ik vragend. Alsof ik me haar niet zou herinneren!

'Ik ben Sam. We hebben Rob Waters met elkaar gemeen. We zijn allebei exen van hem.'

'O ja! Behalve dat ik dat niet ben... Wij zijn weer bij elkaar.' Tjonge, dit voelt goed! Ik geniet van het kleine rimpeltje dat tussen haar wenkbrauwen verschijnt. 'Ja, ik denk dat hij zich eindelijk heeft gerealiseerd dat hij niet zonder mij kon leven... Waarschijnlijk had hij een echte vrouw nodig, dus...' Waarom, waarom, waarom draag ik de verlovingsring niet?

'Is dat zo?'

'Hmm-hmm. Zie je, in zekere zin zijn we nooit echt uit elkaar geweest. Maar ik vind het heel vervelend voor je dat het tussen jullie is misgelopen.' Ik glimlach meelevend.

'Dat is niet nodig,' zegt ze. 'Ik weet niet wat hij je heeft verteld, maar ik heb het vorige maand met Rob uitgemaakt.' Ze zet haar eiersalade neer en inspecteert een van haar volmaakte nagels. 'Hij was er kapot van, arme ziel, maar weet je, ik ben als een blok voor mijn gynaecoloog gevallen.' Ze gebaart naar de toonbank van de kantine waar een mooie man in doktersjas staat. Zijn huid is volmaakt blauwzwart, alsof hij uit ebbenhout is gesneden.

'O.'

'Wat grappig dat ik je nou net in dit verschrikkelijke gebouw tegenkom. Het is een opleidingsziekenhuis en Troy geeft hier vanochtend een lezing. Daarna gaan we een lang weekend naar Frankrijk.'

'O. Troy.' Waarom dondert ze nu niet op?

'En ik had je nog willen vertellen dat Rob de grootste klootzak is die ik ooit heb ontmoet, maar dat kan ik dan maar beter niet doen. Te bedenken dat hij altijd wilde dat ik hem bedankte als hij me mee uit eten nam!' Ze giechelt als een tinkelend kristallen klokje. De dokter komt naar ons toe. Iedere beweging die hij maakt ademt seks. Zijn glimlach is oogverblindend. Hij slaat een arm om haar heen, zijn donkere hand verschijnt op haar heup en plotseling stel ik me voor dat ze seks hebben. Het ziet er prachtig en erotisch en exotisch en zo uit.

'Hallo.' Zijn stem is zo mooi dat ik wilde dat ik een opname had waarop hij mijn naam zegt.

'Hoi.' Ik zwaai even en probeer nonchalant te doen, maar ik bloos tot aan mijn haarwortels. Ze neemt niet de moeite ons aan elkaar voor te stellen, kijkt me alleen maar met een glimlach aan en pakt haar salade.

'En, nog iets, die ketting die je om hebt? Die had Rob aan mij gegeven. Ik kon het niet over mijn hart verkrijgen om hem te houden, dus ik heb hem teruggegeven toen ik wegging. Maar hij staat je goed.' Ik raak de diamanten hanger aan als ze de hoek om lopen: twee volmaakte, verliefde mensen.

'Trut!' sis ik. Mijn hersenen draaien op volle toeren. Ik heb het gevoel dat er iets op mijn luchtpijp drukt. Zij heeft het uitgemaakt met Rob! Dus hij was opeens alleen en dacht dat hij wel met hangende pootjes bij mij terug kon komen met zijn 'ik kan niet zonder je' en 'ik ben altijd aan je blijven denken'. Ik durf te wedden dat ze allang is verhuisd en dat hij haar als excuus gebruikt om mijn leven binnen te dringen. Het ergste is dat ik hem geloofde. Weer heeft hij me voor schut gezet. Ik doe de ketting af en overweeg hem weg te gooien, maar dit is geen film. Ik kan niet zomaar goeie sieraden weggooien. De gedachte aan Rob maakt me misselijk.

Maar wacht even. Stel dat ze liegt? God, wat ben ik snel in het veroordelen van Rob! Natuurlijk liegt ze. Ze zou liever doodgaan dan toegeven dat ik gewonnen heb. Ik heb de man die ze wilde en dat kan ze niet verdragen. Ha! Even voel ik triomf, maar dan zie ik Rob naast dokter Adonis staan en ben ik er niet meer zo zeker van.

Ik trek het zachte brood van mijn sandwich los van de korst. Als ik moest wedden, zou ik zeggen dat Rob hier de leugenaar is. Die kans is het grootst. Maar maakt het echt uit wie wie de bons heeft gegeven? We zitten niet op de kleuterschool. Hij is teruggekomen, dat is wat ik wilde, en zoals hij al zei, met hem aan mijn zijde hoef ik me geen zorgen te maken over mijn baan. Ik kan doen wat ik wil. Ik zou vaker bij Nana kunnen zijn. Rob en ik gaan trouwen. Dat is toch wat ik wilde? Hij zei dat we snel zouden gaan trouwen. Maar niet zoals de vorige keer – nee, het moet een kleine, stijlvol feest worden. Waarschijnlijk ben ik dan al zwanger. Waarschijnlijk hoef ik me nooit meer zorgen te maken over geld. Ik zou net als die yuppiemoeders in Chelsea zijn, die vrouwen met diamanten oorbellen die de hele Starbucks in beslag nemen met hun Bugaboo's. Nou, dat misschien niet, maar mijn baby zou niets tekortkomen.

Ik probeer me een baby voor te stellen met Robs mooie blauwe ogen, maar het lukt niet helemaal. Ik leg mijn hoofd op de tafel.

Ik loop door Ierse velden met het kind van Max in een draag-doek van schapenvel. Hij is mooi, heeft een bruine huid, kuiltjes als hij lacht en het slordige haar van zijn vader...

Het volgende moment schudt Reg me wakker.

Ik dacht altijd dat alle artsen sexy waren omdat ze heldhaftige heelmeesters zijn, maar deze, met zijn rode, geaderde neus en zijn stuitende koffieadem, en ook zijn assistent, met de afhan-gende schouders en trillende vingers, vormen de uitzondering op de regel. Ze praten over Nana alsof ze een verschrikkelijk geheim hebben en ons aanwijzingen geven zodat we het kun-nen raden. Ze hebben het over bloedonderzoeken en pleurale effusie.

'Wat proberen jullie ons nou eigenlijk te vertellen?' val ik ze in de rede.

'Nou, we zeggen niet graag "bereid je voor op het ergste", maar we onderzoeken op dit moment of ze bloedvergiftiging heeft.'

'Gaat ze dood?'

'Bloedvergiftiging is een complicatie die vaak voorkomt bij ouderen met een longontsteking en die verantwoordelijk is voor ongeveer tachtig procent van de sterfgevallen...' De assistent ci-teert uit zijn handboek.

'Gaat ze dood?'

'Dat kunnen we nu nog niet zeggen. Maar misschien is er een bloedtransfusie nodig en daar hebben we schriftelijke toe-stemming voor nodig.'

'Nou, als u denkt dat het nodig is, dokter,' zegt Reg met ge-broken stem en hij strekt zijn hand uit naar de pen.

'Ik ben haar naaste verwante,' snauw ik tegen hem. 'Hoe be-doelt u "dat kunnen we nu nog niet zeggen"?'

'Mevrouw Summers, uw grootmoeder is ernstig ziek. De ko-mende paar dagen zijn cruciaal.'

'Maar tegenwoordig ga je toch niet meer dood door een longontsteking? Jullie doen vast iets verkeerd.' Ze wisselen een blik uit die zegt: we hebben er weer een. 'Luister, ik heb het op internet opgezocht. Ik weet hoe het zit.'

'Mevrouw Summers, ik heb het ook op internet opgezocht, en bovendien heb ik zeven jaar medicijnen gestudeerd en ben ik al tien jaar arts. U kunt ervan verzekerd zijn dat we doen wat we kunnen. We houden u op de hoogte,' zegt de dokter met de rode neus, en daarmee verdwijnen ze als geesten in het niets.

Reg zit daar met tranen in zijn ogen nutteloos te zijn. Ik kijk naar Nana. Haar gezicht is blauwachtig bleek, zelfs haar oogleden. Ik leg mijn wang tegen de hare en fluister in haar haar.

'Houd vol,' zeg ik. 'Ga niet weg, Nana. Je moet hier blijven. Ik heb je zo nodig.' Ik knipper geen tranen weg. Ik probeer haar met mijn geest beter te maken. Nog geen week geleden vond ik het vanzelfsprekend dat ze er altijd was.

Ik voel de hand van Reg op mijn schouder. 'Het komt wel goed,' zegt hij. 'Ze gaat heus niet weg. Dat verbieden we haar, toch?' Hij trekt me tegen zijn borst. Zijn overhemd ruikt naar zeep en zijn hart klopt warm. 'Het komt goed.'

Zijn hand wrijft over mijn rug en ik wil tegen hem aan leunen en mijn tranen laten stromen, maar in plaats daarvan verstijf ik en maak ik me los. 'Het gaat wel. Ik geloof dat ik alleen even wat frisse lucht nodig heb.'

'Viv, is er iemand die een beetje voor je kan zorgen?' Met zijn hondenogen kijkt hij me bezorgd aan.

'Ik ben een volwassen vrouw, Reg. Ik heb niemand nodig om voor me te zorgen,' snuif ik. Wat ouderwets. Iemand voor me laten zorgen! Ik loop met ferme pas weg, mijn verdriet achter me aan wapperend als een open jas.

Buiten daalt een vochtige avond neer over de buitenwijken, met donkere wolken die bol staan van de regen. De straat ruikt er al naar. Ik loop richting het station – het doet me geen goed om in het ziekenhuis te zitten met Reg als mijn schaduw. Nee, ik moet even weg. Ik moet nadenken. Ik weet dat ik Nana de laatste tijd heb verwaarloosd. Ik bedoel, Rob had geen enkele belangstelling voor haar en nadat wij uit elkaar gingen werd ik opgeslokt door verdriet. Ik heb veel nagedacht over de website. Ik heb liefdesverdriet tot een soort project gemaakt: ik heb het onderzocht, erover geschreven, erin gezwolgen. Ik heb geprobeerd het algemener te maken – grappiger zelfs. Maar dat is nou net de aard van liefdesverdriet. Het is uniek voor degene die eraan lijdt; iedereen ervaart de pijn anders. Het is iets persoonlijks.

Nu is er een kans dat ik Nana kwijtraak. Nu weet ik hoe het echt voelt, en er dringt een kilte mijn hart binnen die zich daar nestelt als een dikke mist. Alles loopt verkeerd en ik heb het akelige gevoel dat het allemaal mijn schuld is. Ik weet niet precies hoe ik het voor elkaar heb gekregen, maar het lijkt erop dat ik alles wat goed was heb verwoest. Ik wil Max zien. Had ik maar een vriend of een goede baan of iets anders van betekenis. Ik ben ergens naar op zoek en het enige echte wat ik heb is dat ik ga trouwen.

Maar ik ga tróúwen! Ik hoef me niet zielig te voelen. Ik ga trouwen! Dat is wat ik wilde. Ook al had ik niet gedacht dat het zo zou voelen. Het is alsof ik mijn hele leven heb opgeofferd om die ene wens uit te laten komen. En nu heb ik dat lege gevoel dat je krijgt als je ontdekt dat iets duurs waarvoor je hebt gespaard nu voor een spotprijs in de uitverkoop ligt. Ik sleep mezelf voort en terwijl deze gedachten door mijn hoofd gaan, voel ik me steeds slechter.

Maar eigenlijk mag ik die sombere gevoelens niet toelaten – ik moet meer vertrouwen hebben. Ik ga trouwen. Ik houd echt van Rob. Nana wordt beter, heus. Max vergeeft het me en Lucy ook. Ik zal beter mijn best doen op het werk, ik zal promotie krijgen of zo, en alles zal goed komen. Het moet gewoon. Het móét.

Uit de huizen bij het station komen kookluchtjes. Ik kijk een tuin in waar twee kinderen uit hun opblaasbadje stappen en over een dorstig gazon rennen, waarbij stukjes gras aan hun benen blijven plakken. Ik sta even stil om te kijken. Hun moeder ziet mijn blik en glimlacht hoofdschuddend terwijl ze zich bukt om speelgoed op te rapen. Misschien denkt ze dat ik ook een moeder ben en dat ik weet hoe het is om spullen achter je kinderen op te ruimen. Ik zie eruit alsof ik het zou moeten weten, maar opeens doemt er een afschuwelijke waarheid op: ik ben mijlenver verwijderd van het moederschap en een huwelijk met Rob zou die afstand alleen maar nog groter maken... Ik zou de hele tijd bezig zijn de relatie in stand te houden en voor hem te zorgen. Mijn god! En als kinderen krijgen het enige is wat ik ooit heb gewild?

Terug in Londen zakt mijn humeur nog verder terwijl het eindelijk begint te regenen. Dikke druppels spatten op het trottoir en binnen een paar seconden is alles nat. Bij Victoria Station stap ik in een bus, alleen maar om even te kunnen zitten en na te denken. Oké, tijd om mijn grootste angst onder ogen te zien. Stel dat ze doodgaat. Mijn lieve, vriendelijke, grappige Nana. Dan moet ik me zien te verzoenen met het feit dat ik haar aanwezigheid al die keren als vanzelfsprekend heb gezien, al die keren dat ik onaardig tegen haar ben geweest of dat ik me voor haar heb geschaamd. Ik zal haar nooit meer kunnen vertellen dat ik van haar houd, nooit meer haar glimlach kunnen zien. Ze kan toch niet zomaar doodgaan? Niet mijn Nana! Ik voel een snik opwellen en draai me naar het raam om starende blikken te vermijden. Ik wrijf een klein rondje schoon in de condens op het raam zodat ik naar buiten kan kijken en veeg mijn ogen af. De bus rijdt langs de pleinen van Victoria met hun grote witte huizen en gaat vervolgens naar Hyde Park. Als ze wakker wordt zal ik een betere kleindochter zijn. Ik zal vaker op bezoek gaan. Aardiger zijn.

We rijden weg bij Green Park Station, waar een zwerver in een natte zak zit. De forenzen lopen met een boog om zijn hoed heen. Wat is Londen toch een harteloze stad. Als je niet sterk bent red je het niet. Ik haal haperend adem en snuit mijn neus. Ik moet me vermannen en ophouden met huilen. We zitten vast in het verkeer en rijden nu langzaam over Piccadilly. Winkeletalages glijden voorbij. We komen langs de kunstacademie en zetten koers naar Piccadilly Circus.

De kunstacademie! Ik spring overeind en druk panisch op het knopje, maar de bus rijdt door naar de volgende halte. Ik ren de regen in en bijna meteen plakt mijn haar tegen mijn gezicht. Mijn jurk raakt doorweekt, mijn laarzen worden donker. Ik ren terug naar de galerie en duw de mensen op mijn pad opzij; koud water van een passerende paraplu stroomt in mijn nek. Als ik zijn schilderijen zie, zal ik me dichter bij hem voelen – en stel dat hij er zelf is! Het zou kunnen. Misschien wipt hij even binnen om te zien of er iets is verkocht of zo en dan komen we elkaar tegen en... dan ziet hij dat ik hem nodig heb. Ik loop naar de ingang, wring het water uit mijn haar en probeer me voor te stellen dat Max daarbinnen is. Er slenteren groepjes toeristen rond. Opeens ben ik ervan overtuigd dat als ik naar de zaal ga waar ik hem het laatst heb gezien, hij daar op me staat te wachten, als in een film.

Mijn voeten slippen en piepen in het natte leer. Ik geloof dat ik de zaal heb gevonden. Als ik om me heen kijk valt mijn blik op iets wat me bekend voorkomt. Ik kijk nog een keer. Lula. Mijn hart doet pijn bij de herinnering aan die keer dat ik haar in de studio van Max zag. Ik ga dicht bij het schilderij staan, bestudeer de penseelstreken, zie zijn handen voor me. Op een kaartje naast het doek staat: *Jaloezie, olie en acryl. Max Kelly.* Ze is nog steeds adembenemend mooi, zelfs in een ruimte vol schitterende kunst. Een stickertje vertelt dat het schilderij verkocht is. Ik ben blij voor hem en laat mijn vinger over zijn naam glijden: Max Kelly. Slimme, getalenteerde, sexy Max Kelly. Dan zie ik nog een schilderij en opeens kijk ik naar mijn eigen gezicht. Ik zie mezelf op de dag na Janes bruiloft, met het Arsenal-t-shirt aan.

Ik lig in een rare kronkel in de stoel en zie er afstandelijk mooi en koel uit, met slordig haar en uitgelopen make-up om mijn ogen. Maar hij heeft lichtjes in mijn ogen geschilderd, zodat het lijkt of ik op het punt sta in lachen uit te barsten. Ik ben blij verrast: ik wilde dat ik er zo uitzag. Stel je voor dat ik er echt zo uitzag. Zo zou ik er altijd wel uit willen zien. Ik sta stil, kijk naar mijn gezicht en bestudeer mijn ogen, en opeens heb ik hoop. Hij heeft me geschilderd zoals hij me ziet. Zo voel ik me als ik bij hem ben. Hij heeft het *Liefde* genoemd. In de stilte van de galerie staar ik naar dit schilderij van mezelf, terwijl de druppels op de vloer vallen. Ik kan nauwelijks ademhalen. Ik kijk nog een keer en nog een keer, naar de voeten, het haar, de plooien van de rode stof. Het is alsof Max het waakvlammetje in mijn hart heeft aangestoken. Ik staar naar het schilderij. Er lopen mensen voorbij. De regen stopt. Alles valt op zijn plaats.

25

Hoe zeg je dat het je spijt

1. *Wees er zeker van dat je echt spijt hebt. Bied nooit je excuses aan als je het niet meent.*
2. *Bied je verontschuldigingen in levenden lijve aan.*
3. *Neem de volle verantwoordelijkheid voor je daden. Verwijt de ander niets en verzin geen smoezen voor jezelf.*
4. *Verwacht niet dat de ander ook zijn/haar excuses aanbiedt of je vergeeft.*
5. *Als je zegt: 'Het spijt me, maar...', of 'Ik vind het heel erg dat je er zo over denkt...', dan spijt het je niet echt.*
6. *Door een oprechte verontschuldiging zullen jij en de ander zich beter voelen.*

Ik ga mijn huis binnen en laat de deur achter me dichtvallen. 'Hallo?' roep ik voor de zekerheid. Geen antwoord. Ik stroop mijn natte kleren af, stap onder de douche en laat het hete water op mijn schouders trommelen. Ik leg mijn hoofd achterover en was mijn haar. De badkamer vult zich met stoom. Ik strek mijn nek uit, til mijn armen op en draai me om onder de waterstraal, denkend aan het schilderij. Als ik zo kan zijn, zoals die geamuseerde, sexy vrouw op dat schilderij, dan is er hoop. Die vrouw bevalt me wel. Zo wil ik de rest van mijn leven zijn, en de kunstenaar is degene die daarvoor kan zorgen. Als een man een vrouw zo afbeeldt, is het ondenkbaar dat hij haar vervolgens in de steek laat. Ik zal hem vinden.

Maar eerst moet ik van Rob af zien te komen. Jawel! Ik voel een klein beetje medelijden, dus laat ik in mijn hoofd wat oud zeer de revue passeren – dat hij nooit bloemen voor me kocht, nooit voor me heeft gekookt, me nooit een massage heeft gegeven... of een echt orgasme, nu ik er nog eens over nadenk. Hij doet altijd alsof ik blij mag zijn dat ik hem ken, en ik geloofde dat dat waar was. De douchekop druipt na als ik de kraan dichtdraai. Ik stap uit de douchecabine, wikkel me in handdoeken en wrijf de condens van de spiegel. Ik kijk mezelf aan en ben volkomen kalm. Ik trek een spijkerbroek en een zwarte tuniek aan en kam mijn haar. Ik haal de zwarte eyeliner uit mijn make-uptasje. Die geeft je een krachtige uitstraling, heb ik ergens gelezen. Ik ben net bezig met een tweede laagje mascara als ik zijn sleutel in het slot hoor. Ik realiseer me dat ik de hele tijd gespannen op dit moment heb gewacht.

'Konijntje! Ben je thuis?'

'Hier.'

Hij leunt tegen de deurpost, houdt zijn hoofd schuin en kijkt me aan met die blik vol met wat hij onder medeleven verstaat.

'Hoe was je dag?' vraagt hij.

'Ik heb de hele dag in het ziekenhuis gezeten, dus hoe denk je?'

'O...ké.' Hij trekt zijn jasje uit en zet een paar stappen in de richting van de keuken.

'Ik kwam daar een vriendin van je tegen,' zeg ik. Hij draait zich om.

'O ja?'

'Ja. Sam.' Hij kijkt me onbewogen aan. 'Je weet wel, Sam. De vrouw met wie je zou trouwen?'

'O.' Hij kijkt me argwanend aan. 'Heb je haar gesproken?'

'We hebben even gekletst.'

'Hmm. Wat zei ze?'

'O, ze gaf hoog van je op.' Hij lijkt opgelucht en verbaasd tegelijkertijd, en begint aan zijn haar te frunniken. 'Zij heeft het met jou uitgemaakt, hè?' Via de spiegel kijk ik hem aan. 'Ze heeft iemand anders leren kennen.' Hij staart naar zijn voeten en tikt met de ene brogue tegen de andere. Ik kijk weer naar mijn eigen spiegelbeeld en doe lippenstift op.

'Zei ze dat?'

'Is het waar?' Ik kijk naar hem en het lijkt of zijn voorhoofd transparant is en ik het radermechaniek van zijn leugens aan het werk kan zien. Lucy heeft gelijk, hij is echt onnozel.

Hij wrijft over het puntje van zijn neus. 'Nou, niet helemaal, ik...'

'Weet je, leg het maar liever niet uit. Ik wil het niet weten.'

'Ik geloof dat ze hem leerde kennen vlak voordat wij problemen kregen, maar ik wist niet dat ze mij voor hem heeft verlaten.'

'Ach, wat maakt het uit, Rob?' Ik loop naar de kledingkast en zoek de schoenen met de hoogste hakken. 'Ik geloof toch niet meer wat je zegt. Bijna was ik erin getrapt. Ik was bereid te geloven dat je me terug wilde, dat je haar voor mij had verlaten...'

'Ik...'

'Niet te geloven dat ik echt dacht dat je van me hield en met me wilde trouwen en zelfs kinderen wilde krijgen!' Ik hoor een lichte hapering in mijn stem. Doorademen. Houd jezelf in bedwang. Als je gaat huilen geef je hem de kans zich weer naar binnen te wurmen. Hij knijpt zijn ogen tot spleetjes en staart uit het raam. Ik gooi de diamanten ketting op het bed. 'Die heb je voor haar gekocht, hè?'

Hij kijkt van de ketting naar mij, recht in mijn ogen, en knikt. Hij doet niet eens moeite om het te ontkennen. Ik slik mijn ontzetting weg en stap in mijn schoenen. Ik leun tegen het raam en kijk hem aan. Hij staart terug. Het is heel, heel stil.

'Ga je uit of zo?' Hij kijkt naar mijn voeten.

'Ja.' Onze ogen ontmoeten elkaar en tussen ons in gonzen alle onuitgesproken gevoelens en onafgemaakte ruzies. Ik wend mijn blik af. Ik heb niet eens de puf om ruzie te maken.

'Wat wil je dan?' vraagt hij rustig.

'Waarmee?'

'Met ons.'

'Ons? Er is geen ons.' Ik pak mijn handtas. 'Ik geloof dat ik alleen maar wil dat je weggaat.' Hij kijkt naar beneden. Dit loopt helemaal niet zoals ik had verwacht. Ik dacht dat ik een soort Scarlett uit *Gone with the Wind* zou zijn, hooghartig en oppermachtig, maar ik ben alleen maar verdrietig en voel me rot.

'Ik weet dat dit allemaal niet zo best overkomt, maar ik houd wel van je.' Hij pakt de ketting. Zijn ogen glinsteren.

'En dat geloofde ik ook. Maar ik heb net ingezien dat je van niemand houdt behalve van jezelf.'

'Konijntje, dat moet je niet zeggen!' Mijn god, hij huilt! Hij snikt en snottert. Er was een tijd waarin dit waarschijnlijk zou hebben gewerkt, waarin ik zou zijn bezweken. Nu weet ik dat ik weer naar een van zijn uitstekende acteerprestaties zit te kijken. Hij komt naar me toe met zijn armen uitgestrekt, als een peuter. 'Het spijt me!' snuft hij. 'Het spijt me, konijntje! Misschien ben ik niet eerlijk genoeg geweest. Laten we erover praten. Ik houd van jou, jij houdt van mij. We passen bij elkaar.'

'Nee, weet je, we passen helemaal niet bij elkaar.'

'Ik kan veranderen... geloof me.'

'Rob, ik wil niet dat je verandert. Wat je ook doet, het heeft geen zin, het is te laat. Ik houd gewoon niet meer van je.'

Hij brult nu als een kind, schudt zijn hoofd en laat het snot uit zijn neus lopen. Ik zie welk effect ik op hem heb. 'Alsjeblieft, niet doen.'

'Ik ga nu weg,' zeg ik zacht, 'en als ik terug ben wil ik dat je vertrokken bent. Laat je sleutels achter, oké?' De tranen stromen over zijn gezicht. Ik ben een beetje misselijk.

'Konijntje!' Hij wil me vastpakken maar ik ontwijk zijn armen en pak mijn jas.

'Oké?' herhaal ik. Hij knikt langzaam tussen het snikken door. 'Het spijt me,' voeg ik eraan toe. Ik voel me een beetje schuldig. 'Dag, Rob.' Ik draai me om, loop naar buiten en laat de deur achter me dichtvallen.

Ik ren naar het einde van de straat en kijk dan om. Hij komt niet achter me aan en opeens realiseer ik me dat hij nog nooit achter me aan is gekomen na een ruzie. Niet te geloven. Vijf jaar, en nooit is hij achter mij aangekomen. En ik wil me niet rot voelen vanwege hem. Hij heeft het zichzelf aangedaan. Hij heeft de bruiloft afgezegd. Hij heeft al die tijd tegen me gelogen. Ik voel de energie door me heen stromen; eindelijk ben ik vrij, eindelijk ben ik over hem heen, eindelijk is de ban gebroken.

Ik haal diep adem. Ik voel me machtig, ik wil iets roepen. Ik loop langs een Caribische dame en glimlach. Ze glimlacht terug. Ik tril van opluchting. Er komt een taxi de hoek om en in een opwelling besluit ik hem aan te houden. Ik spring erin en de chauffeur keert om en rijdt naar Lucy.

Ze doet de deur op een kiertje, ziet dat ik het ben en stemt haar gezichtsuitdrukking daarop af, maar ze komt wel naar buiten.

'Nou nou, kijk eens wie we daar hebben.'

'Het spijt me,' flap ik eruit. Ze slaat haar armen over elkaar, houdt haar hoofd schuin en luistert. 'Je hebt gelijk, ik ben saai. Ik zit altijd in een crisis en misschien zwelg ik er wel een beetje in.'

'Misschien?' dringt ze aan.

'Niet misschien, zeker. Ik zwelg erin... en ik blijf er maar over doorzeuren.' Ik kijk naar haar, maar er is niets aan haar af te lezen en even krijg ik het afschuwelijke gevoel dat ze me niet zal vergeven. 'Ik ben een slechte vriendin geweest,' zeg ik zachtjes. 'Ik mis je.'

Even is het stil. We staan op haar drempel, kijken elkaar aan, en dan glimlacht ze.

'Nee, het spijt mij. Ík ben een slechte vriendin.'

'Nee, ik. Ik ratel maar door over Rob, tot vervelens toe.'

'Nee, ik heb het altijd over seks.'

'Niet waar! Tenminste, niet altijd.'

'Ach, kom hier.' Ze spreidt haar armen en ik stap in een geparfumeerde omhelzing. 'Wil je mijn nieuws horen?' piept ze in mijn oor.

'Ja.' Ze laat me los.

'Je zult het niet geloven!' piept ze weer.

'Oké, nu kunnen alleen honden je nog horen.'

'Ik ben helemaal van de wereld!'

'Wat is er dan?'

Ze houdt haar linkerhand op en daar fonkelt een diamant. Haar gezicht verstijft in een stille schreeuw, wachtend op mijn reactie. Ik moet een beetje lachen, ze ziet er zo raar uit.

'Lucy! Gefeliciteerd.'

'Reuben mijn seksmaatje wordt Reuben mijn seksechtgenoot!'

'Gefeliciteerd!' Ik omhels haar. 'Dat ik dat nog mag meemaken!'

'Ik weet het!'

'Dit is ongelooflijk nieuws...'

'Hij is hier! Kom mee.' Ze danst door de gang. Ik loop achter haar aan naar de witte keuken. Het is wel een beetje vreemd – ze trouwt met iemand die ik nog nooit heb gezien. Er klinkt salsamuziek en Reuben staat aan het aanrecht cocktails te maken. Hij is klein en heeft smalle, jongensachtige heupen, kort, naar voren gekamd zwart haar, een mooie, lichtbruine huid en blinkende tanden. Ze loopt steels naar hem toe en ze doen een paar salsapasjes, met zijn handen om haar middel. Ik krijg het gevoel dat ik maar beter weg kan gaan. Hij danst naar me toe en ze maken een salsa-sandwich met mij als vulling. Ik voel me ongemakkelijk en belachelijk; ik begrijp niet precies wat er gebeurt. Ik wring me los en ze dansen weg.

'Hé, hoe lang zijn jullie het al aan het vieren?'

'De hele dag!' schreeuwt Lucy.

'Viv. Wil je een caipirinha?' roept hij, terwijl hij jongleert met twee limoenen.

'Oké.' Ik glimlach.

'Kom hier, kom hier.' Lucy trekt me mee naar de woonkamer en duwt me op de bank. 'Sorry voor alles. Ik vond het verschrikkelijk om je zo lang niet te zien. Vertel eens hoe het met je gaat.' Ze knijpt in mijn hand.

'Er is heel veel gebeurd. Mijn oma ligt in het ziekenhuis.'

'O nee! Wat is er aan de hand?'

'Longontsteking.'

'O, Viv, wat erg.'

'Ja, dus dat was nogal... zwaar, maar ik weet zeker dat het goed komt. Ze komt er wel bovenop.' Ik stop met mijn verhaal; ik wil hun feestje niet bederven. Ik pak haar hand. 'Wat een prachtige ring.'

'Mooi hè? Het is echt waanzin dat ik ga trouwen. Maar ik ben zo gelukkig!' schreeuwt ze tegen het plafond, terwijl ze met haar handen op de bank trommelt. Reuben komt binnen met de drankjes. Hij geeft Lucy een kus als hij haar een glas aanreikt. Ik zie een glimp van een tong en kijk weg.

'Vivienne! Ik heb heel veel over je gehoord! Hoe zit het nou met die eikel van een Rob?' zegt hij terwijl hij op zijn knieën op de grond gaat zitten en me mijn drankje geeft.

'Och, dat stelt eigenlijk niks voor...'

'Mooi zo. Schop die klootzak eruit!' Hij heft zijn glas om daarop te drinken. Ik glimlach naar Lucy; ze haalt haar schouders op.

'Weet je wat, Reuben? Je hebt helemaal gelijk! Daar drink ik op.' Ik sla de cocktail in één keer achterover.

'Ga je het uitmaken?' vraagt Lucy hoopvol.

'Heb ik net gedaan. Hij is weg. Verleden tijd.' Ze staren me aan en ik zwaai even. '*Adios*,' voeg ik eraan toe voor Reuben.

'Godzijdank!' brult Lucy. 'Ik haatte die vent!'

'Ik weet het, dat heb je vaak genoeg gezegd.'

'Al die jaren! En jij maar wachten tot hij eindelijk wist wat hij wilde. Dat is niets voor jou, Viv. Je sprankelde niet meer.'

'Nou, ik zal weer sprankelen!' zeg ik met een heroïsche stem.

'Hoera!' roept ze. 'Ik wil dansen. Laten we iets zingen!'

'*Ding dong, de boze heks is dood...*' begin ik, maar ze heeft haar iPod al in haar hand en trekt me mee om te dansen. Het nummer 'Rocket' van Goldfrapp klinkt. We zingen mee met het refrein en Reuben klapt in de maat.

'Ze wil nog wat drinken,' roept Lucy.

'*Amor*, maak je geen zorgen, ik heb twee kannen gemaakt.'

Salsa is een geweldige dans. Je schuifelt wat met je voeten, wiegt met je heupen en klaar is Kees! Reuben is een fantastische leraar. Lucy deed een soort salsapaaldans zonder paal en hij filmde haar. Toen bedacht ik dat ik de paal was en filmde hij ons allebei. Nu ben ik zelf niet van de triootjes, maar als ik dat wel was, dan had ik het slechter kunnen treffen dan met deze twee. Ik denk dat ik ze dat nu maar eens ga vertellen. Ik trek door en stoot een boeketje droogbloemen omver. Het valt in de pot. Ik probeer het door te spoelen, maar het verschijnt steeds weer aan de oppervlakte, als een verschrompelde hand.

Als ik de woonkamer binnenkom hebben ze de muziek zachter gezet. Ik ga naast hen op de bank zitten. Reuben is een heel erg leuke man. Hij streelt Lucy's knie en – hé, hallo! – ook de mijne.

'En wanneer gaan jullie het doen?' vraag ik.

'We doen het al de hele dag,' grapt Reuben.

Ik geef hem een klap op zijn been. 'Trouwen!' Tjonge, wat is hij grappig.

'Volgende maand,' zegt hij. 'Voor het einde van de zomer.'

'We willen seks als thema,' zegt Lucy. 'Ik dacht aan een witte tutu, een korset en witte netkousen.'

'Leuk. Chic.'

'En voor mij niets anders dan een strikje en een glimlach,' zegt Reuben.

Het is even stil als we het ons inbeelden. Ik moet zeggen dat het er niet slecht uitziet.

'Misschien moet je een sokje om je lul doen?' oppert Lucy.

'Of een broek aandoen?' zeg ik.

'Ja, doe een broek aan, Reub,' zegt Lucy instemmend.

'Oké. Hotpants.' Hij knijpt in mijn knie. 'En voor jou ook hotpants.'

'Ik? Nee. Dat staat me niet.'

'Witte hotpants en laarzen voor Viv!' lacht Lucy.

'Over mijn lijk. Je hebt trouwens niets te vertellen over wat je gasten aantrekken.'

'Maar Viv, jij bent niet zomaar een gast. Ik had je dit eerder willen vragen, maar... ik heb je een tijdje niet gezien.' Ze gaat abrupt rechtop zitten en kijkt mij aan door haar oogharen. 'Viv, je bent al die jaren zo'n goede vriendin voor me geweest...'

'Wat lief van je. En jij bent ook een goede vriendin voor mij geweest.' Ik pak haar hand.

'Vivienne Summers, je hebt me door dik en dun gesteund,' zegt ze plechtig.

'We hebben niet zoveel dunnen gehad,' antwoord ik.

'Nou, die keer dat je er met Julie vandoor ging...'

'O ja... En dat gedoe in Spanje toen we bijna het land uit werden gezet doordat we met iemand anders werden verward.'

'Hé, houd je kop, ik ben aan het speechen! Wat ik wil zeggen is dat je een trouwe vriendin bent...'

'Als een hond,' draagt Reuben bij.

'Ja, als een heel, heel, heel trouwe hond.' Ze glimlacht naar Reuben. 'Dus wil ik je vragen om mijn bruidsmeisje te zijn... nou ja, mijn bruidsvrouw.'

'Of bruidshond!' roept Reuben uit.

'Ja, Reub, stil maar... Nou, Viv? Alsjeblieft?' Ze snuft en krijgt vochtige ogen.

'Luce, ik zou het een eer vinden om je bruidsmeisje te zijn.' Ik krijg een brok in mijn keel en sla mijn armen om haar heen.

'Ik houd van je,' fluistert ze in mijn haar.

'Mooi! Laten we toosten,' gilt Reuben terwijl hij opspringt. 'Op goede vrienden!'

Ik denk aan Max. Als ik mijn ogen dichtdoe en mijn cocktail opdrink zie ik zijn gezicht.

'Op goede vrienden,' zeg ik.

En op Max, dat ik hem maar snel mag vinden.

26

Gedicht van de dag

Vereniging van poëziebewonderaars

O Max, ach wist je maar
Wat een leugen is en wat waar
Dan kwam je meteen,
Sloeg je je arm om me heen,
Want, verdomme Max, wij horen bij elkaar.

Vivienne Summers

Het is na middernacht en ik weet dat het er een beetje vreemd
uitziet, zoals ik hier om Max' huis heen sluip, maar hij reageert
niet op mijn mails en telefoontjes en ik weet geen andere manier. Zou je dit stalken kunnen noemen?
Ik kijk naar het raam: geen licht. Ik kijk naar het trottoir:
geen motor. Ik wieg heen en weer in de nachtelijke bries en
staar omhoog als een soort Romeo. Ik gooi een kiezelsteen; hij
mist het raam, maar er slaat wel een hond aan. 'Waar ben je verdomme?' mompel ik, en ik luister alsof ik een antwoord verwacht. Ik herken de dreun van 'Disco Inferno' uit de nachtclub
om de hoek. Er klinkt gekletter als er in de buurt van de vuilnisbakken een blikje valt. Ik schrik ervan, draai me snel om en tuur
door de duisternis met het griezelige gevoel dat er iemand is.
'Hallo?' Alle horrorfilms die ik ooit heb gezien komen in mijn

hoofd samen tot ik zeker weet dat een pop dan wel vogelverschrikker met messen in plaats van vingers plotseling in het licht opdoemt. Ik luister met gespitste oren en hoor een hoog, raspend gepiep; er beweegt iets. Net als ik weg wil rennen, schreeuwend dat er horrorclowns in het riool zitten, komt er een kat trippelend tevoorschijn, zijn staart kaarsrecht omhoog. Hij loopt op mijn benen af en weeft zich er als een lint tussendoor. Ik leg opgelucht mijn hand tegen mijn borst, deels om mezelf te kalmeren en deels omdat ze dat in griezelfilms nou eenmaal doen. 'Dave!' Ik buk me, kriebel hem in zijn nek en voel zijn speedbootachtige gesnor. Ik pak hem op en hij hangt over mijn arm met de ogen halfgesloten en bungelende poten. 'Arme, kleine Dave. Arme kat. Heeft hij je gewoon achtergelaten!' De voordeur gaat open en een rechthoek van licht omlijst een vrouw in een Minnie Mouse-nachthemd. Dave spartelt tot ik hem loslaat en schiet tussen haar enkels door. De vrouw kijkt even naar mij en wil dan de deur dichtdoen.

'Eh, hallo, neem me niet kwalijk.' Ik loop naar voren; ze houdt de deur op een kiertje. 'Hoi, ik ben op zoek naar Max Kelly. Ik vroeg me af of u weet waar hij is... Dat is zijn kat...'

'Pff, wie is er niet op zoek naar Max Kelly!'

'Hoezo? Kent u hem?'

'Hij vroeg mij of ik op zijn kat wilde passen, gaf me een paar honderd pond en zei dat hij een tijdje wegging.'

'En hij zei niet waar naartoe?'

'Nee. Als ik wist waar hij zit, zou ik die rotkat naar hem toe sturen. Ik word gek van dat beest.'

'Wanneer is hij vertrokken?'

'Is hij je soms geld schuldig?'

'Nee, het is een vriend van me.' Ik zie een krab van Dave op mijn arm, een stippellijn van bloedrode speldenprikjes.

'Hij is woensdag vertrokken. Hé, als jij een vriendin van hem bent, kun jij die kat dan niet nemen?'

Datum: 8 augustus, 01:07
Van: Vivienne Summers
Aan: Max Kelly
Onderwerp: [Geen]

Dus je bent vertrokken. Dramatisch hoor. Wanneer kom je terug? Liefs van Dave.

Datum: 9 augustus, 14:22
Van: Vivienne Summers
Aan: Max Kelly
Onderwerp: Re:

Max,
Dat doodzwijgen heeft nu wel lang genoeg geduurd. Hoe kunnen dit oplossen? Het is voor mij absoluut en volkomen onvoorstelbaar dat wij geen vrienden meer zijn.
V x
PS Hierbij mijn fotoalbum van ons. Vooral de afstudeerfoto's zijn mooi. Wat had je met je haar gedaan? En dat jasje – zie je, je was altijd al een eikel.

Datum: 9 augustus, 14:37
Van: Vivienne Summers
Aan: Max Kelly
Onderwerp: Re:

Max,
Als je me binnen vijf minuten belt, neem ik je mee naar die Chinese tent waar je kunt eten zoveel je wilt. Ik trakteer. En dan mag je ook nog zo'n rode cocktail met parapluutje.
V x

Datum: 9 augustus 14:46
Van: Vivienne Summers
Aan: Max Kelly
Onderwerp: Re:

Ik kan het uitleggen... alles. x

Datum: 9 augustus, 15:07
Van: Vivienne Summers
Aan: Max Kelly
Onderwerp: Re:

Alsjeblieft, Max. Al is het maar een halfuurtje.
x

Datum: 9 augustus, 15:28
Van: Vivienne Summers
Aan: Max Kelly
Onderwerp: Re:

Doe niet zo lullig. Ik mis je. x

Datum: 9 augustus 15:41
Van: Vivienne Summers
Aan: Max Kelly
Onderwerp: Re:

Moet ik je met rust laten? Goed dan, dit is mijn laatste
berichtje.
Dag.
dramatische stilte
Dag, Max.

Datum: 9 augustus, 16:09
Van: Vivienne Summers
Aan: Max Kelly
Onderwerp: Re:

Wat ben jij koppig, zeg. Dat is geen goede eigenschap voor een mens.

Datum: 9 augustus, 16:17
Van: Vivienne Summers
Aan: Max Kelly
Onderwerp: Re:

En het wijst op de groei van lange, behaarde oren.

In Ierland gaat een telefoon over. Het is een rare toon. Of zijn ze misschien in gesprek? Zo niet, dan duurt het wel heel erg lang voordat ze opnemen. Het moet wel een gigantisch huis zijn als het zo lang duurt voordat ze bij de telefoon zijn. Ik zit hier in Londen eindeloos naar de toon te luisteren, terwijl ergens in Ierland een ouderwetse telefoon in een lege kamer van een kasteel staat te rinkelen.

'Hallo?' zegt een geërgerd klinkende stem.

'Hallo, spreek ik met mevrouw Kelly?'

'Is dit Sun Life Verzekeringen weer? Ik heb al gezegd dat we nog nooit een ongeluk hebben gehad!'

'Nee. Ik ben een vriendin van Max. Ik ben Vivienne Summers... Bent u mevrouw Kelly?'

'Misschien.'

'Nou, ik weet niet of u zich mij herinnert...' Geen reactie. 'We hebben elkaar ontmoet toen u een keer op bezoek kwam bij Max op de universiteit?' Stilte. 'Ik heb een keer oudejaarsavond bij u gevierd?' God, wat is dit moeilijk.

'Hoe zei je dat je heette?'

'Vivienne.'

'Nee, nee, zegt me niets.'

'O. Heeft hij het nooit over me gehad? We zijn al jaren bevriend.'

'Nee.'

'Oké. Nou, het zit zo, ik ben op zoek naar Max. Hij is uit zijn appartement vertrokken en ik weet niet waarheen. Ik vroeg me af of u iets van hem heeft gehoord.' Geen reactie. Het voelt alsof mijn kiezen worden getrokken. Misschien heeft ze opgehangen. 'Hallo?'

'Ja.'

'Dus als Max contact met u opneemt, wilt u dan zeggen dat Viv heeft gebeld?'

'O, wacht eens, Viv. Ja, ik weet wie je bent.'

'Ja. Hoi.'

'Jij bent toch die brunette op wie hij een oogje heeft?'

'Ja! Is dat zo?'

'Hij heeft het vaak over je.'

'Dus u hebt iets van hem gehoord?'

'Deze week niet. Weet je, het lijkt wel alsof hij nog nooit van een telefoon heeft gehoord. Ik heb hem gezegd dat hij me minstens een keer per week moet bellen. En hij komt nooit langs. In juli hebben we hem voor het laatst gezien – toen kwam hij hier voor de bruiloft van Siobhan. Die is getrouwd met het nichtje van onze buurman...'

En zo gaat het ruim twintig minuten door. Ik krijg een opsomming van alle kwalen van zijn tante Hilda – het is nooit meer helemaal goed gekomen sinds die keizersnee. Ze zijn gek op hem. Ze missen hem verschrikkelijk. Net als ik.

27

Een einde en een nieuw begin

Facebook-groep – Waar is Max?

Basisinformatie: Op zoek naar een verloren geliefde
Categorie: Liefde, liefdesverdriet

Beschrijving: Is het beter om te hebben liefgehad en je geliefde te hebben verloren? Volgens mij niet. Mijn naam is Vivienne Summers en ik ben mijn geliefde kwijtgeraakt omdat ik niet besefte wat ik had. Er was een misverstand; hij denkt dat ik hem heb verraden en nu is hij verdwenen. Ik moet hem vinden. Als je hem kent, hem hebt gezien of hem tegenkomt, wil je hem dan laten weten dat het me spijt en dat ik van hem hou.

Profiel

Naam: Max Kelly
Geslacht: mannelijk
Nationaliteit: Iers
Geboortedatum: 5 april 1980
Woonplaats: Londen
Beschrijving: ongeveer 1 meter 90, donker, krullend haar, onverzorgd uiterlijk
Kleding: Wat er maar binnen handbereik ligt – spijkerbroek, trainingsbroek, T-shirt; onmodieus

---

In de bedompte vergaderruimte op de dertiende verdieping laat Christie haar kauwgumbubbel barsten. Ze wikkelt een grauwroze draad om haar vinger en rekt hem uit voor haar gezicht, waarna ze hem weer oppeuzelt.

'Je haar zit mooi,' zegt ze. 'Ben je naar de kapper geweest?'

'Al een hele tijd geleden.'

Ze loopt om mijn stoel. 'O ja.' Ze laat weer een bubbel barsten.

'Zou je daarmee willen ophouden?' Ik strijk mijn haar glad aan de achterkant.

'Is dat een versie van een matje?'

'Ik weet niet waar het "een versie" van is.'

'Hmm.' Ze zucht, ploft neer op haar stoel en strekt haar armen uit over haar bureau.

'Oké, Christie, laten we even de koppen bij elkaar steken. Hoe gaan we tienduizend onethische kaarsen verkopen?'

'Dat lukt nooit. We zijn verloren.'

'Zal ik dat dan maar in het rapport voor De Wrat schrijven?' Ik doe alsof ik het opschrijf. 'We zijn verdoemd.'

'Waarom moet alles ethisch zijn? Niets is meer ethisch. Het kan niemand een moer schelen.'

'Behalve de kindslaven die twintig uur per dag met de hand knopen aanzetten.'

'Ja, maar het gaat hier om gevangenen die kaarsen maken. Die hebben toch niets te doen.'

'Zal ik dat ook maar opschrijven?'

Christie rolt met haar ogen.

'Het is Barnes & Worth; die doen alles netjes, weet je nog?

Hoe dan ook, De Tang en De Wrat weten nog niets van die ethische kwestie.' Ik kijk naar mijn aantekeningen. 'En eigenlijk ook niet van die tienduizend exemplaren.'

'O.' Christie begint nagellak af te krabben.

'Christie! Kom op. Over een halfuur zijn ze hier. Dit is onze laatste kans om te laten zien dat we geen klunzen zijn.'

'O, jezus... Ik weet het niet. Ik weet het niet. Misschien zijn we wel sukkels,' zegt ze, terwijl ze over haar gezicht wrijft.

'We kunnen de voorraad naar de webwinkel laten overzetten, dan kunnen ze tot in de eeuwigheid online worden verkocht en hoeven we alleen te vertellen waar ze gemaakt zijn.'

'Dat doen we!' gilt ze, en ze slaat op het bureau. 'Geniaal!'

'Oké, ik bel IT om te vragen hoe we dat moeten regelen.'

Tien minuten later komt Michael naar ons toe, gekleed in een paars, zijden overhemd en een broek van gekreukt fluweel met smalle pijpen. Ik stel Christie aan hem voor; hij werpt een deskundige blik op haar torso, als een zigeuner op een paardenmarkt. Hij gaat naast me zitten, enkels over elkaar, wiebelend met zijn voeten. De ruimte vult zich met zijn muskusgeur. Hij pakt mijn laptop en haalt het scherm van de onlinewinkel tevoorschijn.

'Waar wil je ze hebben?'

'Ik weet het niet, onder Kerstmis?'

'Tenzij je ze het hele jaar door wilt verkopen...' Hij leunt achterover en legt zijn handen achter zijn hoofd. Zijn knieën beginnen te stuiteren als de ellebogen van een drummer. 'In dat geval moeten ze onder huishoudelijke artikelen worden geplaatst.'

'O, goed. Ja, huishoudelijke artikelen dan.'

Zijn vingers vliegen over het toetsenbord. 'Ik heb een foto nodig,' zegt hij.

'Ik zal je er een mailen.'

'Goed dan, *c'est possible*. Maar het zal lastig zijn om ze er ongemerkt in te zetten – ik zal moeten doen alsof het een IT-fout is en die maken wij niet. Ik doe het alleen omdat jij het vraagt.'

'Dank je wel, Michael. Je hebt wat van me te goed.' Ik glimlach. 'Een drankje, bedoel ik,' voeg ik eraan toe als ik zie dat hij zijn lippen likt.

Hij loopt naar de deur. 'Dat gaat mooi niet door, Vivienne. Deze kans heb je aan je neus voorbij laten gaan.' Hij strijkt met de rug van zijn handen over zijn lichaam.

'Echt waar?'

'Nou en of. Deze jongen heeft zijn wilde haren afgeschud.'

'Wat jammer.'

'Inderdaad, Viv. Jammer voor alle meisjes die niet aan de beurt zijn gekomen.' Hij kijkt me veelbetekenend aan.

'Ben je dan bezet?' vraagt Christie.

'Inderdaad, jongedame, en ik geloof dat je de koningin van mijn hart en lendenen goed kent.'

'Wat?'

'Ik ben verloofd met Marion Harrison.'

De mededeling blijft in de lucht hangen en Christie heeft een tijdje een wezenloze uitdrukking op haar gezicht voordat het kwartje valt. 'O, mijn hemel! Bedoel je De Wrat!' gilt ze. Hij stopt met wiebelen om die bijnaam tot zich door te laten dringen.

'Gefeliciteerd, Michael! Ik had geen idee dat jullie twee... eh...' zeg ik.

'Spannende dingen met elkaar doen? Ja, nu al een paar jaar, af en aan.' Hij kijkt in de verte. 'Grappig, ik kom er niet vanaf. Waar ik ook ga, ik kom altijd weer terug bij die lieve...'

'Goed, goed! Gefeliciteerd... nogmaals.' Ik sta op en leid hem naar de deur.

'Later!' Hij wijst met een vingerpistool naar mij, maar richt dan op Christie en vuurt.

Als ik probeer de deur achter hem dicht te doen, pakt hij mijn hand. 'Je bent welkom op het verlovingsfeest, popje,' zegt hij met een knipoog.

'Wat aardig, Michael.' Ik glimlach in de deuropening tot hij de lift in stapt. Dan proberen we zijn geur te verdrijven door de airconditioning aan te zetten. De ramen op de dertiende verdieping kunnen niet open, om te voorkomen dat iemand zelfmoord pleegt.

'Ongelooflijk. De Wrat gaat trouwen!' zegt Christie.

'Ik weet het.'

'Ze moet zo'n tien jaar ouder zijn dan hij.'

'Ieder zijn smaak, denk ik dan maar.'

'Viv, als zij iemand vindt die met haar wil trouwen, dan is er voor jou ook hoop.'

'Dank je wel, Christie.' Ik glimlach en ga weer zitten op mijn stoel. 'Luister, over tien minuten zijn ze hier en brengen we ze op de hoogte van alle productlijnen en noemen we helemaal aan het einde, tussen neus en lippen, door nog even de kaarsen.'

'Goed.'

'Laten we nu dan maar even naar de folders kijken.'

We zijn halverwege als De Tang en De Wrat binnenvallen. De Wrat glimlacht en ze gaan zwijgend aan het hoofd van de tafel zitten. De Tang draagt acceptabele paarse laarzen met sleehakken in jarenzeventigstijl. Ze kijkt me koeltjes aan.

'Vivienne.' Ze knikt. 'Christine.' Het valt me op dat er geen verlovingsring om de mollige vinger van De Wrat zit, dus besluit ik haar niet te feliciteren. 'We willen graag dat jullie beginnen met die Scandinavische kaarsen,' gaat De Tang verder. Mijn hart begint te bonzen. Dit paniekgevoel ken ik maar al te goed. Ik haal diep adem.

'Scandinavische kaarsen?' mompel ik.

'Ja.' Ze kijkt op. Het licht weerkaatst tegen haar kleine bril en in mijn ogen, als een soort marteling.

Beken, denk ik. Gooi het eruit. Biecht alles op. 'We hebben er tienduizend in de opslag.'

De Wrat kijkt geschokt op. 'Tíénduizend?' vraagt ze.

'Ja. Inderdaad.' Ik doe alsof ik mijn aantekeningen doorneem en schuif wat met mijn papieren. 'En ze zijn gemaakt door Noorse gevangenen.'

'Gevangenen?' vraagt De Wrat.

'Ja.'

'Gevangenen?' echoot De Tang. Zijn ze doof of zo?

'Kleine criminelen, geen moordenaars of verkrachters of zo,' zeg ik. Ze kijken me onderzoekend aan. 'Ik geloof alleen winkeldieven en misschien een paar belastingontduikers... Dus ja, dat soort mensen.' Opeens voel ik me bevrijd. Ik ontmoet hun blik en glimlach.

'En dat wist je?'

'Ja, ik wist het.' Tjonge, wat een katharsis. De waarheid – dat is nieuw!

'Maar je hebt er tienduizend besteld?'

'Eigenlijk was ik dat,' bekent Christie. 'Ik had dat met die gevangenen moeten uitzoeken. Ik ben degene die er tienduizend heeft besteld.' Ze ziet eruit alsof ze zo in tranen kan uitbarsten.

'En ik had het in de gaten moeten houden, dus het is ook mijn schuld.' Ik glimlach en begin te begrijpen waarom katholieken biechten. Er volgt een stilte en de oren van De Tang worden vuurrood.

'Nou, ik weet gewoon niet wat ik moet zeggen. Jullie zijn je bewust van je situatie? Jullie hebben alle waarschuwingen gekregen die we kunnen geven,' zegt ze.

'Ja, we zijn ons ervan bewust, geloof ik. Ben jij je ervan bewust, Christie?'

Christie knikt en dan wijst De Tang met een dramatisch gebaar naar haar. 'Christie, je bent ontslagen,' verkondigt ze. Christie hapt naar adem alsof ze door de bliksem is getroffen

'O, heel goed. Heel goed.' Ik klap in mijn handen. 'Ik durf te wedden dat je zat te popelen om dat te zeggen.' Ik sta op terwijl er in mijn hoofd een klein alarmbelletje begint te rinkelen. 'Nou, je krijgt de kans niet om dat tegen mij te zeggen, want ik neem ontslag.' Als kikkers staren ze me aan. 'Ja, ik neem ontslag!' Ik gooi mijn tas over mijn schouder. 'Ik kan jullie vertellen dat Christie en ik een aantal keer zijn benaderd door de concurrent. Wij staan in het vak bekend als het "droomteam". Dus we hoeven ons hier niet te laten afbekken door mensen als jij. Kom,

Christie.' Ze aarzelt voordat ze haar spullen bijeenraapt en doet er eeuwen over om ze in haar tas te stoppen, waardoor ik moet blijven staan kijken naar de verwachtingsvolle gezichten van De Tang en De Wrat. 'Kom, Christie, we gaan op zoek naar blauwere luchten.' Ik weet niet goed waar dat uit komt – *Les Misérables*, geloof ik –, maar het heeft precies de waardigheid die ik zoek. Uiteindelijk loopt Christie schichtig om de tafel naar me toe en samen lopen we parmantig de deur uit.

Later zitten we vertwijfeld in de Crown met een feestelijke fles chardonnay. De wijn is lauw en geel als pis.

'Maar toch, als we aanbiedingen hebben gekregen...' begint Christie. Ze ziet eruit als een verdwaald hertje.

'We hebben geen aanbiedingen gekregen. Dat zei ik alleen maar.'

'O. Dus... we zijn niet het droomteam?'

'Niet bepaald.' Ik neem een grote slok wijn. Het smaakt als vloeibare hoofdpijn.

Ze wringt haar handen in haar schoot. 'Dat had je niet hoeven te doen,' zegt ze. Ik wacht op een bedankje voor mijn altruïstische daad. 'Ik bedoel, nu krijgen we een heel slechte referentie.'

Aan referenties had ik niet gedacht. We zitten naast elkaar in de enorme pub en staren wat om ons heen. Aan de bar zit een oude man die steeds 'We hebben de beker gewonnen!' schreeuwt en zijn glas bier heft om te proosten. Ik kijk naar hem tot ik het niet meer kan verdragen.

'Luister, Christie, we hebben geen referenties nodig.' Ik draai me om naar haar. 'We beginnen voor onszelf. Dream Team PR!'

Ze kijkt wat weifelend. 'Wat, alleen jij en ik?'

'Waarom niet? We hebben de kennis en de contacten. We kunnen alles promoten. We kunnen zelfs eetbaar ondergoed verkopen.'

'Hmm, misschien kunnen we een erotische webshop benaderen,' zegt ze.

'Goed idee! We kunnen een hele collectie pikante accessoires opzetten.'

'Ja.'

'En we zullen het beter doen dan ooit, omdat we maar met z'n tweetjes zijn.' Ik hef mijn glas. 'Oké, op Dream Team PR.'

'Op ons!' We klinken en verzinken in gepeins. Het voelt doodeng.

'Ik heb een idee voor ons eerste project. Het is een pr-campagne.' Ik kijk haar aan. 'Ik moet iemand vinden.'

Als we uit de pub komen is het al laat. Ik bel naar het ziekenhuis en krijg een verpleegster aan de lijn die denkt dat Nana niet op haar afdeling ligt. Ik vraag of ik Reg kan spreken, maar ze zegt dat ze hem niet heeft gezien. Dat is raar. Ik besluit later terug te bellen zodat ik hopelijk iemand aan de lijn krijg met iets meer kennis van zaken. Nu wil ik alleen maar naar huis. Toen ik gisteravond thuiskwam, worstelend met Dave, vijf blikjes Whiskas en een kattenbak, was ik zo moe dat ik rechtstreeks mijn bed in ben gedoken. Ik verheug me erop weer eens alleen in mijn eigen huis te zijn.

Met een overweldigend gevoel van opluchting draai ik de sleutel om. Het is stil in het appartement. Ik kijk de huiskamer in.

'Dave! Poespoes, waar ben je?' Op de salontafel ligt een opgevouwen briefje. Ik gooi mijn tas op de bank, pak het briefje op en herken het stijve handschrift van Rob.

Viv,
Ik wil dat je weet dat je een grote fout hebt begaan. Wat ben je dom geweest. Ik ben het beste dat je ooit is overkomen en dat je ooit zál overkomen. Je moet twee dingen weten:
1. Je vindt nooit meer een man als ik – iemand die bereid is je alles te geven.
2. Dit is een definitief afscheid. Denk maar niet dat ik nog terugkom – je hebt het verpest. Het is voorbij.
En denk maar niet dat je met hangende pootjes bij me terug kunt komen. Veel geluk met je leven. Als je aan me denkt,

onthoud dan dat ik degene was die van jou hield en dat jij
degene was die het allemaal heeft verknald!
Rob

Ik laat mijn hoofd tegen de rugleuning zakken en kijk naar de
strepen licht die door de luxaflex vallen. Dave trippelt de kamer
in, gaat aan mijn voeten zitten, krult zijn staart keurig om zijn
poten, knipoogt en begint te spinnen.

'Jij bent duidelijk tevreden met jezelf. Wat heb je de hele dag
gedaan?' Ik verfrommel het briefje en gooi het door de kamer.
Dave springt erachteraan, glijdt op zijn zij en tikt het propje
met een voorpoot onder de salontafel. De telefoon rinkelt en
het antwoordapparaat slaat aan.

'Viv? Met Rob. Luister, konijntje, we moeten praten. Bel
me.' Dave knippert met zijn ogen.

'Ik weet het... tragisch,' zeg ik.

Hij springt op de bank en begint met zijn witte, kromme nagels te kneden. Ik duw hem op de grond maar hij springt meteen weer op en krabt ritmisch in het leer.

'Niet doen.' Hij stopt, lijkt even na te denken en gaat weer
verder. 'Kun je je achterwerk niet gaan likken of zo?' Ik duw
hem opnieuw van de bank en ga me verkleden.

De slaapkamer is een slagveld: een veren kussens is opengere-
ten als de buik van een vogel en mijn zijden kimono is aan
flarden. Dave loopt stilletjes achter me aan en gaat met een verbaasde blik naast mijn voeten zitten. Ik pak de kimono op.

'Verdomme, Dave! Die kostte bijna honderd pond!' Ci-
troengele ogen volgen de slingerende repen zijde. 'Hoe denk je
dat te gaan betalen?' Ik geef een schop tegen het kussen. 'En dat
was mijn favoriete kussen.' Hij haalt uit naar een zwevend veertje terwijl ik kniel om de resten van het kussen op het bed te
verzamelen. 'Luister, stom beest, dat soort dingen mag je niet
doen, begrepen?' Er kleeft een veertje aan zijn lip en hij probeert het op te eten. 'Heb je een krabpaal nodig of zo?' Ik denk
na over de beste manier om alles op te ruimen en besluit de hele

zooi in een vuilniszak te doen. 'Schiet op, wegwezen!' Ik jaag Dave de kamer uit; hij schiet weg, met zijn staart naar beneden, en verbergt zich onder de salontafel.

Ik loop door het appartement op zoek naar sporen van Rob. Het verbaast me dat ik zo opgelucht ben dat ik van hem af ben. Ik hield van hem... Nee, ik was geobsedeerd. Ik dacht dat ik van streek zou zijn en me zorgen zou maken over de toekomst. De toekomst zoals die er nu uitziet: geen werk, binnenkort blut, bijna geen vrienden, single. Ik laat het woord 'oude vrijster' naar boven komen en tot me doordringen... Nee, nog steeds alleen maar enorme opluchting. Eigenlijk is het eenzamer om een relatie te hebben met de verkeerde persoon dan om alleen te zijn. In je eentje heb je hoop en gemoedsrust. Als je alleen bent ligt alles open, jij zit aan het stuur. Je kunt acrobaat worden, die piercing laten zetten, in een busje naar Guatemala rijden, dineren met een broodje visstick.

Ik loop naar de ijskast en experimenteer ondertussen met allerlei gedachten om te zien of ze pijn doen. Rob met iemand anders... niets. Achter een kinderwagen? O jee, hij zou een verschrikkelijke vader zijn. Rob tegen het lijf lopen terwijl ik in mijn eentje ben, nog helemaal zweterig van de sportschool, en hij een of ander topmodel en hun baby bij zich heeft. Ik schenk een glas water in. Au, ja, iets in dat scenario doet pijn, maar het is een schrammetje; geen probleem, behalve die zweterigheid. Dave verschijnt en kijkt hoopvol naar de ijskast, zijn witte voorpoten netjes naast elkaar.

'Wat? Ik praat niet met jou.' Ik kijk boos naar hem en hij piept zachtjes. Ik lepel wat kattenvoer op een schoteltje en hij trekt luid spinnend een paar brokjes vlees op de vloer.

'Je hebt geen manieren,' zeg ik tegen hem. 'Net als je eigenaar.' Je heerlijke, sexy eigenaar. Hoe zou het zijn om Max kwijt te raken? Om hem met een ander tegen het lijf te lopen? Dodelijk. Onvoorstelbaar. Maar ik raak hem niet kwijt. Ik loop snel naar de laptop, klik de website open en begin aan een blogbericht voor hem.

Tegen de tijd dat ik klaar ben met typen, moet ik de tranen uit mijn ogen vegen. Als hij hier was zou alles gewoon beter zijn. Ik zet het berichtje online en wacht. Maar waarop eigenlijk? Een wonder? Hij zal heus niet opeens met een enorm boeket rozen voor mijn deur staan. Ik zet de televisie aan om de zwijgende telefoon te overstemmen en zoek in de keuken naar iets lekkers. Ik vind een paar kaascrackers die over de datum zijn en een zakje zoutjes, ga op de bank liggen en zap langs de zenders. Dave nestelt zich op mijn buik en we delen de zoutjes. Ik aai over zijn kop en voel dat ik tot rust kom; er daalt een vertroostend gevoel over ons neer. We beginnen net geboeid te raken door een programma over gênant lichaamshaar als de telefoon gaat. Ik verstijf. Zou het Max zijn? Het zou kunnen. Hij heeft het bericht gelezen en komt naar me toe. Ik pak snel op.

'Vivienne?' zegt een bekende stem.

'Nana!'

'Dag lieverd.'

'Hoe gaat het met je?'

'Goed. En met jou?' Haar stem klinkt zwak.

'Ik ben zo blij je stem te horen.' Ze lacht, maar dat leidt meteen tot een hoestbui. 'Wanneer ben je wakker geworden? Ik had erbij willen zijn.'

'Vanochtend. Ik had geen idee waar ik was. Ze moesten een paar onderzoeken doen, dus ik werd van hot naar her gereden. Ik lig nu op een andere afdeling. Het is hier iets prettiger, niet zo veel rare vogels, weet je?'

'Niet te geloven dat ik nu met je praat. Ik was zo ongerust.'

'Ik weet het. Het spijt me, lieverd.'

'Nee, nee, ik bedoelde niet... jij kunt er niets aan doen. O, ik wil je zo graag even zien.'

'Ze zeggen dat ik morgen misschien naar huis mag.'

'Weet je het zeker? Ik bedoel, is dat niet wat te snel?'

'Nou nee. Ik kan niet wachten tot ik hier weg ben. Bovendien hebben ze bedden nodig voor al die ouwe knarren. Zodra je wakker bent kieperen ze je het bed uit.' Ze klinkt als haar oude, vertrouwde zelf, alleen iets krakeriger. Ik kan wel janken van opluchting.

'Nou, als je denkt dat je sterk genoeg bent... Maar heb je geen dokter nodig om je in de gaten te houden?'

'Dokter Beggs praktijk zit om de hoek.'

'Maar bel je hem dan wel als het nodig is? Reg zei dat hij de dokter niet voor je mocht halen.'

'Ja hoor, ik denk dat ik mijn lesje wel heb geleerd.'

'Mooi, want het heeft geen zin om koppig te zijn. Als je ziek bent, ben je ziek.'

'Viv?'

'Ja.'

'Ik moet je iets vertellen en ik wil niet dat je boos wordt.'

'Oké.' Wat heeft ze gedaan? Haar huis aan de kattenopvang vermaakt?

'Ik ga zaterdag trouwen.'

28

BLOG AAN MAX NR. 1 – WAAR BEN JE?

Het duurt nu al vier uur en vier dagen. Weet je nog dat je zei dat als
een van ons vierentwintig uur geen contact opnam met de ander,
diegene dan wel dood moest zijn, en dat de ander dus diens huis
moest openbreken? Nou, ik ben bij je langs geweest, maar de
deur is van zwaar ijzer en heeft dubbele sloten. Ik had alleen maar
een nagelvijltje bij me en bovendien is je motor weg, dus ik weet
dat je niet dood bent. Waar ben je? Ik word ziek van deze onzeker-
heid, en als ik doodga, wie breekt mijn huis dan open?

Ik heb je voicemail volgepraat... en je mailbox volgemaild. Ik
heb je moeder gebeld. Ze vraagt trouwens of je haar wilt bellen.
Je hebt je eigen Facebook-groep! Ik weet dat je dat verschrikkelijk vindt, dus als je terugkomt zal ik hem opdoeken. Ik heb Dave
ontvoerd, en daar heb ik nu al spijt van – het is een onhandelbaar
monster. Misschien mist hij je gewoon. Ik mis je ontzettend. Ik
zou alles doen om alleen maar je stem te kunnen horen. Ik zou
zelfs in het openbaar zingen.

Als je dit leest, zie je hoe hard ik mijn best doe! Kun je je hand niet
over je hart strijken? Of als je me niet kunt vergeven, misschien kun
je me dan wel bellen om tegen me te schreeuwen. Maar ontzeg
me je liefde niet. Ik houd van je. Dat weet ik nu en ik vind het heel
erg dat ik dat niet eerder besefte. Ik houd echt van je, Max.

V x

Ik ben vroeg bij Nana. Het is nog koel en rustig op straat. Ik klop een paar keer en probeer de deurklink; de deur is niet op slot, dus ik ga naar binnen.

'Ik ben het maar!' Ik kijk naar mezelf in de gangspiegel en strijk mijn haar glad. Verbeeld ik het me, of hangt hier opeens die oudemensengeur? Een soort mengeling van Sterilon en schimmel. Ik haal bonbons en een netje sinaasappels uit mijn tas om aan Nana te geven. 'Hallo?' Ik loop de trap af naar de keuken en halverwege komt Reg me tegemoet. Er volgt een gênant moment als we tegelijk opzij stappen.

'Zullen we dansen?' zegt hij.

'Niet op de trap, goed Reggie?'

Hij draait zich om en loopt voorzichtiger naar beneden dan ik had verwacht. Ik kijk naar de vele, elkaar kruisende rimpels in de huid van zijn nek en opeens ziet hij er kwetsbaar uit. Ik voel een steek van schaamte om hoe ik hem heb behandeld.

'Ze is in de tuin,' zegt hij als we in de keuken zijn. 'Zal ik die van je aannemen?'

Ik treuzel, niet wetend wat te zeggen. 'Hoe... hoe gaat het met haar?'

'Uitstekend. Baziger dan ooit!' Hij lacht en onze ogen ontmoeten elkaar; hij lijkt op zijn hoede.

'Gefeliciteerd,' zeg ik.

'Dank je, Vivienne.' Hij heft zijn kin, alsof hij een stomp verwacht.

'Ik meen het. Ik ben heel blij voor jullie allebei.'

'Dank je. Dat betekent heel veel voor haar.' Hij kijkt me recht in de ogen en ik zie dat de zijne prachtig donkerblauw zijn.

'En ik wilde zeggen... dat het me spijt. Die keren in het ziekenhuis... Ik weet dat ik niet aardig tegen je was. Ik denk dat het kwam door, nou ja, door de schrik.'

Hij legt een hand op mijn schouder. 'Je hoeft het niet uit te leggen. Ga maar naar buiten. Ze wil je heel graag zien.'

De tuin is veranderd sinds die hete julidag waarop Max en ik hier voor het laatst waren. De patio is geveegd, het gras gemaaid en de rozen staan in volle bloei. Langs de keurige zoom van het gazon zijn nieuwe bloemen en struiken geplant, met kleuren die stralen als nieuwe verf. Over de patio is een nieuw prieel gebouwd dat overwoekerd is door rozen. Zelfs de stenen engel is schoon. Reggie is druk bezig geweest. Ik blijf even staan bij de drempel. Mijn ogen moeten wennen aan het zonlicht en dan zie ik haar: een klein, mager figuurtje in een rolstoel, in de schaduw van de perenboom. Ik voel een brok in mijn keel als ik terugdenk aan de vorige keer – Max en zij, hun cocktails en rare hoeden. Ik loop naar haar toe en zorg ervoor dat mijn gezicht mijn gevoelens niet verraadt. Haar gekrompen, broze lichaam tegen de achtergrond van de tuin die krioelt van het leven, maakt de schok nog groter; ze ziet eruit als het geraamte van een blad dat op een nieuw gazon is gewaaid. Ik kijk naar haar gekromde vingers en dunne haar. Ondanks de hitte ligt er een felgekleurde, gehaakte sprei over haar benen.

'Nana.'

Ze draait zich om en de zijkant van haar gezicht is wasachtig als zeep. 'Viv!' Ik kniel voor haar neer en pak haar handen. 'Hallo.' Ze glimlacht en strijkt een haarlok uit mijn gezicht. Ik weet me geen houding te geven.

Ik klop op de rolstoel. 'Wat is dit nou?'

'O, ik weet het. Niet echt hip voor een aanstaande bruid, hè?'

'Misschien wordt het wel mode.'

Ze glimlacht en kijkt me onderzoekend aan. 'Je bent afgevallen,' zegt ze.

'Niet zoveel als jij.' Ik maak een cirkel met mijn duim en wijsvinger om haar pols.

'Nee. Nou ja...'

Ik buig me naar haar toe om een kus te geven op de zachte huid van haar wang. 'Welkom thuis, Nana. En gefeliciteerd.'

'Dank je wel.' Ze zwijgt even. 'Het doet me goed dat je blij voor ons bent, Viv.' Ik kijk haar in de ogen en zie een glimp van haar levendige geest. Een vonkje vrolijkheid.

'Ik bedoel, het was nogal onverwacht, maar...'

'Nou, soms moet je even goed wakker geschud worden.'

'Ja, misschien wel.'

Reg komt over de patio aangelopen met een blad met volle glazen. Hij zet het neer op de treden en ze kibbelen over of er een tafel moet komen, tot hij neuriënd wegloopt om er een te halen. Nana ziet dat ik Reg met mijn blik volg terwijl hij weg sjokt.

'Het is een heel fijne man, weet je. Hij is aardig.' Ik glimlach naar haar. 'En hij heeft nog een paar goede jaren voor zich.'

'Ik maak me geen zorgen over hem.' Ik knijp in haar hand.

'En je hoeft je ook geen zorgen te maken over mij,' zegt ze enigszins verontwaardigd, alsof ze nooit ziek is geweest.

'Oké, als jij het zegt zal ik dat niet doen. Ik had alleen gedacht dat ik eerder zou trouwen dan jij.'

'Ja, ik ook. Heb je nog iets gehoord van die Rob?'

'Nee, dat wordt niets meer.' Ik glimlach naar Reg, die nu terug sjokt met een speeltafeltje. Hij zet het naast Nana's stoel neer en draait zich om om haar drankje te pakken.

'Niet die tafel, Reg! Ik bedoelde het tafeltje uit de keuken.'

Hij kijkt mij aan en slaat zijn ogen ten hemel. 'Wil er iemand vruchtenpunch?' vraagt hij, terwijl hij de kan omhooghoudt.

'Is dat geen Pimm's?' vraagt Nana.

'Nee lieverd, ze zeiden dat je geen alcohol mag, zoals je zelf heel goed weet.'

Ze snuift en staart naar het gazon. 'Moet je die pruimen zien!' We draaien ons om om te zien waar ze naar wijst. 'Die boom zit tjokvol.'

Ik sta op, neem een glas van Reg aan en geef het aan Nana.

'Ik wil een toost uitbrengen,' kondig ik aan. 'Op jou, Nana, en op jou, Reg, en op de liefde.' Ze kijken elkaar aan en glimlachen, en in die glimlach zie ik iets van ware vriendschap en diepgevoelde genegenheid. Ik hef mijn glas. 'En op het vinden van mijn geliefde... waar hij ook is.' We nemen allemaal een slok.

'Dit is eigenlijk best lekker.' Nana drinkt haar glas in één keer leeg. 'Hoewel een beetje gin er goed bij zou passen.'

'En, vertel eens over die bruiloft,' zeg ik. 'Hebben jullie de luchtballon al geboekt?'

'Ah!' Ze lacht. 'De rolstoel is een beetje zwaar, vrees ik.'

'Waar houden jullie het?'

'Nou, voor het officiële gedeelte gaan we naar de burgerlijke stand, maar de echte ceremonie houden we hier. Dit is onze kathedraal.' Reg maakt met zijn arm een weids gebaar naar de tuin. 'We spreken onze eigen geloften uit in het prieel, met hier de stoelen voor de gasten, zodat er een soort gangpad ontstaat.'

'Perfect.'

'Viv, jij geeft me toch weg, hè?' vraagt Nana.

'Natuurlijk doe ik dat.'

'Ik ben bang dat je me moet duwen.'

'Dat kan ik best. Zullen we oefenen?' Ik pak de handvatten van de stoel beet en duw haar over de patio. Ze is lichter dan ik had verwacht, en in eerste instantie gebruik ik te veel kracht, waardoor ze naar voren schiet. 'Ik kan ook je eerste dans doen, als je wilt.' Ik wiebel de stoel een beetje heen en weer. 'Wat zullen we doen als je je opeens bedenkt? We kunnen een soort signaal afspreken, bijvoorbeeld dat je je boeket omhooghoudt. Dan draai ik je om en gaan we ervandoor.'

'Dat is niet nodig!' roept ze, en dan krijgt ze een hoestbui, die lang aanhoudt. Reg geeft haar een servetje en ze drukt het tegen haar gezicht, waarna ze er zorgvuldig iets in vouwt.

'Wanneer mag je uit die stoel?'

'Als ik weer op krachten ben.'

'Snel dus,' zeg ik.

'O ja, heel snel.' Ze glimlacht.

Laat in de middag doe ik de deur van mijn flat open. Ik ben vanmorgen vroeg naar Nana vertrokken en de gordijnen zijn nog dicht. Het ruikt naar katten. Dave komt aangerend en doet een ontsnappingspoging. Hij schiet tussen de deur en mijn benen door, maar ik vang hem bij het trapgat en neem hem weer mee naar binnen. De kattenbak is overvol. Er staan borden in de gootsteen.

Ik doe de gordijnen in de slaapkamer open en het zonlicht valt naar binnen door het stoffige glas. Nou ja, ik mag blij zijn dat er niets aan stukken is gescheurd. Alles in het huis irriteert me. De wasmand met het niet-passende deksel, de badkamer zonder raam, de lekkende douche. Niet dat het een verschrikkelijk huis is, maar ik had gewoon niet verwacht op zo'n plek terecht te komen. Ik zag altijd een grote, vierkante keuken voor me met een enorme tafel en kinderen en honden. Nou ja, dat zag ik voor me met Rob. Nu ik weet dat ik van Max hou, is het leven goudkleurig en opwindend, en strekt het zich glinsterend van de mogelijkheden voor me uit. Als ik hem maar kan vinden en als hij nog maar van me houdt... Ik ga op de armleuning van de bank zitten.

En wat als hij niet meer van me houdt? Ik zie hem voor me zoals hij was toen we voor het laatst bij elkaar waren – niet in de galerie, maar daarvoor, toen alles nog goed was. Hij zei dat hij altijd van me zou houden. Maar als ik zijn gezicht in de galerie voor me zie, voel ik een gloeiende pijl van schaamte. Ik heb hem pijn gedaan. Dat heb ik nooit gewild. Een golf van zelfverachting spoelt over me heen als ik naar de rommel om me heen kijk, en ik begin chipszakjes op te rapen vanachter de bank. Ik had nooit gedacht dat ik mijn eigen Nana zou weggeven – maar wat maakt het uit wat ik dacht? Ik dacht dat ik Rob wilde, ik dacht dat Max een mislukte armoedzaaier was. Ik dacht dat dit een hip appartement was. Ik zie krassen op de stoelpoot. Ik dacht dat het leuk zou zijn om een kat te hebben. Het is wel duidelijk dat ik niet kan vertrouwen op wat ik denk.

Ik loop naar de keuken en baal ervan dat ik nooit iets te eten in huis heb. Ik doe de ijskast open en haal er een bakje uit met iets wat mogelijk ooit taramasalata is geweest. Ik maak het deksel een klein stukje open en er komt een giftige stank vrij. Ik stop het bakje in een vuilniszak, maak een rondje door het huis en gooi er nog meer troep in. Als laatste gooi ik de inhoud van de kattenbak eroverheen. Ik pak mijn portemonnee en sleep de zak naar beneden, waar ik hem boven op de stapel in de broeierige afvalhoek gooi. Ik loop naar de buurtwinkel om de hoek en vul een winkelwagentje met koffie, melk, koekjes, wortels, tomaten en wat niet al – alles waarvan een maaltijd gemaakt kan worden. Het is tijd om volwassen te worden, het is tijd om voor mezelf te gaan zorgen. Ik pak goede wijn, niet gewoon de goedkoopste die ik kan vinden. Ik gooi schoonmaakmiddel met het woord 'Bang!' op de zijkant in het wagentje. Dat is precies wat ik nodig heb – een beetje *Bang!* in mijn leven. Ik voeg er een paar schuursponsjes aan toe en loop naar de kassa.

Ik sta te wachten terwijl een jonge vrouw met streng, strak naar achteren gebonden haar en een tatoeage in haar nek langzaam elk artikel over de scanner haalt.

'Dat is dan tweeënnegentig pond twintig,' mompelt ze zonder op te kijken.

'Wauw. Best prijzig, hè, die schoonmaakmiddelen?' zeg ik, en ik voel dat ik rood word. Ze kauwt smakkend op haar kauwgum terwijl ik mijn kaart door het pinapparaat haal en de code intoets. Ik probeer uit te rekenen of er genoeg geld op deze rekening staat. 'Betaling geslaagd' staat er. 'Verwijder uw kaart'.

Ik breng de boodschappen naar huis, zet de ketel op en begin op te ruimen. Vanaf nu neem ik mijn leven in eigen hand, dus alles wordt beter. Ik maak het bed op en spuit 'Bang!' in de wc – mijn ogen tranen van de dampen. Ik heb alles onder controle. Ik zal hem vinden. Ik zet de doosjes en blikjes in de keukenkastjes. Ik maak thee en zet de laptop aan om op Facebook te kijken. De *Waar is Max?*-groep heeft al 102 vrienden! Voornamelijk heel romantische mensen die me schattig vinden en me het beste wensen.

Ik kijk op mijn eigen Facebook-pagina. Ik ben uitgenodigd voor Michaels verlovingsfeestje. Ik kan De Wrat toch niet meer onder ogen komen na mijn dramatische vertrek op het werk? Maar uit een vreemd gevoel van loyaliteit jegens Michael klik ik toch op 'Deelnemen'. Ik bekijk mijn mail. Niets van Max, nergens. Als hij al broedend en mokkend bezig is aan een artistieke rondreis, dan ziet hij mijn blog of de Facebook-pagina niet en weet hij niet dat ik van hem hou. Hij snapt niets van Facebook en ik betwijfel of hij de website nog heeft bezocht na wat er gebeurd is. Ik moet iets anders bedenken, iets groots. Ik bel Christie en we spreken af in een tearoom die ze kent.

Macarons zijn in op het moment, is me opgevallen. Hier in de etalage liggen ze in pastelkleurige torens op ouderwetse, glazen taartenstandaards. Op de tafels liggen plastic kleden met bloemenpatroon en er staan beschilderde houten stoelen met hartvormige zittingen. Het tentje heet Mad Hatters; alle theepotten zijn er overdreven groot. De ruimte zit vol met één type vrouw: een beetje maf en meisjesachtig. En daartussen zit Christie, gekleed in een afgeknipte spijkerbroek, een lang, mouwloos vest met lovertjes en boksschoenen. Haar haar zit boven op haar hoofd, gewikkeld in een oranje windsel.

'Christie, je moet echt ophouden met de *Vogue* te lezen.'

'O, hoi, hoi!' Ze kust de lucht aan beide kanten. 'Nee Viv, waarschijnlijk begrijp je deze look niet; hij komt rechtstreeks van de catwalk. Herinner je je mijn vriend Nigel nog?' Ik denk aan de geruïneerde verenjurk, de jurk die ik de rest van mijn leven zal moeten afbetalen. 'Nou, hij heeft een show op de modeacademie – deze is van hem.'

'Hmm, nou, eigenlijk kun je het wel hebben. Dus over een jaar draag ik dit ook?' Ik kijk naar de doek om haar hoofd.

'Misschien. In een zeer afgezwakte vorm. Hoe dan ook, alle inkopers komen naar die shows. Topshop zat bij die van Nigel... Oe, ik zal even iets lekkers voor je halen.' Ze springt op en ik volg haar met mijn blik terwijl ze geanimeerd bestelt. Er kijken meer mensen naar haar. Christie slaagt er altijd in om aandacht te trekken, waar ze ook is. Ze is mooi, maar dat is het niet... Mensen zijn altijd verrast als ze haar zien; iemand als zij verwachten ze niet. Ik vraag me af of er een manier is om dat talent in goede banen te leiden. Blijkbaar heeft Nigel de ontwerper dat talent onderkend, als hij haar zijn kleding laat dragen. De lovertjes op haar vest fonkelen als ze het dienblad met in het midden een belachelijke, gestippelde theepot oppakt en er voorzichtig mee terugloopt naar het tafeltje.

'Die lovertjes... die zouden iets moeten zeggen,' merk ik op.

'Ze zeggen "bling, bling"!'

'Ik denk dat ze iets zouden kunnen zeggen voor ons, voor onze campagne om Max te vinden.'

'Gezocht... lange Ierse man,' zegt ze peinzend.

'Ja, of iets als: *Waar is Max?*'

'Dus je bedoelt dat wij designvesten van achthonderd pond gaan dragen met *Waar is Max?* erop geschreven in lovertjes? Cool.'

'Nee, niet in lovertjes natuurlijk, iets anders.'

'Deze zijn er met de hand op genaaid.' Ze plukt aan een los draadje. De stof glanst als vissenschubben.

Mijn hersenen draaien op volle toeren. Ik denk aan een grootse campagne, een modeshow, aandacht op tv... maar zonder er geld aan uit te geven. Christie schenkt de thee in.

'T-shirts.'

'Oké.'

'T-shirts met een *Waar is Max?*-logo. Niet in lovertjes maar wel in iets wat glimt. Je vriend Nigel zou ze voor ons in zijn show kunnen opnemen.'

'Hmm... ik vraag me af of hij dat zou doen.'

'Dan koopt Topshop ze en wordt het een geweldige campagne.'

'Waarom zou Topshop ze kopen?'

'Ik dacht dat je zei dat Nigel modeshows doet voor Topshop?'

'Ja, maar...'

'En nieuw talent stimuleren ze altijd.'

'Nou, ik zou het hem kunnen vragen.'

'Smeek het hem, Christie. Ga met hem naar bed.'

'Hij is homo.'

'Laat je huisgenoot dan met hem naar bed gaan.'

'Die is geen homo.'

'Nou ja, weet ik veel... bedenk iets! Het is een té goed idee om zomaar te laten lopen.'

'Goed dan.' Ze haalt een Hello Kitty-blocnote met bijpassende pen uit haar handtas en begint te schrijven. Iedere keer dat ze aan een nieuw woord begint, licht het Hello Kitty-poppetje op het uiteinde van de pen op. Verwonderd kijk ik ernaar.

'Mooie pen.'

'O, ik ben gek op mooi briefpapier en mooie pennen, en Hello Kitty is zo schattig!' Ze kijkt fronsend naar het papier. '*Waar is Max?*, is dat het enige wat erop moet?'

'Misschien kan de naam van ons bedrijf achterop staan, of alleen de initialen DTPR?'

Ze trekt rimpels in haar neus. 'Klinkt een beetje als herpes.'

'Oké, dat dan maar niet.' Ze slaat haar blocnote dicht en aait over de kaft. We drinken onze thee en Christie neemt een hap van een citroenbroodje. 'Goed, nu moeten we achter die zondagskranten aan en ervoor zorgen dat ze onze zoektocht vermelden in hun artikelen over gebrokenharten-online.com... Dat doe ik wel.' Ik pak mijn telefoon en toets een notitie aan mezelf in. Dan kijk ik uit het raam en richt mijn aandacht op een jongen op straat. En opeens giert de adrenaline door mijn lijf. Hij is lang met donker, krullend haar en hij kijkt naar een etalage aan de overkant. Die vale spijkerbroek, die oude laarzen... Hij lijkt precies op Max. Sterker nog, het ís Max. Zou het echt? Ik sta op. Ja... de brede schouders, zijn stevige houding. O god, het is hem. Ik bons op het glas. 'Max!' roep ik. 'Max!' Ik bons nog een keer, één, twee, drie keer, en ren naar de deur, waarbij ik alle stoelen die in de weg staan opzij duw. Dan draait de man zich om, glimlacht en pakt de hand van een klein meisje dat uit de winkel komt beet. Hij kijkt me even aan, een beetje verward, zich afvragend of hij moet zwaaien. Hij besluit van niet, omdat hij me niet kent, en ze lopen weg. Ik blijf achter met beide handen tegen het raam gedrukt, als een gestoorde mimespeler.

Ik draai me langzaam om en knik naar de vrouw met het schort vol ruches achter de toonbank. 'Sorry, ik... ik dacht dat ik die man kende,' zeg ik als ik mijn stem heb teruggevonden. Ze glimlacht zogenaamd meelevend. Twee vrouwen aan een tafeltje bij het raam staren me aan. 'Oké, de voorstelling is voorbij. Ga maar weer verder met jullie taartjes,' zeg ik bits als ik om hen heen naar mijn stoel loop. Terwijl ik ga zitten zwelt het geroezemoes weer aan.

'Oké,' zegt Christie, 'we moeten je vent echt vinden.'

29

BLOG AAN MAX NR. 2 – IK DACHT DAT JIJ HET WAS

Aantal dagen sinds ik je voor het laatst zag: 26

Ik dacht dat ik je gisteren zag. Het was iemand die jouw stijl had. Dat impliceert dat je stijl hebt, en we weten allebei dat dat niet waar is, maar hij had iets van jou weg, en ik heb mezelf compleet voor schut gezet in een café door keihard je naam te roepen. En toen hij zich omdraaide en ik zag dat het iemand anders was, was ik zo teleurgesteld.

Ik moet je zien. Zullen we een keer naar de pub gaan? Dan nemen we gin-tonic met chips. Of we blijven thuis... Het doet er niet toe. Ik wil alles met je doen, maar ik zou al genoegen nemen met je stem. Denk je dat je me zou kunnen bellen? Je zult het niet geloven, maar Nana en Reggie gaan trouwen. Jij bent ook uitgenodigd. Het is komende zaterdag.

Je weet toch dat ik nooit genoegen neem met een afwijzing? Nou, ik ben een campagne aan het voorbereiden om jou te vinden. Ik weet dat het melodramatisch klinkt, als iets uit een slechte roman, maar ik móét wat doen. Ik moet je de waarheid laten inzien. Je zei dat je altijd van me zou houden en dat het aan mij was, maar dat is niet waar. Het is aan jou. Aan jou, Max. Ik houd van je.

V x

PS Je hebt 500 Facebook-vrienden.

Lucy staat voor een enorme vergulde spiegel, gekleed in een strapless trouwjurk. Ik zit op de chaise longue met de halveliter-fles champagne die we er gratis bij kregen – nou ja, niet helemaal gratis, want we hebben twintig pond betaald voor de afspraak. 'You're Still the One' van Shania Twain staat op 'repeat'.

'Ik dacht dat je voor een korset met witte netkousen zou gaan?' merk ik op. Lucy draait zich om en kijkt over haar schouder in de spiegel. De jurk is aan de achterkant vastgemaakt met satijnen linten. Ze houdt haar haar omhoog en trekt haar spiegelgezicht, met opengesperde ogen. Een bol vrouwtje in een marineblauw mantelpakje rent op haar af en spreidt de rok uit.

'Wat een mooie jurk,' zegt Lucy.

'Inderdaad,' zeg ik instemmend. 'Wil je je champagne?'

Ze kijkt duidelijk tevreden naar haar spiegelbeeld en houdt haar armen iets van haar lichaam, als een ballerina.

'Waar is hij van gemaakt? Het is een schitterende stof.'

'Het zal wel zijde of satijn zijn, denk je niet?'

'Maar hij lijkt een soort gloed af te geven? Weet jij wat dit voor kleur is? Schelp?' Ze strijkt over de rok.

'Schelp? Wat is dat dan, een soort gebroken wit?'

'Wat is er met je aan de hand?' Ze fronst naar de spiegel.

'Niets. Wat is er gebeurd met je korsetplan?'

Het bolle vrouwtje is terug met een tiara met parels en een sluier. Lucy zakt een beetje door haar knieën zodat ze hem op kan spelden. Stijf kant hangt als een halfgeopende paraplu van Lucy's hoofd naar beneden. Ze laat haar vingertoppen langs de rand glijden. Het bolle vrouwtje klimt op een met tapijt bekleed opstapje en drapeert de sluier om Lucy's gezicht. Lucy loopt naar de spiegel en haar rokken moeten opnieuw uitgespreid worden.

'Sorry,' zeg ik, 'zouden we een tiara met wat meer glitter kunnen proberen?' Het bolle vrouwtje trippelt over het dikke roze tapijt naar de ruimte met de accessoires.

'Vind je dat er meer glitter nodig is?' vraagt Lucy.

'Nee, ik wilde haar alleen even weg hebben. Ze moet wel

afgepeigerd zijn van al dat draperen.' Lucy tuurt naar me door de sluier. 'Kun je erdoorheen kijken?' vraag ik.

'Kijk, er zitten piepkleine schelpparels in het kant geborduurd.'

'O ja. Wat zijn schelpparels?'

'Geen idee. Maar het is wel mooi, toch? Vind je het niet prachtig?'

'Verkopen ze hier bruidskorsetten?'

'Viv! Houd eens op over dat stomme korset!'

'Ik herinner je alleen maar aan je eigen woorden.'

'We waren helemaal van de wereld toen we dat zeiden! Denk je nou echt dat Reuben hotpants gaat dragen?'

'Geen idee, ik ken hem niet. Maar ik heb de mijne wel meegenomen – en de laarzen ook.'

Ze begint te lachen. 'Christus, haal dat ding van mijn hoofd!'

Als het vrouwtje terugkomt sta ik op het opstapje en probeer de tiara los te maken uit Lucy's haar. Ze neemt het karweitje van me over en uiteindelijk komt Lucy een beetje geërgerd en met een rood gezicht tevoorschijn. Haar haar zit door de war en ziet eruit alsof het getoupeerd is.

'Viv, wil je je alsjeblieft even concentreren? Ik weet dat het moeilijk voor je is om hier te zijn nu je de bons hebt gekregen...' Ik werp een snelle blik op de vrouw. Ze lijkt zich stilletjes te verkneukelen. 'Maar het gaat nu niet om jou en je bent hier om mij te helpen.' Lucy ziet eruit alsof ze op het punt staat in tranen uit te barsten, en opeens voel ik me schuldig.

'Sorry. Het komt waarschijnlijk doordat ik een oude vrijster ben. Wij zijn niet op ons best in bruidswinkels.'

'Ik weet dat je een oude vrijster bent!'

'Oké, oké, kan het wat zachter?'

'Maar kun je je zelfmedelijden niet een halfuurtje opzijzetten? Ik wil heel graag je mening.'

Ik duw mezelf omhoog van de chaise longue en ga achter haar bij de spiegel staan. 'Wil je mijn mening?' Stiekem ben ik blij dat ze wil weten wat ik ervan vind; in slechtere tijden zou ik hebben gedacht dat ze me alleen maar had uitgenodigd om het me in te wrijven.

'Daarom heb ik je gevraagd mee te gaan.'

'Nou, met dat haar zo slordig ziet deze jurk er prachtig uit. Dan is het niet te gestileerd. Met die sluier denk ik dat je een ordinairdere jurk nodig hebt – dat maakt het spannend.' Ze duwt haar haar naar achteren. 'Je hebt gelijk.' Ze draait zich half om en bekijkt zichzelf aandachtig. 'Dat moet ik toegeven.'

Ik neem haar van top tot teen op en knik. 'Je ziet er verbluffend mooi uit, sexy zonder dat je er je best voor lijkt te doen.'

'Dit wordt 'm, hè?'

'Als ik je zo zie, denk ik van wel.'

Haar ogen vullen zich met tranen. 'O mijn god,' huilt ze. 'Dit is de jurk!'

Het vrouwtje ruikt handel en komt snel naar ons toe. Ze legt haar hand voor Lucy's ogen.

'Ik wil dat je je voorstelt dat het je trouwdag is...' zegt ze hees en met een half Amerikaans accent. Ze spreekt alsof ze een verhaal gaat vertellen. 'De belangrijkste dag van je leven. Je haar en make-up zijn volmaakt, je ziet er mooi uit, je ruikt je favoriete parfum.' Op dat moment spuit ze iets in de lucht. 'Je hebt een schitterend bruidsboeket in je handen en staat voor de kerk.' Ik zie in de spiegel dat mijn mond openhangt, dus ik loop terug naar de chaise longue en drink de laatste champagne op. 'Je aanstaande echtgenoot staat binnen; hij staat te popelen om het jawoord te geven en kijkt nerveus naar de deur. Nu gaat de deur open en dít is wat hij ziet.' Met een theatraal gebaar haalt ze haar hand weg en Lucy kijkt sprakeloos naar zichzelf.

'Ik neem hem,' zucht ze.

En hup! Tweeduizend pond later is ze de trotse eigenares van een prachtige bruidsjurk van Vera Wang.

'Zullen we een cocktail gaan drinken om het te vieren?' vraagt ze. 'Die tent aan de overkant, met die lange bar, heeft verrukkelijke watermeloenmargarita's!' voegt ze eraan toe, alsof ik daar mijn hele leven naar heb verlangd.

'Laten we maar gaan dan!' Ik haak mijn arm door de hare.

We gaan aan het uiteinde van de lange metalen bar zitten. De ruimte is ingericht met licht hout en versleten chesterfieldstoelen. Onze drankjes worden voor ons neergezet en zien eruit als kunstwerken. Er hangen trosjes bessen aan de glazen en ze staan op kleedjes van zilverpapier.

'Hoe zouden hun personeelsadvertenties eruitzien?' vraag ik me hardop af. 'Ze zijn allemaal zo knap. Ex-modellen gezocht voor achter een heel lange bar. Mogen niet in staat zijn te glimlachen.'

'Moeten in staat zijn een cocktail te mixen,' voegt zij eraan toe.

'Dat staat in de echte functieomschrijving.'

'Dat weet ik.'

Ik kijk haar even aan en besluit van onderwerp te veranderen. 'Wat denk je dat Reuben van je jurk vindt?'

'O, hij vindt hem vast prachtig.'

'Dus jullie doen helemaal niks met dat seksthema?'

'Jawel, maar op een subtielere manier dan waar we het toen over hadden.'

'Wat dan? Een fallische bruidstaart?'

'Inderdaad!' Ze lacht.

'Wat dacht je van slipjes met pikante leuzen erop?'

'Goed idee. Hebben ze die bij Barnes & Worth?'

'Nee, maar ik kan er wel een paar voor je regelen.'

'Wat voor leuzen?'

'Wat je maar wilt. Je zou er een sexy knalbonbon van kunnen maken. In plaats van een grapje kun je er een standje in doen dat iedereen moet proberen.'

'Ja, met zo'n slipje in plaats van het traditionele hoedje, en misschien iets met glijmiddel.'

'Of een bijzonder condoom.'

'Of een seksspeeltje.'

We lachen en nemen een slok van onze margarita's. Ik denk na over de levensvatbaarheid van de sexy knalbonbon. Het zou het eerste product kunnen zijn dat het Dream Team in de markt zet. We zouden kunnen beginnen met Lucy's bruiloft en vanaf daar de hele bruiloftsmarkt kunnen veroveren.

'We moeten er misschien ook iets over de liefde in doen... zakjes met suikerhartjes of kleine, hartvormige gelukskoekjes of zo,' opper ik.

'O ja, liefde, natuurlijk... glitters in de vorm van hartjes.'

'Oké.' Ik ben al een lijstje aan het maken van mogelijke leveranciers, een begroting aan het opstellen en een realistische prijs aan het bedenken voor een gastenbedankje. Ik besef dat ik niet heb gehoord wat Lucy tegen me heeft gezegd over haar bruiloft.

Ze sluit af met: '... wil je dat doen?'

'Natuurlijk.' Ik glimlach.

'Nou, laten we daar dan op toosten.' We klinken. Ik drink mijn glas leeg met een onbehaaglijk gevoel en mijn oog valt op de veel te grote digitale wandklok. Het is al acht uur en ik had om zeven uur bij Michael moeten zijn voor het verlovingsfeest. Misschien ga ik niet. Lucy zit een sms'je te lezen op haar Black-Berry.

'Reuben is op weg hiernaartoe.' Ze glimlacht en zoals zo vaak realiseer ik me weer hoe mooi ze is. 'Zeg maar niets over de jurk.'

'Natuurlijk niet. Overigens ga ik weg als hij hier is. Een verlovingsfeest... iemand van het werk.'

De Ga Ga-bar is de laatste deur in een steegje in Soho, zo'n soort tent waar je een speciale code moet slaan met de deurklopper om binnen te komen. Vanavond is het er halfleeg en Michael zit aan de bar in het midden van de ruimte, dramatisch van onderaf verlicht door paarse spots. Boven de kleine dansvloer hangt een spandoek: GEFELICITEERD M EN M!

Er klopt iets niet aan dit beeld. Waarom is er geen muziek?

Waar is De Wrat? Er zitten een paar kleine groepjes genodigden rondom tafeltjes met zoutjes. Sommigen zijn onmiskenbaar kennissen van Michael, met hun 'Dawn of the Living Dead'-outfit. Ze draaien zich om en volgen mij met hun blik als ik naar de bar loop. Michael draait zich niet om. Ik pak mijn verlovingscadeau en gooi het voor hem neer.

'Gefeliciteerd met je verloving,' zeg ik. Hij draait zich om, de handen geheven als in een soort jiujitsu-houding.

'Rot op... O, jij bent het.' Hij zakt weer in. Ik wacht, maar hij zegt niets meer, dus ik trek een barkruk bij.

'Hoe gaat het?' Hij vormt een driehoek met zijn vingers, steunt er met zijn neus bovenop en schudt langzaam zijn hoofd.

'Niet zo best dus? Wil je iets van me drinken?'

''t Is gratis.' Hij kijkt op zijn plastic digitale horloge. 'Tot negen uur.' Ik krijg een witte wijn van een barkeepster met een platinablond, asymmetrisch bobkapsel.

'Leuke tent,' zeg ik. Hij werpt een blik opzij, dus ik kijk om me heen. Er gaan een paar mensen weg. Michael schiet plotseling overeind en helt schuin achterover. Hij kan zich nog net aan de bar vastgrijpen om te voorkomen dat hij valt. Hij trekt mijn cadeau naar zich toe en begint het uit te pakken als een nieuwsgierig kind. In het papier zit een kartonnen doosje. Hij aarzelt, grinnikt en opent het. Er komt een metalen ezeltje tevoorschijn met draagmandjes aan weerszijden. Hij zet het op de bar.

'Dat is een peper-en-zoutezeltje. In het ene mandje doe je zout en in het andere peper.'

'Geweldig!'

'Ik ben blij dat je het mooi vindt.'

Hij staart me aan met dronken ogen. 'Wat?'

'Michael, is alles oké?'

'Ze komt niet. Ze is bij me weg.' Hij zuigt op zijn onderlip en knippert heel traag met zijn ogen.

'O, wat erg voor je.'

'Tja, wat doe je eraan.' Er schuiven stoelen over de vloer en ik zie de laatste gasten naar de deur lopen.

'Bedankt, jongen!' roept een van hen. Michael steekt zijn hand op zonder om te kijken, maar als de deur sluit, draait hij zich snel om en gooit het peper-en-zoutezeltje achter ze aan. Het stuitert op een betonnen trede en blijft op zijn kant liggen.

'Leuk dat je er was,' zegt hij.

'Oké, het is mooi geweest, hij heeft genoeg gehad,' verkondigt het meisje achter de bar.

'Ik mag onbeperkt drinken, verdomme!'

'Niet meer. Niet als je met dingen gaat gooien. Het is tijd om te gaan.'

'Hoezo? Dit is mijn verlovingsfeest!'

'Kom op, lekker ding...'

'Ik breng hem wel thuis,' zeg ik. 'Geef ons even de tijd, oké?' Michael legt zijn hoofd op de bar. Ze kijkt naar hem met zoveel afkeer dat ik hoop dat iemand op een dag haar platinablonde hart breekt.

'Michael?' zeg ik zachtjes. 'Michael?'

Hij draait zijn hoofd naar me toe, met gesloten ogen. 'Ik houd van je,' mompelt hij.

'Michael, zullen we gaan?'

'Hmm-hmm?'

'Kom, we gaan.' Ik tik zachtjes tegen zijn elleboog en hij schuift langzaam van de kruk tot hij eindelijk staat, met beide armen om mijn nek.

'Dans met mij, Marion.'

'Ik ben Vivienne, Michael.'

Hij doet één oog open. 'Dans met me.' Hij duwt me naar de dansvloer. 'Jij daar, muziek.' Het barmeisje rolt met haar ogen en zet de iPod aan. Herb Alpert galmt door de lege ruimte. 'Deze man is verliefd op je,' zingt hij. We dansen in een klein cirkeltje terwijl het barmeisje opruimt. 'Ze is gek op dit nummer,' mompelt hij. 'Marion!'

'Laten we gaan. Heb je iets gegeten?' Ik werk hem langzaam naar de deur.

'Wacht, wacht!' Hij bukt om het czeltje te pakken en ik duw

hem de straat op, waar de koele lucht ons in het gezicht slaat. 'Marion. Marion,' zegt hij onophoudelijk. We komen bij de hoofdstraat.

'Luister, ik ga een taxi voor je proberen te vinden.' Ik steek mijn hand op naar een taxi met een geel lichtje, maar de chauffeur werpt één blik op de waggelende Michael en rijdt door. Michael probeert de straat op te lopen om de taxi tot stilstand te dwingen, maar ik trek hem de stoep op, waar hij zachtjes begint te huilen, met zijn handen stevig om het ezeltje geklemd.

'Niet huilen, Michael.' Ik omhels hem.

'Ze is bij me weg.'

'Ik weet het.'

'Ze wil niet met me trouwen.'

'Dat weet je niet. Misschien heeft ze gewoon koudwatervrees of zo.'

'Ze heeft me een sms'je gestuurd. Wil je het zien?'

'Niet per se.'

'Ze heeft het uitgemaakt per sms!' roept hij naar een groepje voorbijkomende meisjes, die beginnen te giechelen. Hij huilt met zachte snikken.

'Kom op, Michael. Het beste wat je nu kunt doen is naar huis gaan.' Ik sla mijn arm weer om hem heen.

'Ze is verdwenen.'

'Ik weet het.'

'Ze is verdwenen.' Hij huilt nu tamelijk hard. 'Mijn Marion.'

'Ik weet het, kop op. Ik weet dat het heel erg pijn doet, maar je komt er wel overheen.'

'En ik heb niets,' snikt hij, 'niets. Behalve dit stomme zouten-peperezeltje.' De gedachte komt bij me op dat mijn verlovingsgeschenk Michael net het laatste zetje heeft gegeven. We wachten in de wind; hij staat zachtjes te huilen en ik probeer wanhopig een taxi te wenken.

Eindelijk stopt er een auto bij de stoep en ik stop de chauffeur geld toe om Michael naar huis te brengen. Michael loopt struikelend naar de taxi, maar vlak voordat hij instapt stopt hij plotseling en houdt zich staande aan het portier. 'Vivienne, ik neem aan dat je me niet wilt... helpen deze nacht door te komen?' Hij gebaart naar de achterbank. 'Nee Michael.' Hij kijkt me aan. Zijn gezicht is vlekkerig van de tranen. 'Het is een mooi aanbod, maar nee, dat zou niet goed zijn. Slaap lekker,' zeg ik. Hij knikt en ploft neer op de achterbank. Ik zie zijn paardenstaart verdwijnen als de taxi de hoek om rijdt en bedenk dat het waar is wat het liedje zegt: '*Everybody hurts, sometimes.*'

30

Het is 30 augustus, de dag waarop Nana gaat trouwen, en ik word wakker in het eenpersoonsbedje uit mijn jeugd. Geen Take That-posters meer, maar de verzameling porseleinen miniatuurdieren is nog intact, en ik ben nog steeds dol op de eek-hoorn.

Ik trek de spijkerbroek en het T-shirt van gisteravond aan en zet het raam open. Het is een veelbelovende ochtend: heiig blauw met een vleugje kilte die straks door de hitte van de zon zal worden weggebrand. Er staat een bestelbusje op de oprit – de CATERAARS VOOR UW SPECIALE DAG zijn er. Ik ga naar bene-den en zie dat ze al druk in de keuken in de weer zijn, onder leiding van een klein vrouwtje in een witte spijkerbroek tot op de knie en een gestreepte blouse met opstaand boordje. Ik loop in de weg als ik koffie probeer te zetten.

'De kippenvleugeltjes, Dominic!' roept ze naar een slungelige knul en ze slaat haar ogen ten hemel. Ik glimlach. 'Mijn zoon,' zegt ze.

'Wat zie je er dan jong uit!' zeg ik om aardig te zijn. Hoe oud zou ze zijn, misschien vijfenveertig?

'Ik ben zevenendertig,' zegt ze. Jezus! Pas vijf jaar ouder dan ik en dan al een volwassen zoon. Als ik nog eens goed kijk, valt me op dat ze er eigenlijk een beetje afgeleefd uitziet voor zevenen-dertig. Ze heeft flinke wallen onder haar ogen – groter dan die van mij. Ik realiseer me dat ze verwacht dat ik iets zeg.

'Goed hoor!' Ik knik, hopelijk op een vriendelijke manier en loop met mijn koffie de tuin in.

Ik neem aan dat ik in feite degene ben die afwijkt van de rest, omdat ik op mijn tweeëndertigste nog niet getrouwd ben en geen kinderen heb, en dat de cateringdame normaal is. Ik ben 'abnormaal'. Ik loop over het gazon naar het beeld en denk aan mijn moeder die mij op haar zeventiende kreeg. Eigenlijk was ze heel dapper, ook al lukte het haar niet om af te maken waar-aan ze was begonnen. Waarschijnlijk heeft het feit dat ik een tienermoeder had me op de een of andere manier beschadigd. Waarschijnlijk duw ik de liefde onbewust weg. Ik weet zeker dat ik dat heb gelezen in *Vind je eigen weg en wees vrij*. Ik raak de vleugels van het beeld aan. Mijn moeder schijnt ergens in Zuid-Amerika rond te reizen, dus ze komt vandaag niet. En om eerlijk te zijn is dat een opluchting, want ze zou alleen maar herrie schoppen en alles verpesten, als een soort boze stiefmoeder. Ik neem een slokje koffie en voor het eerst in mijn leven voel ik iets van vergiffenis. Ze was nog maar zeventien. Wat weet je nou helemaal op die leeftijd.

Ik draai me om naar het huis. Er staan al stoelen klaar op de patio – eenvoudige houten stoelen met een satijnen lint op de rug, precies zoals we het hadden bedacht. Ik loop langzaam over het gangpad en ga onder het rozenprieel staan. Ik heb de bloemist gevraagd extra rozen te leveren bij het boeket. Ik wil Nana's rolstoel versieren als verrassing, maar eerst moet ik haar eruit zien te krijgen. Ik kijk naar het huis dat blinkt in de zon, met de kamperfoelie tegen de gevel en zijn vervallen charme. Nana verschijnt voor een raam op de bovenverdieping en kijkt de tuin in.

'Goedemorgen!' roep ik en ze zwaait.

'Zijn de tafels er al?'

'Nog niet. Maar de cateraars zijn wel aan het werk.'

'Ze hadden er al moeten zijn. Ik wil de tafels onder de appelboom.'

'Het is pas negen uur.'

'Ik kan niets doen omdat ik vastzit aan die stoel.'

'Wacht maar, ik kom naar boven.' Ik slalom door de keuken, die gevuld is met de geur van gebraden knoflookkip, en loop de wenteltrap op. Het zongebleekte roze tapijt is op de randen van de treden tot op de draad versleten. Nana is in haar kleine badkamer en probeert vanuit haar rolstoel de stop in het bad te doen. 'Wat ben je aan het doen? Ik zal je even helpen.'

'Verdomme! Op de krukken lukt het me ook niet – dan kan ik niet ver genoeg bukken.'

Ik druk de stop op zijn plaats en zet de kranen aan.

'Zou je er wat badolie in willen doen?'

Ik pak de fles en giet wat olie in het water, een aardegeur vult de ruimte. Ik duw Nana in haar stoel naar de spiegel. 'Het is een prachtige dag voor een bruiloft.'

'Maar moet je de bruid zien: een mager oud mensje in een rolstoel.'

'Dat moet je niet zeggen.' Ik borstel haar haar zodat ik krulspelden in kan zetten voordat ze in bad gaat.

'Au, je trekt!'

'Sorry,' zeg ik terwijl haar gezicht vertrekt. 'Sorry.'

'Ik wil niet dat het wijduit gaat staan aan de achterkant. Ik wil er niet uitzien als een bejaarde in een touringcar.'

'Dat gebeurt ook niet. Je zult er prachtig uitzien.'

'Vroeger zag ik er met een klein beetje moeite al mooi uit. Nu niet meer.'

'Je blijft altijd mooi – met jouw jukbeenderen.'

'Ik vraag me opeens af of die jurk niet een beetje overdreven is.'

Ik kijk naar de jurk die aan de kledingkast hangt. Het is een lange, parelkleurige jurk met een eenvoudige snit, halflange mouwen en gedrapeerde plooitjes op de rug. Precies goed. 'Hij is niet "een beetje overdreven". Wat een onzin!'

'Een beetje te jong?'

'Nee. Waar is je zelfverzekerdheid gebleven?'

'Het zijn de zenuwen... en het feit dat ik niet kan bewegen; ik word er gek van. En ik haat deze lelijke rotstoel!' Haar ogen worden vochtig. Ik laat de krulspeld die al half in haar haar zit los en leg mijn hand op haar schouder. 'En ik weet dat het raar is, want ik ga vandaag met Reggie trouwen, maar ik mis je opa juist nu heel erg.' Haar stem breekt.

'Ik weet het.'

'Ik had gedacht dat ik nu wel zover zou zijn dat ik niet meer alles met hem hoef te delen.' Ik ga naast haar zitten en pak haar hand. 'Ik bedoel, ik weet dat hij er niet meer is en dat accepteer ik, en het gaat ook goed... Maar soms vergeet ik het en dan zet ik thee voor hem en vertel ik hem van alles, en dan is het iedere keer weer een schok om te beseffen dat hij niet meer bij me is.' Ze stopt om haar neus te snuiten en ik knijp zachtjes in haar schouder, terwijl ik mijn eigen tranen weg knipper. Ze heeft het nooit eerder over dit soort dingen gehad. Het laatste wat ze nodig heeft is dat ik begin te grienen, maar ze heeft het al gezien.

'Begin jij nou niet ook!'

'Ik kan er niets aan doen.' Nu zitten we allebei te snotteren als twee verdwaalde kinderen.

'Weet je, iedere ochtend als ik wakker word zijn mijn hersenen geprogrammeerd op wat ze kennen, op het leven zoals het met hem was. Dus dan denk ik een fractie van een seconde dat hij er nog is. En dan doe ik iets onverwachts en dringt het opeens tot me door.'

'Zoals trouwen met Reggie, bedoel je?'

'Ja!' Ze lacht en veegt haar ogen droog. We kijken elkaar aan.

'Maar hij maakt je gelukkig, toch?'

'Ja, heel erg.'

'Mooi, want ik wil dat je gelukkig bent. Opa zou ook willen dat je gelukkig bent.'

'Dat weet ik.' Ze buigt zich voorover en omhelst me. Ze ruikt aan mijn haar en knijpt even in mijn nek. Dan haalt ze diep adem en blaast weer uit. Ik zie dat ze zich vermant, en als ze weer naar me kijkt is alle kwetsbaarheid verdwenen. Ze geeft me mijn hand terug.

'Hoe dan ook, het gaat goed hoor. Het gaat heel goed. Maar hoe gaat het met jou, Vivienne? En waar is Max?' Mijn hart maakt een sprongetje bij het horen van zijn naam.

'Tja, dat is de grote vraag.'

'Dat heb ik gelezen.'

'Gelezen?'

'In de *Gazette*.' Ze wijst naar de toilettafel. 'Je zoektocht op Facebook heeft blijkbaar nogal wat beroering veroorzaakt.' De krant ligt open op pagina zeven en onderaan staat een klein artikeltje. Ik lees de kop.

'Verliefde vrouw gebruikt Facebook om haar geliefde te vinden.' Daar staat de foto van Max die me optilt op de bruiloft van Jane, en ernaast wat teksten uit mijn blog. Ik lees hardop:

'"De zoektocht naar Max Kelly laat zelfs mensen in Australië en Mexico niet onberoerd. De Facebook-groep *Waar is Max?* heeft nu al duizend vrienden..." Wauw.'

'Ik was nogal verbaasd om je gezicht in de krant te zien.'

'Ik ben zelf ook verbaasd! Ik wist hier niets van.' Nana wacht op uitleg. 'Ik bedoel, ik ben bezig met een soort campagne om hem te vinden en ik heb een persbericht verspreid, maar ik had nooit gedacht dat het zo snel in de krant zou staan.' Wat geweldig dat het verhaal in de krant staat. Media-aandacht! Nu komt hij wel boven water. En dan ziet hij hoeveel ik van hem houd en varen we samen de zonsondergang tegemoet.

Nana glimlacht en kijkt naar haar handen. 'Een campagne?'

'Nou, ja, dat persbericht, en er waren een paar zondagskranten die hebben beloofd over een website te schrijven die ik heb opgezet, dus die heb ik ook verteld over de zoektocht naar Max. En we hebben een paar T-shirts laten ontwerpen met het logo *Waar is Max?* erop. Hopelijk zijn die snel te koop bij Topshop.'

'Topshop... Jeetje.'

'Wat?'

'Nou, denk je dat hij die hele toestand wel kan waarderen? Misschien is hij alleen maar met vakantie.'

'We zijn met elkaar naar bed geweest.'

'Natuurlijk.'

'Hij zei dat hij van me hield en toen ben ik met Rob naar zijn expositie gegaan, op de avond dat er een meet-and-greet was en alle kunstenaars aanwezig waren.'

'O jee, ik heb heel wat gemist in het ziekenhuis, hè?'

'En Nana, ik houd van hem. Heel veel. Maar hij denkt dat ik hem heb verraden. Dat is niet waar. Ik zou hem nooit kwaad doen, en nu is hij verdwenen. Ik wil hem gewoon vinden en dit is nou eenmaal het wereldje waar ik in thuis ben.' Ik zwaai met de krant. Ze knikt langzaam alsof ik zes ben en zojuist een poppenkastvoorstelling heb gegeven.

'Wat is er?'

'Niets. Je doet gewoon zo dramatisch, ik bewonder je.'

'Ik geloof niet dat ik dramatisch doe.'

'De meeste mensen accepteren de dingen zoals ze zijn en gaan vrolijk door met hun leven, maar jij niet. Altijd ergens naar op zoek... altijd aan het proberen de wereld te veranderen, al toen je een klein meisje was,' zegt ze, half tegen zichzelf, en de woorden dringen zich pijnlijk in mijn hart.

'Nou, misschien vind ik ooit wat ik zoek.'

'Of misschien houd je gewoon op met zoeken en wacht je tot het jou vindt.' Haar ogen gaan naar mijn gezicht en het is even stil.

'Maar waarschijnlijk niet.' Ik lach in de hoop dat ze erover ophoudt. 'Hoe dan ook, genoeg over mij. Ga jij vandaag toevallig trouwen of zo?'

Ze glimlacht met haar aureool van krulspelden. 'Inderdaad,' zegt ze. 'Inderdaad.'

Ik duw haar terug naar de badkamer en er volgt een ongemakkelijk moment als ik haar in het water help. Je oma naakt zien is niet iets waar je op voorbereid bent. Ze heeft haar handen om mijn nek als ik op het laatst mogelijke moment haar nachtpon uittrek en probeer niet naar de botten van haar heupen en haar uitstekende schouderbladen te kijken. We zijn allebei opgelucht als ze tussen de bubbels zakt.

'Ik ga even kijken hoe het allemaal gaat,' zeg ik en ik maak dat ik wegkom.

In de slaapkamer neem ik nog een slok champagne en lees ik het artikel opnieuw. Doe ik echt zo dramatisch? Maakt die hele campagne om Max te vinden alles juist erger? Ik kijk naar zijn foto en zijn glimlachende ogen. Ik moet proberen hem te vinden; een alternatief is er niet. Als ik niets doe heb ik daar misschien de rest van mijn leven spijt van.

'Viv?' roept Nana door de badkamerdeur. 'Wil je even kijken of de tafels er al zijn?'

'Oké.' Ik ga terug naar mijn kamer en neem de rolstoel mee. Nu zij veilig in bad zit, kan ik hem vol hangen met rozen en linten.

31

Aantal dagen sinds ik je voor het laatst zag: 28

Herinner je je nog die keer dat we zogenaamd trouwden? Oké, het was nadat je je eerste jointje had gerold, met een heel zakje marihuana erin, toen je dacht dat de nietmachine het kwaad zelve was, maar volgens mij telt het toch. Het lipje van een blikje als ring? Het bruiloftsontbijt van fish-and-chips? Het ééndaagse huwelijksreisje naar Stockport? Kon ik je nu maar kussen op die veerboot.

Wat kan ik je vertellen? Vandaag heb ik Nana weggegeven aan 'Reggie de buurman'. Ik heb er vrede mee – ze is gelukkig. Maar ik moest wel huilen toen ze haar gelofte uitsprak. Ik geloof dat dat was toen ze zei: 'Leef iedere dag met de zekerheid van mijn liefde.' Dat raakte me. Vind je het niet prachtig? En na het buffet hield ze een toespraak over de liefde en toostte ze op opa en toen huilde iedereen. Er was een jazzband en kokostaart en zoveel champagne als je wilde. Dat deel zou jou wel hebben aangesproken. Het was een volmaakte dag, behalve dat jij er niet was.

Vandaag vertrekken ze voor een paar weken naar Spanje en ik heb haar gevraagd in de gaten te houden of jij daar ergens rondloopt. Waarschijnlijk zit je nu in een café op zo'n typisch Spaans plein en denk je dat je er interessant uitziet als je een 'café solo' in een piepklein kopje bestelt. Ik weet zeker dat je doet alsof je Jean-Paul Sartre leest. Maar de kans is groter dat je karikaturen verkoopt aan toeristen om rond te komen.

Hoe dan ook, het is niet aardig om zomaar te verdwijnen.

Kun je terugkomen? Ik mis je, Max.

V x

PS Inmiddels 1000 vrienden.

'Hallo?'

'Hallo, spreek ik met Vivienne Summers?'

'Ja?' Jezus, hoe laat is het?

'Hallo, je spreekt met Ruby North. Ik ben programmavoorbereider voor Romance Radio.'

Ik ga rechtop zitten in bed; buiten is het licht. 'Hoi.'

'We zijn geïnteresseerd in je zoektocht naar Max Kelly.'

'O.'

'Ik heb net je artikel in de *Sunday Read* gelezen en ik denk dat je verhaal interessant kan zijn voor onze luisteraars.' De *Sunday Read*? Ik grabbel op het nachtkastje naar mijn telefoon. Het is acht uur 's ochtends en het is zondag. Ben ik opeens zo gewild? 'Sorry dat ik zo vroeg bel, maar ik weet zeker dat je vandaag een heleboel telefoontjes zult krijgen van de media, en ik wilde er vroeg bij zijn om je te boeken voor een interview op onze zender.'

'Een interview?'

'Ja, gewoon een paar vragen over Max – als onderdeel van een item over verloren liefdes. Heb je Max al gevonden?'

'Nee.'

'Ah, gelukkig. Zou je willen komen om onze luisteraars over hem te vertellen?'

Mijn hart bonkt als een razende, van de adrenaline. Alle publiciteit die ik kan krijgen is welkom. De radio is prima. Die kun je overal horen. Misschien luistert Max wel en dan kan ik rechtstreeks tegen hem praten.

'Oké, graag.'

'Geweldig!'

Ik schrijf de gegevens op: Romance Radio, Love Lane, Battersea, morgen om één uur, Ruby North, en dan hang ik op. Jezus! Wat heb ik allemaal overhoopgehaald? Ik sta op en trek de kleren aan die op de grond liggen – een spijkerbroek en een T-shirt waar Dave op heeft geslapen, aan de kattenharen te zien. Ik zet mijn zonnebril op en ren naar buiten om kranten te kopen.

Tien minuten later ben ik terug met koffie en de *Sunday Read*. Ik haal het bijgesloten tijdschrift eruit en ga naar de pagina van Donna Hayes. De kop luidt: 'Redding voor mensen met liefdesverdriet?' Er staat een fotootje bij van Donna in de wind; ze ziet er veel beter uit dan in het echt. Het artikel beslaat twee pagina's en ik lees het vluchtig door:

Niets voelt eenzamer dan als je in de steek bent gelaten en liefdesverdriet hebt. Vrienden en familie krijgen zo'n glazige blik in hun ogen, collega's mijden je en je wordt nergens meer voor uitgenodigd. Blijkbaar houdt niemand van ellende. Dus waar kun je dan nog troost vinden, als het weken, maanden of zelfs jaren geleden is en je nog steeds niet aan je ex kunt denken zonder in snikken uit te barsten? Je kunt erover lezen, cursussen volgen om je zelfverzekerder te voelen en zelfs die kerel uit je gedachten laten hypnotiseren (informatie onderaan). Maar van nu af aan zal ik vrienden met een gebroken hart ook verwijzen naar www.gebrokenharten-online.com, een spiritueel toevluchtsoord voor eenzame, verloren zielen. Je kunt je koesteren in het gezelschap van lotgenoten, meedoen aan forumdiscussies, waargebeurde verhalen lezen waarvan de haren je te berge rijzen en tips opdoen, bijvoorbeeld over hoe je je schaamhaar een sexy look kunt geven. Het is niet zozeer een website als wel een club waar je je gegarandeerd beter gaat voelen – en als jij degene bent die het heeft uitgemaakt, kun je je schuldgevoel sussen door je ex op de pagina 'Maak een afspraakje met mijn ex' te zetten. Deze site is grappig, zit goed in elkaar en – het belangrijkst van alles – biedt hoop.

Psst! Als je van romantische sprookjes houdt kijk dan op de blog van oprichtster Vivienne Summers, over haar verloren geliefde, of 'like' de Facebook-groep *Waar is Max?* – duizenden gingen je voor.

Een hoeraatje voor Donna Hayes! Ze is haar afspraak nagekomen. Wat een heldin. Niet te geloven – mijn site én mijn blog in de zondagskranten!

Mijn mobiel zoemt. Christie.

'Heb je de krant gezien?' vraag ik.

'Welke krant?'

'De *Sunday Read*. Ik sta erin! Nou ja, niet ik, maar mijn site, en de *Waar is Max?*-groep wordt ook genoemd.'

'Nee, ik heb hem nog niet gezien.'

'Sorry, ik dacht dat je daarover belde.'

'Nee.' Er volgt een lange stilte. Ik vraag me af of de verbinding verbroken is, maar dan hoor ik haar ademen.

'Wat kan ik dan voor je doen op deze mooie ochtend, Christie?'

'Nou, ik wilde je alleen vertellen dat Nigel twee ontwerpen heeft gemaakt en een paar t-shirts heeft laten drukken.'

'Geweldig! Dus hij vond het niet vervelend?'

'Nee.' Ze klinkt afwezig.

'Mooi. En moeten we er dan één kiezen?'

'Nee.'

Ik wacht op haar uitleg. Ik wacht nog wat langer. 'Christie? Gaat het?'

'Ja hoor, ik ben er nog... Sorry, ik ben mijn teennagels aan het lakken.'

'Oké, over die ontwerpen...?'

'Ja, Nigel heeft er twee gemaakt en ik vond een ervan heel mooi, maar al zijn modevrienden dragen nu het andere.'

'Hoe ziet het eruit?'

'O nou, Nigel kan soms zo'n sukkel zijn. Hij heeft het in het Frans gedaan!'

'Frans.'

'Ik weet het! En het is alleen maar de tekst *Où est Max?* in een soort vierkante, zwarte kapitalen op een wit T-shirt. Ik denk niet dat je het mooi zult vinden, Viv... het andere ontwerp was veel interessanter – eleganter en in een taal die we in dit land spreken! Hoe dan ook, Nigel is bevriend met dat model, Betty George. Ken je die?'

'Ja?' Dat onmogelijk lange model dat nu een grote hit is? Die met dat korte haar en die ongelooflijke, getuite lippen?

'Nou, die mafkees heeft er een aan haar gegeven en nu is er een foto gemaakt waarop ze het draagt, dus nu moeten we wel dat ontwerp kiezen.'

'Betty George is gefotografeerd met een *Où est Max?*-shirt aan?'

'Ja... maar ik dacht... je hebt geen akkoord gegeven voor het ontwerp.'

'Dat is fantastisch! Waar is die foto?'

'In de *Post*.'

'Ik bel je zo terug.'

O mijn god, o mijn god, o mijn god. Ik ren door de straat om de *Post* te halen. Jezus, Betty George!

Dit is waanzinnig! Daar loopt ze, arm in arm met een andere adembenemende persoon, gekleed in niets dan een T-shirt met een riem eromheen – en op de voorkant van dat T-shirt staat de naam van mijn geliefde. Even voel ik een steek die te maken heeft met het feit dat de naam van Max zo dicht bij de borsten van Betty George staat, maar die verdwijnt weer snel. Dit is zo fantastisch dat ik het niet kan geloven. Ik ga naar de Facebookpagina; opeens heeft hij tweeduizend vrienden. Het wordt een sensatie. Ik bel Christie.

'Ik vind het prachtig, Christie. Het kon niet beter.'

'Je weet dat Frans een buitenlandse taal is?'

'Het voegt een vleugje geheimzinnigheid toe. Het is fantastisch. Nigel is fantastisch.'

'O, oké, als jij het geen probleem vindt... Dat is een hele opluchting.'

'Ik wil er een. En die wil ik morgen aan. Ik kom op de radio, Christie!'

'Niemand kan je zien op de radio.'

'Ik wil er gewoon een aan!' Ik wil haar omhelzen en Nigel zoenen.

We spreken af in een bar in Smithfield en ze zegt dat ze zal proberen Nigel mee te nemen. Ik ben door het dolle heen: ik ga naar een hippe bar in Smithfield om een aanstormende ontwerper te ontmoeten. Een ontwerper die Betty George kent. Was Max maar hier! Met al die publiciteit duurt het misschien niet lang meer...

Ik zit midden in een enorme kledingcrisis. Ik dacht aan een strakke, zwarte spijkerbroek, maar was vergeten dat mijn benen er dan uitzien als pastinaken. Nu kan ik niets vinden wat hip genoeg is voor een afspraakje met een modeontwerper. De deurbel zoemt. Dat kan Max niet zijn. Het is Max zeker niet. Of toch? Mijn hart klopt in mijn keel. Ik druk op de knop van de intercom.

'Hallo?'

'Hoi,' zegt een mannenstem.

'Hallo?' herhaal ik.

'Viv, ik ben het... Rob.'

Ik laat het knopje los. Wat doet hij hier? Ik heb hem toch verteld dat hij zich hier niet meer moet vertonen? De bel gaat weer. O shit! Ik weet niet wat ik moet doen. Wat zal ik doen? Ik druk het knopje van de intercom weer in.

'Rob, donder alsjeblieft op. Dit is geen geschikt moment.'

'Heb je iemand daarboven?'

'Wat? Nee.'

'Want als dat zo is, ik zweer je, dan...'

'Wat wil je?'

'Ik wil je zien.'

'Nou, dat kan nu niet.'

'Ik moet je zien, Viv.'

'Ik verbreek nu de verbinding, Rob. Wil je alsjeblieft weggaan?'

'Niet doen...' begint hij, maar ik laat mijn vinger los en hij is weg. Een paar seconden later begint het gezoem opnieuw. Ik ren naar de slaapkamer en probeer het geluid te overstemmen door mijn haar te föhnen. Als ik denk dat hij weg is, zet ik de föhn uit en luister. Stilte. Godzijdank. Het laatste wat ik nodig heb is ruzie met Rob.

Ik kies een zwarte jurk. Maar als ik hem aanheb en de zijrits heb dichtgetrokken, vind ik het er saai uitzien, dus ik doe er een legging onderaan. Ik houd mijn haar naar achteren en bedenk dat ik het vandaag misschien beter kan opsteken. Dan klinkt de bel weer, dit keer in het ritme van een stuk van Beethoven. Aargh! Dit is onverdraaglijk. Ik ren naar de intercom.

'Wat moet je nou?'

'Ik kan niet weggaan voordat ik je heb gezien. Ik heb bloemen voor je gekocht.'

'Ik moet weg.'

'Mag ik dan tenminste de bloemen aan je geven?'

'Heb je die bij een tankstation gekocht?'

'Nee, het zijn dure rozen. Twaalf. Ze zijn roze.'

'En die heb je echt voor míj gekocht?'

'O, kom op, Viv!'

'Nou, ik moet zo weg en ik heb haast.'

'Ik wacht wel.'

Ach, stik. Als hij op straat wil wachten kan ik daar weinig tegen beginnen. 'Je doet maar. Het kan nog wel even duren.'

Nu voel ik me opgejaagd. Ik probeer mijn haar artistiek op te steken, maar het is te riskant: het haar bovenop is te kort. Uiteindelijk laat ik het rommelig loshangen. Nu de schoenen...

Zijn hoge hakken overdreven? Ik kies voor platte schoenen. Zwierige eyeliner boven mijn ogen, lipgloss en klaar. Ik doe mijn telefoon en portemonnee in een enorme groene tas, die hopelijk artistiekerig hip is en kijk even uit het keukenraam. Rob is nergens meer te bekennen. Dave springt op het aanrecht en wrijft met zijn staart tegen mijn arm.

'Luister, ik heb je al gezegd dat je daar niet op mag.' Hij spint en geeft kopjes tegen mijn arm. Ik zet hem op de grond en schep wat stinkende vissmurrie uit een blikje op zijn schoteltje. Hij zakt door zijn poten en begint te eten. 'Oké, gedraag je, tot zo.' Ik pak mijn sleutels en gooi de deur dicht.

Buiten is het warmer dan ik dacht. Ik heb er spijt van dat ik de legging heb aangedaan. Zodra de voordeur in het slot valt, komt Rob op me af met een schitterend boeket.

'Hallo, Viv,' zegt hij ernstig. Zoals gewoonlijk ziet hij er akelig knap uit. Hij heeft een grijns op zijn gezicht die zegt 'vergeef me' en lijkt zo uit een parfumadvertentie te zijn weggelopen. Nu moet ik eigenlijk mijn armen om hem heen slaan en dan laat hij de bloemen op de grond vallen en daarna is er een close-up te zien van het parfumflesje. Tot slot weer een shot van ons tweeën waarin we elkaar zoenen, met een voice-over die zegt: 'Forgive, de nieuwe geur van...'

Maar dat gebeurt allemaal niet. Wat er wel gebeurt is dat we elkaar staan aan te kijken terwijl ik me afvraag hoe ik van hem afkom.

'Hoe gaat het met je?' vraagt hij.

'Goed hoor.'

'Mooi. Dat is mooi.'

'Ja.' Ik staar naar de straat.

'Deze zijn voor jou.'

'Die kan ik niet aannemen.'

Hij ziet er geschrokken en oprecht verdrietig uit. 'Oké. Nee, dat is... Ik begrijp het.'

Ik knik en kijk naar mijn schoenen.

'Wat heb je met je haar gedaan?'

'Ik moet gaan,' zeg ik, maar hij pakt mijn arm beet.

'Nee Viv, niet doen.' Ik zet een stap naar achteren. 'Heb je niet tien minuten de tijd voor me? Kunnen we niet ergens koffie gaan drinken of zo?'

Er schieten allerlei verontwaardigde gedachten door mijn hoofd, over alle keren dat ik hem smeekte of we elkaar niet even konden zien en over zijn kille reacties. 'Rob, wil je me alsjeblieft loslaten?'

Hij laat mijn arm los. 'Sorry,' zegt hij, terwijl hij klopjes op mijn arm geeft. 'Sorry, sorry.'

'Oké.' Ik begin te lopen en hij volgt me.

'Vivienne, alsjeblieft! We zouden de rest van ons leven bij elkaar blijven, wat maken tien minuten nou uit?'

'Ik kan niet. Ik heb het druk.'

'Maar Viv,' jammert hij. Er verschijnen tranen in zijn ogen en ik sta abrupt stil. Ik kan niet tegen huilende mannen.

'Jezus, niet huilen!' roep ik.

'Ik huil wel, Viv. Ik zal huilend achter je aan blijven lopen als je geen koffie met me wilt drinken!'

We belanden in een koffietentje bij het metrostation, hij met een koffie verkeerd met magere melk en ik met een cappuccino. Hij kijkt toe terwijl ik twee zakjes suiker in mijn koffie giet.

'Dus je denkt dat je verliefd bent op Max,' zegt hij uiteindelijk.

'Dat ben ik ook.'

'En waarom is hij dan opeens de ideale man?'

'Om een heleboel redenen.' Ik overweeg er een te noemen, maar besluit het niet te doen. 'Die wil je niet weten.'

'Nee,' geeft hij toe, en hij kijkt om zich heen. 'Je staat in de krant.'

'Ja.' Ik voel een vlaag van opwinding.

'Je moet wel heel erg veel van die vent houden als je er een heel blog aan wijdt en zo.'

'Kennelijk. Waarom lees je mijn blog?'

'Ik ga het heus niet saboteren of zo – ik bedoel, dat was wat ik je wilde zeggen.'

'Dat is aardig van je.'

'Hmm.' Hij neemt een paar flinke slokken van zijn koffie en veegt een melksnor weg. 'Denk je dat hij terugkomt?'

'Geen idee. Ik hoop het.'

'Weet je, ik zou een grote mediacampagne kunnen starten om jou terug te krijgen,' zegt hij.

'Maar dat zal je niet lukken.'

'Nee,' geeft hij toe. Ik glimlach, hij ook, en het voelt heel volwassen om zo bij elkaar te kunnen zitten na alles wat er is gebeurd. Opeens vind ik mezelf heel grootmoedig en ik pak zijn hand en knijp er even in.

'Jij redt je wel, Rob.'

'Ja hoor, ík wel. Maar jij eindigt waarschijnlijk alleen. Wil je weten waarom?'

'Vertel eens.'

'Je weet niet wat je wilt.' Ik drink mijn koffie op zodat hij mijn glimlach niet kan zien. 'Maar wat ik wil doen is jou een kans bieden,' zegt hij. 'Ik ben bereid ongeveer een maand op je te wachten, zodat je dit gedoe met Max kunt uitzoeken, maar daarna moet ik verder met mijn leven.'

'Oké, Rob.' Ik sta op en hang mijn tas aan mijn schouder. 'Ik moet nu gaan. Wacht alsjeblieft geen maand op me. Ik wil geen minuut meer aan jou verspillen.'

'Dat accepteer ik niet als definitief antwoord,' zegt hij terwijl ik achter zijn stoel langs loop. 'Je hebt waarschijnlijk PMS of zo, een tekort aan oestrogeen!' Ik loop naar de deur. 'Denk erover na!' roept hij.

'Dag, Rob.'

Als ik langs het raam loop kijk ik nog even naar hem: een buitensporig knappe man met een bos rozen die nu al zijn contactenlijst aan het doornemen is op zoek naar zijn volgende slachtoffer. Ondanks mezelf voel ik een sprankje genegenheid. Te bedenken dat hij de oorzaak was van al mijn verdriet. Te bedenken dat hij er de oorzaak van zou kunnen zijn dat ik mijn beste vriend en de liefde van mijn leven voorgoed kwijt ben.

Maar dat laat ik niet gebeuren. Ik neem de metro naar Farringdon.

Ik heb met Christie afgesproken in een bar dicht bij Smithfields Meatmarket en nu sta ik voor de enorme, decoratieve toegangspoort. Dit is een van de oudste markthallen van Londen. Op dit moment is de vleesmarkt gesloten, maar overal zijn sporen die verraden wat hier dagelijks gebeurt: duiven die in een kwabbig sliertje vlees zitten te pikken, een roze plasje bij de afvoer, een verdwaalde oogbol die tegen mijn voet rolt. Oké, die oogbol verzin ik zelf. De straat is winderig en verlaten, als een filmset nadat de opnames zijn afgelopen. Het voelt alsof ik een feestje heb gemist. Ik zoek naar een bar in de lage huizenrij, en dan ontwaar ik Christie achter een raam onder een golfplaten dak waarop met slordige roze letters het woord ZOO, dierentuin, is geschreven. Ik steek de weg over en duw tegen de met klinknagels bezette deur. Binnen is alles zwart geschilderd, zelfs de betonnen vloer. Er staan enorme tafels en banken met zwarte, plastic bekleding die hier en daar scheuren vertoont. Een van de muren lijkt te zijn bespoten met graffiti, maar het blijkt de menukaart te zijn, waarop gerechten staan als 'uitsmijter met friet' en 'broodje bacon'. Fluorescerende lampen langs de plinten creëren schaduwvingers en er klinkt chill-outmuziek die een warme afterparty-sfeer creëert. Ik word begroet door een enthousiaste serveerster in een overall met één opgerolde pijp.

'Ik heb hier afgesproken met vrienden,' zeg ik trots terwijl Christie naar me zwaait.

Als ik bij het tafeltje ben, staat Christie op om me een zoen te geven en ik zie dat ze een soort kruippakje aanheeft van vlekkerige spijkerstof en glimmende, hoge sportschoenen. Haar hoofd is omwikkeld met zwarte stof en haar witblonde haar piekt erbovenuit als een yucca.

'Viv, wat je ook doet, zeg niets over de jurk die je van hem hebt geleend,' fluistert ze in mijn oor. Ik kijk over haar schouder naar Nigel. Hij glimlacht en zwaait even. Christie stelt ons aan elkaar voor: 'Dit is Nigel; Nigel, Viv.'

'Leuk je te ontmoeten,' zeg ik geestdriftig. Ik moet zeggen dat hij heel anders is dan ik had verwacht. Hij ziet er onverzorgd uit in zijn Iron Maiden-shirt en zijn broek met smalle streepjes, die eruitziet alsof hij afkomstig is van de kringloopwinkel. Zijn peper-en-zoutkleurige haar is gemillimeterd, waarschijnlijk in een poging zijn terugwijkende haargrens te maskeren, en hij draagt een ziekenfondsbrilletje. Ik besef dat ik geen idee van mode heb. Ik ben absoluut niet hip. Ik weet niet hoe het hoort, en opeens voel ik me naakt omdat ik mijn best heb gedaan er mooi uit te zien. Ik heb kleren uitgezocht die bij elkaar passen, maar nu blijkt dat ik daarmee de plank helemaal mis heb geslagen. Nigel mag niet aan me merken hoe gewoontjes ik eigenlijk ben.

'Iets drinken?' vraagt hij. Ik kijk naar hun glazen, waarin iets roods zit. Wat zou dat zijn? Een rood drankje op een zondagochtend?

'Doe mij maar een bloody mary,' zeg ik met een glimlach, terwijl ik tussen hen in ga zitten.

'Retro,' zegt hij met rollende r'en. Ik kijk hulpeloos naar Christie en zie dat ze witte mascara en glitterlippenstift opheeft. Ze glimlacht bemoedigend.

'Ik hoop dat ik niet te laat ben,' zeg ik. Nigel schudt zijn hoofd. Ik kijk van de een naar de ander: het is alsof hij naar een meeslepende soap kijkt en zij zijn bewonderende vriendin is. Ik bestel mijn eigen drankje als de serveerster langskomt.

'Nog een watermeloensap?' vraagt ze aan Nigel, maar hij maakt een afwerend gebaar. Het is een tijdje stil; Christie kijkt me aan en haalt haar schouders op. Moet ik de leiding nemen? Zitten zij zich af te vragen waarom ik met ze wilde afspreken?

'Nou...' begin ik. Ze kijken me lichtelijk verbaasd aan. 'Nigel. Ik vind het zo geweldig dat je iets voor ons wilde ontwerpen. Ik heb vanmorgen de kranten gezien en ik ben er helemaal weg van. Het is heel erg, nou ja, het is geniaal.' Nigel heeft zijn oor naar mij gedraaid en knikt langzaam. Dan valt er weer een stilte. 'Mag ik een t-shirt zien?'

'Natuurlijk.' Hij steekt zijn hand in zijn rugzak en legt een wit shirt op tafel. Over de gehele breedte staan grote kapitalen. Ik raak de naam van Max aan.

'Echt prachtig,' zeg ik oprecht.

'Ja, ik denk dat het een heel sterk merk is,' antwoordt Nigel. Hij haalt nog meer spullen uit de tas en legt ze op tafel: een zweetbandje en een pet met hetzelfde logo.

'Merk?'

'Ik denk aan een breed assortiment. Het logo is heel visueel, heel krachtig.'

'Stel je voor, Viv: overal *Où est Max?!*' zegt Christie enthousiast.

'Ik zie het voor me... Maar als hij nou terugkomt? Dan is de zoektocht voorbij, en hoe gaat het dan verder? Ik bedoel, als je erover denkt om een heel merk te beginnen?'

'Het is geworteld in de werkelijkheid, maar niet verbonden aan een specifiek persoon,' zegt Nigel.

'Maar dat is het juist wel, want zijn naam staat erop.'

'Die naam is universeel.'

'O.'

'Het is multi-interpretabel. Het kan het ultieme betekenen, als in "Waar is de max?"'

'Maar er staat *Waar is Max?* De persoon Max.'

'In kapitalen. Iedereen kan zijn eigen betekenis eraan geven. Het hoeft niet per se over jouw vriend te gaan – dat geldt alleen voor jou. Het bestaat eigenlijk in en op zichzelf.' Om eerlijk te zijn heb ik geen idee waar hij het over heeft en ik krijg een beetje het gevoel dat ik de greep verlies. Ik neem een slok van de bloody mary. Waarom heb ik dit besteld? Ik houd helemaal niet van tomatensap.

'Hmm, juist. Wat vind jij, Christie?' vraag ik.

'Ik begrijp wat je bedoelt, Viv. Echt waar. Maar ik vind het existentialistische dat eruit spreekt prachtig,' antwoordt ze dromerig.

'O, is dat zo? Kun je me dat uitleggen?'

'Nu niet, Viv.' Ze werpt me een felle blik toe.

'Ik bedoel, ik ben helemaal weg van het ontwerp. Dank je wel daarvoor.' Nigel knikt. 'Mag ik er een?' Ik pak het T-shirt. 'Natuurlijk,' zegt hij.

'Ik vind het geweldig. Vooral dat Betty George het heeft gedragen!' Niet dwepen, niet dwepen.

'Mooi.' Nigel knikt.

'Maar waar het om gaat is dat Max gevonden moet worden,' houd ik vol.

'Natuurlijk.' Hij glimlacht. Wat betekent dit dan? Weer daalt er een stilte over ons neer.

'Hmm,' zegt Christie, voor zich uit grijnzend. Ik kijk naar Nigel, wachtend op uitleg.

'Heb jij Christies outfit van vandaag ontworpen?' vraag ik, alleen maar om iets te zeggen.

'Nee. Welke stijl draag je vandaag uit, Christie? Retro-aerobics?'

'Retro-aerobics gecombineerd met spacy,' legt ze uit.

'Cool,' zegt hij.

'Dus jij bent bevriend met Betty George?' kan ik niet laten te vragen.

'Wat is dat toch een domme koe,' zegt hij lachend, terwijl hij zich naar mij toe draait. Christie begint ook te lachen en ik ook, dus nu zitten we allemaal te lachen om niets.

'Hoe dan ook...' zeg ik. 'Yess!' Ik zet mezelf compleet voor schut en ik weet niet eens hoe ik dat voor elkaar krijg. Is hij ultrahip en ben ik maar saai? Of is hij gewoon vol van zichzelf en eigenlijk nogal onbeschoft?

'Dus Topshop heeft een eerste order geplaatst voor duizend T-shirts,' begint Nigel opeens. 'Maar ze willen wel de exclusieve rechten. Ga je daarmee akkoord?'

'Ja, natuurlijk!'

'Ik reken niets voor mijn ontwerp, maar dan zijn alle risico's en alle winst voor mij.'

'Dat lijkt me prima... geloof ik. Is dat prima?' Ik kijk Christie fronsend aan.

'Kijk, als het flopt Viv, dan kan Nigels reputatie een deuk oplopen,' legt ze uit. 'Dus ik heb gezegd – dat is toch zo, Nigel? –, ik heb gezegd dat het je niet om het geld gaat. Dat het bij jou allemaal om de liefde draait.'

Dat is dus mijn zakenpartner aan het woord. Oei, dit is gevaarlijke materie. Ik heb verhalen gehoord over juridische gevechten over dit soort zaken.

'Nou, het is waar dat ik op zoek ben naar mijn geliefde, maar ik heb wel geld nodig!' Ik begin te lachen; zij niet. 'Dat geldt toch voor ons allemaal?'

'Hmm,' zegt Christie. Ze kijkt naar Nigel, die een paar keer met zijn vuist tegen zijn kin stoot.

'Ik weet dat het jouw ontwerp is Nigel, maar het was mijn idee. Dus...' begin ik. Hij neemt me kritisch op, met heldere, pientere ogen.

'Ik kan je een bedrag betalen voor het idee als je wilt – eenmalig. We komen er wel uit,' zegt hij losjes.

'Je bent Nigel geld schuldig,' komt Christie tussenbeide. Haar ogen zijn opengesperd. 'Voor die verenjurk die je hebt geruïneerd, bedoel ik.'

'Die jurk waarover we het niet zouden hebben?' Jezus, aan wiens kant staat ze eigenlijk?

'Wat dacht je hiervan. Ik krijg alle winst van het merk *Ou est Max?* en jij mag de jurk houden,' biedt Nigel aan.

'Ik heb die jurk niet meer. Er is niets meer van over.'

'En als je nou een nieuwe jurk voor haar maakt?' zegt Christie.

Nigel zucht en leunt achterover.

'Ik heb geen jurk nodig, Christie... Ik bedoel, hoe groot denk je dat dit merk wordt? Ik weet zeker dat je me niet wilt oplichten, maar...'

'Oké,' zegt Nigel, 'laatste bod. Ik maak een designjurk naar keuze voor je en jullie krijgen allebei kaartjes voor mijn modeshow tijdens de London Fashion Week. Eerste rij.'

Christie kijkt me vol verlangen aan; waarschijnlijk ziet ze ons daar al zitten. Ze knikt langzaam, bijna alsof ze me probeert te hypnotiseren.

'En na de show zoveel champagne als we willen,' zegt ze triomfantelijk.

Nigel gaat akkoord en de deal is gesloten. Ik vertrek in de wetenschap dat ik er net in ben geluisd. Maar daar kan ik me nu niet druk over maken.

Als ik even later in de metro zit, gluur ik in mijn tas naar het T-shirt met 'Max' erop. En hoewel ik heel blij ben met het aanbod van Topshop, voel ik enige twijfel. Ik vraag me af of ik niet te veel in de publiciteit ben getreden. Wat zou Max daarvan vinden? Heb ik hem verraden? Heb ik onze liefde te kijk gezet en het daarmee nog erger gemaakt? Ik schud die gedachte van me af en probeer me volledig te concentreren op het oorspronkelijke doel. Het belangrijkste is dat ik Max vind. Ik móét hem vinden, koste wat het kost.

32

BLOG AAN MAX NR. 5 – WE ZIJN BEROEMD

Aantal dagen sinds ik je voor het laatst zag: 29
Het lijkt erop dat iedereen van romantische verhalen houdt. Het is hier een gekkenhuis. Binnenkort liggen er T-shirts in de winkel met jouw naam erop. Je bent hard op weg een merk te worden dat de wereld zal veroveren! Gnagna! Misschien loopt het eigenlijk een beetje uit de hand – iedereen zit erbovenop. Het staat in de krant, en morgen ga ik naar Romance Radio. Ik! Op Romance Radio – bij Stuart Hill.

Het mooiste zou zijn als je zou bellen op het moment dat ik in de uitzending ben en vraagt of ik met je wil trouwen. Ik zou ja zeggen. Waarschijnlijk zouden we dan wel op tv moeten trouwen, maar dat lijkt me eigenlijk niks. Jou?

Wat echt erg zou zijn is als je nooit meer zou terugkomen. Dan zou ik dat treurige meisje zijn dat publiekelijk haar man niet heeft gevonden. Bovendien zou ik altijd alleen blijven, want jij bent de enige voor mij. Ik heb je niet verraden, Max, en het zou het allemaal waard zijn als ik maar wist dat jij dat ook wist.

Ik zal het niet meer hebben over de Facebook-pagina. Ik wil niet dat je in paniek raakt.

V x

'U luistert naar Stuart Hill op Romance Radio 101 FM. Ik zit hier met Vivienne Summers, die ons zo zal vertellen over haar zoektocht naar een verloren liefde. Meteen na Michael Bublé met "Haven't Met You Yet".'

Stuart Hill doet zijn koptelefoon af en steunt met een elleboog op het paneel vol knoppen, dat zich tussen ons in bevindt. Op de radio klinkt hij prima, maar het zou best eens kunnen dat hij in het echt een beetje maf is, een soort Willy Wonka van de radio. Hier zit ik dan in mijn *Où est Max?*-T-shirt vol verbazing de ruimte om me heen te bekijken. De studio ziet er vervallen uit, met verbleekte posters van popmuzikanten uit de jaren tachtig aan de muur, zoals Belinda Carlisle en Debbie Gibson. Het ruikt er naar bedorven etenswaren en scheten, en het lijkt in de verste verte niet op de blinkende mediacabine die ik me had voorgesteld. Maar toch ben ik opgetogen. Ik hoop dat ik goed overkom; meestal vind ik het afschuwelijk om mijn stem op videofilms te horen – ik klink altijd zo sloom.

'Ben je er klaar voor, verliefde dwaas?' vraagt Stuart, zijn ogen wijd open. Ik vraag me af of hij iets heeft geslikt. 'Schat, na dit nummer zet je je koptelefoon op en dan brand ik los!' Hij grijnst van oor tot oor. 'Oké?'

'Oké!' zeg ik, even enthousiast als hij.

Hij kijkt me een moment indringend aan. 'Dus je hebt je mooie hartje aan deze Max huppeldepup verpand?'

'Ja, ik...'

'En je denkt dat hij gewoon naar je toe komt rennen? Ik help het je hopen!' Ik begin iets te zeggen, maar hij houdt een hand op en zet de koptelefoon op zijn hoofd.

'Ik ben Stuart Hill en ik zit hier met een charmante jongedame, Vivienne Summers. Hallo, Vivienne.'

'Hoi, Stuart!'

'Dus, Viv, jij bent op zoek naar een verloren geliefde, is het niet?'

'Inderdaad, Stuart. Ik ben op zoek naar mijn vriend, en de liefde van mijn leven. Hij heet... Zal ik zijn naam noemen?'

'Dat lijkt me een goed idee.'

'Max. Max Kelly.'

'O, die ken ik – ik zag hem net nog in de pub.'

'Wat?'

'Geintje, schat. Ga verder, ga verder.'

'Nou, ik probeer hem te vinden en ik ben een Facebook-groep begonnen met de naam *Waar is Max?*'

'En dat is nogal uit de klauwen gelopen, hè?'

'Ja.' Ik lach.

'Juist, en waarom denk je dat die Max Kelly gevonden wil worden?'

'Nou, we waren net een relatie begonnen en hij zei dat hij van me hield, dus ik hoop dat als hij weet hoeveel ik van hem hou, dat hij dan inziet dat we...'

'Houd je van hem?'

'Nou en of. Heel erg veel. Zielsveel.'

'Hoe voelt dat?'

'Het voelt geweldig. En het zou nog beter voelen als hij hier was.'

'Voelt het als vliegen zonder vleugels?'

'Vliegen zonder vleugels?'

'Maakt hij je geluk compleet?'

'Ja, ik geloof het wel... nou ja, dat zou het gevoel zijn als we samen waren!'

'Ik zag dat je zoektocht in een paar kranten heeft gestaan en dat je vandaag een campagneshirt aanhebt. Wat staat er op de voorkant?'

'Er staat *Waar is Max?*'

'Maar dat staat er niet echt, hè?'

'Nou, het is in het Frans, dus *Où est Max?*'

'Is hij dan Frans?'

'Nee, hij is Iers.'

'Nou ja, als jullie het thuis nog maar kunnen volgen. Haha-ha!' Ik voel het eerste speldenprikje schaamte. 'En heeft het al wat opgeleverd? Heb je wat van deze Max gehoord?'

'Tot nu toe niet, maar ik blijf duimen! Ik blijf duimen!' zeg ik schaterlachend.

'En vertel ons eens over je blog, Vivienne. Zet je al je zielen-roerselen online?'

'Tja, eigenlijk wel. Ik richt het blog aan Max zodat hij kan... eh... Nou ja... zodat hij begrijpt dat er geen dag voorbijgaat dat ik niet aan hem denk.' O nee, opeens voel ik een brok in mijn keel... Ik mag nu niet gaan huilen!

'En heeft jouw Max ooit gereageerd?'

Ik probeer mezelf weer onder controle te krijgen. 'Nee, nee nooit.'

'Maar Viv, zou het kunnen... en ik zeg dit niet om gemeen te zijn, maar zou het misschien kunnen dat hij niet gevonden wil worden? Heb je daarbij stilgestaan?'

Ik hoor flarden droevige muziek op de achtergrond. 'Ik hoop gewoon dat hij dat wel wil.'

'Natuurlijk hoop je dat, lieverd. Kun je ons vertellen waar-om hij er überhaupt vandoor is gegaan?' vraagt hij voorzichtig.

'Ja. Ik... er was een misverstand en hij denkt dat ik iemand anders had, maar dat is niet zo, nu niet en toen niet.'

'Nou, als ik jou was – en je moet het me maar vergeven, want ik ben een beetje ouderwets – zou ik hem gewoon bellen. Waarom die hele campagne?'

'Hij reageert niet op mijn telefoontjes. Dit is mijn manier om hem duidelijk te maken hoe ik me voel...' De droevige muziek zwelt aan.

'Want het zou kunnen dat hij juist aan je probeert te ont-snappen, honnepon. Ik bedoel het niet onaardig, ik vroeg me alleen af of je daarover hebt nagedacht.'

'Dat geloof ik niet.' Opeens zie ik mezelf zitten in deze have-loze studio met mijn T-shirt en die stomme koptelefoon, en ik zou het liefst wegrennen. Ik weet dat ik Max zal vinden. Maar niet op deze manier. Niet door mezelf in het openbaar te laten vernederen, of door Max te vernederen. Dit is niet wat ik voor me zag. Ik weet niet wat ik dan wel had verwacht. Ik probeer iets persoonlijks aan deze Stuart uit te leggen en het komt alleen maar wanhopig en dom over.

'Nou, ik heb de indruk dat een heleboel mensen belangstelling hebben voor de zoektocht naar Max – ik bedoel, meer dan 10.000 vrienden op Facebook. Ik ben er zelf nota bene een van! Hoe denk je dat dat komt?'

'Ik denk dat mensen het nodig hebben om in de liefde te geloven.'

'Denk je dat? Kan liefde wel overleven in onze cynische, materialistische wereld?'

'Wat mij betreft wel... En dat geldt voor een heleboel mensen.'

'Ook voor mij. Wij zijn gelovigen, hè, Vivienne? Wij geloven in de kracht van de liefde.'

'Weet je, ik wil alleen maar mijn vriend vinden. Dat is alles.'

'Juist! En wat is je volgende stap, Vivienne, als je je man niet vindt?'

'Als ik hem niet vind?'

'Ja... laten we er even van uitgaan dat hij al je blogs en je Facebook-pagina leest en dat hij nu ook naar óns luistert en denkt,' Stuart doet een Iers accent na, 'in hemelsnaam, mens, wordt het niet eens tijd om ermee op te houden...' En dan denk ik voor het eerst over die mogelijkheid na. Stel dat hij dat inderdaad denkt? Ik doe dit allemaal om hem te laten zien dat ik van hem hou, maar stel nou dat hij het allemaal afschuwelijk vindt? Ik denk terug aan het gesprek met Nana. 'Altijd ergens naar op zoek,' zei ze. 'Altijd aan het proberen de wereld te veranderen.' Opeens zie ik mezelf niet als een geliefde die boodschappen schrijft in de lucht, maar als een arrogante egoïst die degene die ze pijn heeft gedaan niet wil laten gaan.

'Wat ga je dan doen, Vivienne?'

'Zover heb ik nog niet doorgedacht.' Ik probeer te glimlachen door het crescendo van de violen in mijn koptelefoon heen. Ik heb helemaal niet nagedacht. Zoals gewoonlijk heb ik me weer eens blindelings ergens in gestort. Het leek me wel grappig. Ik had echt verwacht dat hij zou reageren. Ik heb het hier over Max, mijn dierbare, loyale vriend, en ik moet er weer zo nodig een circus van maken. Ik krijg een beklemmend gevoel op mijn borst. Ik heb het helemaal verkeerd aangepakt. Hoe heb ik het nou weer zo kunnen verpesten?

'Stuart... mag ik iets zeggen?' zeg ik opeens.

'Je bent op Romance Radio, we zijn dol op praten.'

'Oké. Ik wil de zoektocht naar Max stopzetten.'

'Je wilt ermee ophouden?' De droevige muziek zwijgt.

'Ik stop ermee.' Hij wacht en kijkt naar de panelen. Er klinkt een ruis in de koptelefoon. Is dit radiostilte? Dit kan niet goed zijn. Is het mijn schuld? 'Ik wil niet meer verder zoeken naar Max,' zeg ik nog een keer om de stilte te vullen, en ik kijk wanhopig naar het vogelnestje van grijs haar op Stuarts gebogen hoofd. Hij zegt niets. 'Ik... ik stop met mijn zoektocht. Ik geloof dat ik zijn privacy wil respecteren. Het is duidelijk dat hij niet gevonden wil worden.' Stuart kijkt op en er schittert een triomfantelijke blik in zijn ogen. Hij knikt wijs. 'Dus het spijt me voor alle leden van de "Waar is Max?"-groep. Ik stop ermee en wil iedereen vragen er ook mee te stoppen.' Ik zet de koptelefoon af, wat een krassend geluid maakt in de microfoon. Ik trek het T-shirt uit, vouw het netjes op en stop het in mijn tas. Nu heb ik alleen nog een hemd aan. Stuart rommelt met de panelen en drukt op allerlei knoppen.

'Nou, luisteraars, daar gaat ze. Dat was de bijzonder charmante en misschien een tikje verwarde Vivienne Summers, die haar zoektocht naar Max Kelly wil afblazen. En ik denk dat ze in zekere zin gelijk heeft, want je kunt liefde niet dwingen en we kunnen haar ook niet tot haast manen, zoals we allemaal weten! Hé, hier heb je het voor het eerst gehoord, exclusief op Romance Radio.' Hij speelt een jingle af die overgaat in 'Someone Like You' van Adele. Hij zet zijn koptelefoon af en knijpt in de brug van zijn neus. Hij maakt een wat uitgebluste indruk. Ruby komt haastig binnen om me weg te voeren. Ik kijk over mijn schouder naar Stuart; zijn ogen zijn gesloten.

'Gaat het wel met hem?' vraag ik.

'Ja hoor, prima. Hij is zich vast aan het voorbereiden op het volgende onderwerp.'

'Het spijt me, ik geloof niet dat het helemaal was wat hij verwachtte.' Ruby glimlacht alleen maar. 'Bedankt dat ik mocht komen,' zeg ik als een kind aan het einde van een partijtje. 'O, geen dank, joh!' Ze doet de deur voor me open en ik stommel van de vieze trap de straat op, een beetje verdoofd. Ik draai me in de richting van de wind en begin te lopen om na te denken. En hoe langer ik nadenk, hoe zekerder ik ervan ben dat ik er goed aan heb gedaan om de zoektocht af te blazen. Bij iedere stap voel ik een soort rust als olie door de raderen van mijn hersenen stromen.

Als ik thuis ben, neem ik een heet bad. Ik blijf er lang in liggen, omringd door stoom, en laat de huid van mijn vingers verschrompelen. Mensen kunnen veranderen. Ik zal veranderen. Ik word een serieus persoon, een kalm persoon, het soort persoon dat ik altijd heb bewonderd. Ik ga niet meer rondrennen als een kip zonder kop. Geen grappige ideeën meer. Geen feesten. Ik zal zelfs geen gedichten meer lezen. Ik bedoel, wat heeft poëzie me ooit gebracht?

Als het water begint af te koelen, stap ik uit het bad en trek mijn zachte badjas aan. De badjas die tot mijn enkels reikt. De enige die ik nog heb sinds Dave de sexy zijden kimono heeft verscheurd. Maar ik heb toch geen sexy kimono nodig. Ik zet de laptop in de woonkamer aan en begin te typen.

33

BLOG AAN MAX NR. 6 – HET IS VOORBIJ

Aantal dagen sinds ik je voor het laatst zag: 30

O god, ik heb het totaal verknald op de radio vandaag. Het begon wel goed en ik was heel erg opgewonden, maar Stuart Hill bleef maar doorvragen: 'Waarom denk je dat die Max gevonden wil worden?' En ik dacht: nou, dat spreekt vanzelf, we houden van elkaar. Maar de waarheid is dat ik niet meer weet wat jouw gevoelens zijn. Ik ga er steeds van uit dat ik je terug kan krijgen, maar misschien heb ik je wel te diep gekwetst. Misschien wil je me nooit meer zien. Die gedachte kan ik niet verdragen. Ik vind het afschuwelijk om dit te zeggen, maar misschien moet ik onder ogen zien dat je als je gevonden had willen worden, nu wel hier zou zijn.

Dus. Oké. Max.

Ik wil zeggen dat het me spijt. Ik wil je vertellen dat het die keer dat je mij met Rob zag niet was wat jij dacht. Ik wil je vertellen dat ik weet dat ik een trut ben. En ik wil je zeggen dat dit mijn laatste blog is.

Ik zal altijd blijven hopen en naar je blijven zoeken en van je blijven houden, maar ik stop met die belachelijke zoektocht. De campagne is voorbij en als je me nog wilt... nou ja, dan weet je me te vinden.

V x

Ik staar naar de knipperende cursor tot hij wazig wordt. Maar ik heb de juiste beslissing genomen. Het is tijd om stilletjes verder te gaan met mijn leven en te stoppen met zoeken naar dingen, precies zoals Nana zei. Ik zal tot bedaren komen. Ik zal in harmonie met mezelf zijn. Sereen. Ik onderdruk een snik.

Ik lees een paar berichten van volgers. Ik zou een klein bedankje kunnen schrijven om het blog op een goede manier af te sluiten. Ik kijk uit het raam naar de schemerende lucht. Het wordt steeds eerder donker en de temperatuur daalt; mijn wilde zomer is voorbij. Ik denk aan die paar hete dagen met Max. Ik denk dat ik mijn kans op de liefde heb vergooid. Ik kijk weer naar het scherm, pak een zakdoekje en snuit mijn neus. Dave komt bij me en krult zich om mijn enkels. Er verschijnt een nieuw bericht.

Hoi V, ik ben het.
M x

Mijn hart maakt een sprongetje, maar dan besef ik dat het een grapjas moet zijn. Het is wel vaker voorgekomen dat iemand deed of hij Max was. Ik zal het bericht negeren. Ik staar naar de woorden... Maar als het hem nou wel is en ik weer mijn kans voorbij laat gaan? Maar natuurlijk is hij het niet. Hij zou bellen, toch? Het is vast een of andere gek.

Het kan echter geen kwaad om het even te testen.

Max, als jij dit bent, bel me dan over vijf minuten.
V x

Ik wacht. Niets. Ik wacht nog wat langer. Wie houd ik hier voor de gek? Ik ga naar de keuken en schenk wat sinaasappelsap in. Geen alcohol meer. Ik ga mijn leven omgooien. Ik loop terug naar de woonkamer en kijk bewust niet naar het scherm van de laptop. Ik ga op de bank zitten en blader de krant door. Dave begint te mauwen en aan de stoelpoot te krabben. Rotkat.

'Houd op, anders laat ik je opzetten.' Hij springt op de stoel en dan op de tafel. Hij wrijft zijn kop tegen het scherm en begint te spinnen. 'Ik meen het,' waarschuw ik hem, en dan realiseer ik me dat Dave me misschien iets probeert te vertellen, net als Lassie. Ik zeg: 'Wat is er, jongen? Is er een bericht van je baasje? Zit hij vast in een put of zo?' Dave staart me aan en knippert met zijn ogen. Ik loop naar het scherm om te kijken.

Zit in Spanje. Hoge bergen. Geen bereik.
M x

Ik sta mezelf niet toe om helemaal van de kook te raken. Het is ongetwijfeld een of andere sukkel die zichzelf grappig vindt. Maar...

Hoe weet ik dat jij het echt bent?
V

Ik wacht en kriebel Dave op zijn kop. Hij snort als een cirkelzaag. Er verschijnt een bericht.

Hoe bedoel je? Ik ben het, kijk dan!
M x

Ik staar naar het scherm. Ik durf niet te hopen; mijn hart is al aan diggelen. Als dit een grap is, dan vrees ik dat het de druppel is die de emmer doet overlopen.

Bewijs het.
V

Ik ben te onrustig om te zitten wachten. Ik loop wat rond en kijk op het scherm. Niets. Zie je wel? Het is Max niet. Ik trek mijn badjas strakker om me heen en strijk mijn haar achter mijn oren. Niets. Ik kijk naar Dave die nog steeds bij het scherm zit te spinnen. 'Hij is het niet. Haal je nou maar niets in je hoofd,' zeg ik en ik breng mijn glas naar de keuken.

Weer in de kamer kijk ik nog een keer. Niets.

34

EEN PAAR DINGEN DIE IK WEET VAN VIVIENNE SUMMERS

Door Max Kelly

Ze heeft een moedervlek in de vorm van Ierland op haar rechterbil.
Ze heeft het vuilste lachje dat ik ooit heb gehoord.
Ze is zo koppig als een ezel.
Ze vindt motoren, Arsenal en tatoeages niet leuk, maar mij, haar getikte oma en Engelse rozen wel.
Ze drinkt 's ochtends thee, koffie na de lunch en 's avonds droge witte wijn.
Ze is altijd heel slecht geweest in poëzie en ze kan niet tekenen.
Ik vind haar het leukst als ze glimlacht.
Ze kan niet goed tegen drank.
Haar lievelingskleur is roze, maar zij denkt dat het blauw is.
Ze is bazig en ongeduldig, maar ook lief en charmant.
Ik stierf bijna aan een gebroken hart toen ze een galerie binnenliep met iemand anders, maar ik kan niet zonder haar, dus ik moet wel weer naar haar terug.
Als ik denk dat ze misschien wel van me houdt, kan ik de hele wereld aan.
Ze is de meest sexy vrouw die ik ooit heb gezien.
Ze is mijn prachtige, hilarische, slimme vriendin.
Ik zou dolgraag bij haar willen zijn.

Ik heb gehoord dat ze naar me op zoek is en ik vroeg me af of ze misschien naar Spanje wil komen.
Geloof je me nu?
M x

Je bent het echt!
V x

En, wat denk je ervan?
M x

35

ADIOS AMIGO'S

Datum: 1 september, 19:14
Van: Ryanair.com
Aan: Vivienne Summers
Onderwerp: Bevestiging van uw vlucht

Dank u wel dat u met Ryanair.com reist.
Deze mail is niet geldig als ticket.
Uw ticket wordt gemaild naar het adres dat u hebt opgegeven.
Lees de informatie hieronder goed door en klik om te
bevestigen.

Naam passagier: Vivienne Summers
Datum: 2 september 2012
Vertrek van: Londen Stansted, VK
Aankomst op: Barcelona (Girona), Spanje
Enkele reis/retour: Enkele reis

Klik.

Dankwoord

Dank je wel, Steve Garcia, dat je mijn onvermoeibare muze bent geweest en mij hebt aangespoord tot het schrijven van dit boek. Ik ben mijn agent Madeleine Milburn bijzonder dankbaar voor alles wat ze voor elkaar heeft gekregen. Ik wil iedereen van Hodder bedanken, vooral Isobel Akenhead voor het haviksoog waarmee ze het boek heeft geredigeerd en haar charmante assistente Harriet Bourton, die heel anders is dan Christie. En ook dank ik Charlotte Maslen, Tessa Ditner en Danielle Shaw, die de tekst verschillende keren hebben gelezen en zo geweldig, slim en oprecht waren. Verder mijn dank aan iedereen die ooit mijn hart heeft gebroken, en mijn excuses aan al mijn grappige vrienden wier one-liners ik heb gestolen. Mam en pap, bedankt voor alles.